# ENDRING OG KONTINUITET
## STORTINGSVALGET 1989

HENRY VALEN, BERNT AARDAL OG GUNNAR VOGT

STATISTISK SENTRALBYRÅ
OSLO - KONGSVINGER 1990

ISBN 82-537-2963-4
ISSN 0801-3845

**EMNEGRUPPE**
62 Politiske emner

**ANDRE EMNEORD**
Partiskifte
Stemmegiving
Valgkampspørsmål
Velgere
Yrkesstruktur

# Forord

Denne rapporten er en analyse av stortings-valget i 1989 ut fra en landsomfattende intervjuundersøkelse som ble foretatt umiddelbart etter valget. Undersøkelsen inngår i en lang rekke valgundersøkelser som er gjennomført ved Institutt for samfunnsforskning. Siden stortingsvalget i 1977 er undersøkelsene foretatt i fellesskap av Institutt for samfunnsforskning og Statistisk sentralbyrå. De første resultatene fra 1989-undersøkelsen er publisert i Statistisk ukehefte nr. 50/1989. Sammenlignet med tidligere publikasjoner fra valgundersøkelsene (jfr. H. Valen og B. Aardal: *Et valg i perspektiv. En studie av stortingsvalget 1981*, Samfunnsøkonomiske studier nr. 54, Statistisk sentralbyrå 1983; B. Aardal og H. Valen: *Velgere, partier og politisk avstand*, Sosiale og økonomiske studier nr. 69, Statistisk sentralbyrå 1989), er denne rapporten tematisk noe mer avgrenset. I ho-vedsak fokuserer analysen på sammenhengen mellom sosial bakgrunn og stemmegivning, men det legges også vekt på den politiske kontekst og de stridsspørsmål som preget valgkampen i 1989. Det spørreskjema som er benyttet i undersøkelsen er trykt som Appendiks A, og en nærmere redegjørelse for utvalget og gjennomføring av undersøkelsen foreligger i Appendiks B. Undersøkelsen er foretatt med støtte fra Kommunal- og arbeids-departementet, Kultur- og vitenskapsdepartementet og Norges allmennvitenskapelige forskningsråd.

Forfatterne vil takke Statistisk sentralbyrås intervjuavdeling for nok en gang et godt gjennomført feltarbeid. De mange enkeltpersoner rundt om i landet som har tatt seg tid til å besvare våre spørsmål, fortjener også en stor takk.

Statistisk sentralbyrå, Oslo, 26. juli 1990

**Arne Øien**

---

# Innhold

## Standardtegn i tabeller

.. Oppgave mangler
- Null

# Figurregister

# Tabellregister

## Partienes velgerprofiler

## Tabeller i appendiks

# 1. Stortingsvalget i 1989

Stortingsvalget 11. september 1989 kan karakteriseres som et "polariseringsvalg". Sammenlignet med foregående stortingsvalg førte det til sterk framgang for fløypartiene, Fremskrittspartiet og Sosialistisk Venstreparti. Sammenlagt oppnådde de to partiene innpå fjerdeparten av de avgitte stemmene. Deres framgang gikk ut over Arbeiderpartiet og Høyre, mens det ble status quo for partiene i sentrum. Hvis vi sammenligner med kommune- og fylkestingsvalget i 1987 var endringene av mindre omfang. Framgangen for Fremskrittspartiet og tilbakegangen for Høyre og Arbeiderpartiet var helt tydelig allerede i 1987. Den viktigste endring fra 1987-89 var den markerte framgang for Sosialistisk Venstreparti. Men uansett sammenligningsgrunnlag demonstrerte valgresultatet i 1989 at det har skjedd store endringer i velgerskaren.

Endringene kom ikke som en overraskelse. En rekke tidligere undersøkelser har demonstrert at velgernes tilbøyelighet til å skifte parti har økt sterkt ved senere valg (Holmberg og Giljam 1987; Crewe & Denver 1985: Aardal & Valen 1989). Tendensen som er tvernasjonal, kom i gang i begynnelsen av 1970-årene. For Norges vedkommende faller de økende skiftninger sammen med en markert dreining i favør av partiene på høyresiden. Stortingsvalget i 1989 bekreftet den generelle tendens til store skiftninger, men utslaget i partifordelingen ble egenartet. Med sin spesielle karakter gir dette valget rike muligheter til å studere de politiske endringsprosessene i det moderne samfunn. Og det er temaet for denne rapporten: *I hvilken grad faller endringene ved stortingsvalget i 1989 i tråd med de langtidstendenser vi har kunnet observere i 1970- og 1980-årene? I hvilken grad dreier det seg om kortsiktige skiftninger betinget av den aktuelle situasjon?* Før vi presenterer opplegget av analysen er det nødvendig å gi en nærmere redegjørelse for selve valgresultatet. For å forklare valget i en politisk sammenheng er det også nødvendig å gi en beskrivelse av valgkampen og de alternativer som forelå ved valget.

## Valgresultatet i 1989

Fordelingen av stemmer og mandater er vist i tabell 1.1. Etter norske forhold er endringene uvanlig store. Som et generelt mål på netto skiftninger i forhold til foregående stortingsvalg kan vi se på summen av gevinst i prosentpoeng for de partier som hadde framgang. Det blir i alt 15,2 prosentpoeng i 1989. Tilsvarende tall for valget 1981 var 11,2 og for valget i 1985 4,4 prosentpoeng (Aardal & Valen 1989:15). De to partiene som vant valget i 1989, Fremskrittspartiet og Sosialistisk Venstreparti, hadde en framgang på henholdsvis 9,3 og 4,6 prosentpoeng, mens Høyre og Arbeiderpartiet gikk tilbake med henholdsvis 8,2 og 6,5 prosentpoeng. For alle andre partier

## Tabell 1.1. Fordeling av stemmer og mandater i 1985 og 1989

| | Stemmer | | Diff. %-poeng | Mandater | | | | Diff. %-poeng |
| | | | | 1985 | | 1989 | | |
| | 1985 | 1989 | | Ant. | Pst. | Ant. | Pst. | |
| --- | --- | --- | --- | --- | --- | --- | --- | --- |
| I alt ................. | 100,0 | 100,0 | - | 157 | 100,0 | 165 | 100,0 | - |
| Fylkeslistene for Miljø og Solidaritet[1] .... | 0,8 | 0,8 | 0 | - | - | - | - | - |
| Sosialistisk Venstre- parti (SV) ............ | 5,5 | 10,1 | 4,6 | 6 | 3,8 | 17 | 10,3 | 6,5 |
| Det norske Arbeiderparti(A) | 40,8 | 34,3 | -6,5 | 71 | 45,2 | 63 | 38,2 | -7,0 |
| Venstre (V)[2] .......... | 3,1 | | | | | | | |
| | | 3,2 | -0,4 | - | - | - | - | - |
| Det Liberale Folke- partiet (DLF)[2] ......... | 0,5 | | | | | | | |
| Kristelig Folkeparti (KrF) | 8,3 | 8,5 | 0,2 | 16 | 10,2 | 14 | 8,5 | -1,7 |
| Senterpartiet (SP) ....... | 6,6 | 6,5 | -0,1 | 12 | 7,6 | 11 | 6,7 | -0,9 |
| Høyre (H) ............ | 30,4 | 22,2 | -8,2 | 50 | 31,9 | 37 | 22,4 | -9,5 |
| Fremskrittspartiet (FrP) .. | 3,7 | 13,0 | 9,3 | 2 | 1,3 | 22 | 13,3 | 12,0 |
| Aunelista ............ | | 0,3 | 0,3 | - | - | 1 | 0,6 | 0,6 |
| Andre[3] .............. | 0,3 | 1,1 | -0,8 | - | - | - | - | - |
| Tallet på godkjente stemmer | 2 591 958 | 2 647 604 | - | - | - | - | - | - |
| Frammøteprosent ....... | 83,8 | 83,2 | - | - | - | - | - | - |

[1] Norges Kommunistiske Parti og Rød Valgallianse.
[2] Venstre og Det Liberale Folkepartiet ble fusjonert i juni 1988 under navnet Venstre.
[3] Andre omfatter De Liberale - Europapartiet som fikk 0,02 pst. av stemmene, Frie Folkevalgte 0,01 pst., Miljøpartiet De Grønne 0,38 pst., Pensjonistpartiet 0,30 pst. og Stopp Invandringen 0,34 pst.

var skiftningene i positiv eller negativ retning meget små. Forholdet mellom de to hovedgruppene ble lite forskjøvet. Arbeiderpartiet og Sosialistisk Venstreparti gikk sammenlagt tilbake med 1,9 prosentpoeng, fra 46,3 prosent i 1985 til 44,4 prosent i 1989.

Tabell 1.2. Fordeling av stemmer ved fylkestingsvalget i 1987 og stortingsvalget i 1989

|  | 1987 | 1989 | Diff. %-poeng |
|---|---|---|---|
| I alt ........ | 100,0 | 100,0 | - |
| Fylkeslistene for Miljø og Solidaritet | 1,6 | 0,8 | -0,8 |
| SV ........ | 5,7 | 10,1 | 4,4 |
| A .......... | 35,9 | 34,3 | -1,6 |
| V (+DLF) .... | 5,0 | 3,2 | -1,8 |
| KrF ........ | 8,1 | 8,5 | 0,4 |
| SP .......... | 6,8 | 6,5 | -0,3 |
| H .......... | 23,7 | 22,2 | -1,5 |
| FrP ........ | 12,3 | 13,0 | 0,7 |
| Aunelista .... | - | 0,3 | 0,3 |
| Andre ....... | 0,9 | 1,1 | 0,2 |
| Tallet på godkjente stemmer ..... | 2 117 238 | 2 647 604 | |
| Frammøteprosent | 66,2 | 83,2 | |

De to avleggerne av det gamle Venstrepartiet gikk sammen et år foran valget, og lå lenge an til å gjenvinne meget av sin tapte tilslutning. Men som det vil bli vist nedenfor, ble partiet slått ut under valgkampen, og maktet ikke å bli representert på det nye storting.

En annen sensasjon var Anders Aunes Finnmarksliste. På landsbasis fikk den bare 0,3 prosent av de avgitte stemmene, men prosentandelen i Finnmark ble 21,5 og nok til å vinne et mandat i fylket. Uroen i velgerskaren gav seg uttrykk i form av mange særlister som stilte opp i konkurranse med de etablerte partiene. Men bortsett fra Aunelista maktet de ikke å bli representert på Stortinget. Bemerkelsesverdig er det at såkalte grønne lister fikk en så vidt beskjeden tilslutning. Det gjelder Miljøpartiet De Grønne og Fylkeslistene for Miljø og Solidaritet. Sistnevnte gruppering var en sammenslutning av de to partiene på venstrefløyen, Norges Kommunistiske Parti og Rød Valgallianse. Fylkeslistenes stemmeandel ble nesten identisk med den samlede tilslutning for de to partiene i 1985.

Tabell 1.1 viser bedre samsvar enn tidligere mellom fordelingen av stemmer og mandater. Det skyldes selvsagt innføringen av utjevningsmandater foran valget i 1989. Men det er fortsatt en viss overrepresentasjon for Arbeiderpartiet (6-7 mandater).

Tabell 1.2 viser endringene i stemmefordeling mellom fylkestingsvalget i 1987 og stortingsvalget i 1989. Den samlede gevinst for de partiene som hadde framgang, var bare 6,0 prosentpoeng. Meningsmålingene viste store bevegelser i året foran stortingsvalget, men selve valgresultatet i 1989 avvek ikke meget i forhold til fylkestingsvalget to år tidligere.

Tallene i tabellene 1.1 og 1.2 gjelder hele landet. Det betyr ikke at endringene i partienes styrkeforhold var de samme overalt. Tvert imot forekom det betydelige regionale variasjoner, som fortjener å bli nærmere belyst.

Ved vurderingen av de tre valgene er det verdt å merke seg de sterke svingningene i valgdeltagelsen. I 1989 var frammøteprosenten 83,2, dvs. ubetydelig lavere enn i 1985, men ved fylkestingsvalget i 1987 var den bare 66,2. Normalt ligger valgdeltagelsen noe lavere ved kommune- og fylkestingsvalg enn ved stortingsvalg (Aardal & Valen 1989: 288-290). Men i 1987 var den rekordlav. Indirekte får valgdeltagelsen betydning for sammenligningen av partifordelinger ved to valg. Den etterfølgende analyse vil likevel bli fokusert dels på skiftningene fra 1985-89, dels på skiftningene fra 1987-89.

De tall som er presentert i tabellene 1.1 og 1.2 er hentet fra offisiell valgstatistikk og angir netto skiftninger mellom de respektive valg. Individuelle skiftninger som legges til grunn i den etterfølgende analysen, er av langt større omfang og gir et sterkere grunnlag for å bedømme de faktiske endringsprosesser som kommer til uttrykk ved valgene.

**Alternativer ved valget**

Hvordan avtegnet regjeringsalternativene seg foran valget i 1989? De var høyst uklare. Inntil 1985 forelå det en tradisjon som gikk tilbake til 1960-årene med to konkurrerende alternativer: Avhengig av valgresultatet ville det enten bli en borgerlig koalisjonsregjering eller en mindretallsregjering av Arbeiderpartiet basert på et sosialistisk flertall. Tradisjonen ble brutt ved valget i 1973 da de borgerlige partiene stod så sterkt splittet etter EF-striden at en koalisjon var utenkelig på dette tidspunkt. Men i 1977 kunne partiene atter erklære seg villige til å danne regjering sammen, dersom de oppnådde flertall ved valget. Bare Venstre stilte seg utenfor det nye koalisjonsalternativet. Ved valget i 1985 forelå de samme alternativene, med det unntak at Venstre nå erklærte seg villig til å støtte/eventuelt medvirke i en arbeiderpartiregjering.

Resultatet av valget i 1985 ble at Arbeiderpartiet gikk fram, men ikke nok til at det ble sosialistisk flertall. Koalisjonspartiene tapte sitt flertall, mens Fremskrittspartiet med sine to mandater kom i vippeposisjon. Stillingen i Stortinget ble:

| | | |
|---|---|---|
| Sosialister | 77 | mandater |
| Koalisjonspartiene | 78 | " |
| Fremskrittspartiet | 2 | " |
| Til sammen | 157 | mandater |

Valgresultatet ble innledningen til en periode med ustabile regjeringer. Koalisjonsregjeringen måtte vike i mai 1986, og Arbeiderpartiets mindretallsregjering som overtok makten, måtte baute seg fram fra sak til sak, for det meste med støtte fra Senterpartiet og Kristelig Folkeparti. Fremskrittspartiets store framgang ved kommune- og fylkestingsvalget i 1987 ble en markering av at de parlamentariske maktforhold var totalt forrykket.

Valgresultatet i 1987 og etterfølgende meningsmålinger demonstrerte klart at stortingsvalget i 1989 ikke ville bli et valg mellom de tradisjonelle alternativene. De sosialistiske partiene hadde praktisk talt ingen mulighet til å oppnå et flertall, og for koalisjonspartiene var utsiktene enda mer dystre. Før valget la de tre partiene – med støtte fra Venstre - fram en erklæring i 22 punkter om at de ønsket å overta makten. Men erklæringen inneholdt intet program for løsning av aktuelle saker. Den måtte snarere oppfattes som et utgangspunkt for forhandlinger om en ny koalisjon. De fire partiene hadde ingen utsikt til å oppnå flertall ved valget. Ifølge meningsmålingenes klare tale ville Fremskrittspartiet fortsatt bli sittende i vippeposisjon, bare med den forskjell at partiets representasjon nå ville øke enormt. Det var således høyst sannsynlig at det ville bli et nytt borgerlig flertall som også omfattet Fremskrittspartiet. Problemet var at de andre partiene stilte seg avvisende til tanken om å samarbeide med sistnevnte parti[1].

Klare regjeringsalternativer foran et valg har viktige konsekvenser for den enkelte velger. Dersom han vet at utfallet vil bli flertall for det ene eller det annet alternativ, vet han hva slags regjering han gir sin støtte til når han stikker stemmeseddelen i urnen. I en slik situasjon blir avgjørelsen forholdsvis lett. Uklare alternativer derimot gjør valget usikkert. Ingen kan forutsi hva slags regjering som vil bli dannet, eller hva slags politikk som vil bli ført i den etterfølgende periode. For den enkelte velger blir resultatet tvil, frustrasjon og mangel på engasjement.

Valgforskerne har vist at klare alternativer medfører høy intensitet i valgkampen og høy deltagelse i valget (Campbell et al. 1966; Hernes & Martinussen 1980:58 og 138-142). På grunn av de uklare alternativer foran valget i 1989, var det grunn til å vente lav frammøteprosent slik det hadde vært ved kommune- og fylkestingsvalgene i 1987. Denne hypotesen slo ikke til. Som tabell 1.1 viser, ble frammøteprosenten i 1989 nesten like høy som ved foregående stortingsvalg da alternativene var klare. Hvordan skal dette forklares? - I valgundersøkelsene er det tatt med tre spørsmål som tar sikte på å måle velgernes oppfatning av valgsituasjonen og intensiteten i valgkampen: (1) "Mange sier det var svært lett å bestemme seg for det parti en skulle stemme på ved dette valget, mens andre syntes det var svært vanskelig. Hvordan var det med deg, syntes du det var svært lett, nokså lett, nokså vanskelig, eller svært vanskelig?" (2) "Når du ser tilbake på valget nå i høst, vil du si at du personlig brydde deg meget om hvilket parti eller hvilke partier som vant eller tapte ved valget, brydde du deg en del om det eller spilte det liten rolle for deg personlig?" (3) "Vi vil gjerne høre om du har deltatt i politiske diskusjoner eller samtaler foran valget i år. Hvor ofte pratet du om valget i familien eller med venner og bekjente? Vil du si daglig, et par ganger i uken, mer sjelden, eller aldri?" (Jfr. Appendix A, spm. 22, spm. 54 og spm. 58.) Uten å gå nærmere inn på materialet, kan vi se

---

[1] Uviljen mot Fremskrittspartiet kom klart til uttrykk på lederplan. Men den var like utbredt blant velgerne. Første halvår 1989 foretok Norsk Gallup Institutt på vegne av NRK/radio en måling hver måned for å studere velgernes syn på regjeringsalternativene. De spurte ble bedt om å ta standpunkt til to spørsmål: (1) "Hvilket av følgende to regjeringsalternativ vil du foretrekke etter stortingsvalget i høst: en Arbeiderpartiregjering eller en ikke-sosialistisk regjering uten støtte fra Fremskrittspartiet?, og (2) "Og hva ville du ha valgt av følgende to alternativ: en Arbeiderpartiregjering eller en ikke-sosialistisk regjering med støtte fra Fremskrittspartiet?" Det første av disse spørsmålene gav svak overvekt for en Arbeiderpartiregjering, ca. 43 pst. mot omtrent 40 pst. for en ikke-sosialistisk regjering *uten* støtte fra Fremskrittspartiet. Når valget stod mellom en A-regjering og en B-regjering *med* støtte fra FrP, lå oppslutningen om A-regjeringen på omtrent 50 pst., mens bare tredjeparten foretrakk en B-regjering. Det bemerkelsesverdige er at de nevnte fordelinger lå helt stabile fra januar til og med august 1989. Flertallet av borgerlige velgere foretrakk B-regjering *uten* medvirkning fra FrP. Men når forutsetningen var *støtte* fra FrP, foretrakk et klart flertall av mellompartienes velgere A-regjering (se Valen 1990).

på svarene for 1989 i sammenligning med de to foregående stortingsvalg. Materialet er presentert i tabell 1.3. Svarene på de to første spørsmålene støtter antakelsen om at uklare regjeringsalternativer skaper tvil og usikkerhet hos velgerne. Andelen som svarte at det var lett å bestemme seg ved valget lå på 50 prosent i 1981 og 1985, men sank til 35 prosent i 1989. Det var også et klart fall i andelen som oppgav at de brydde seg meget om hvem som vant eller tapte valget. Det tredje spørsmålet som går på diskusjon om valget, viser imidlertid en overraskende tendens: Andelen som oppgir at de har diskutert valget daglig i sine nære omgivelser er langt høyere i 1989 enn i de to foregående valgene. Spørsmålet må antas å måle intensiteten i valgkampen. Materialet tyder således på at intensiteten i 1989 var meget høy til tross for at alternativene var uklare. Når frammøteprosenten i 1989 ble uventet høy, må intensiteten i valgkampen være en rimelig forklaring. Stikk i strid med tidligere funn demonstrerte således stortingsvalget i 1989 at høy intensitet i valgkampen ikke nødvendigvis er betinget av klare politiske alternativer.

**Valgkampen**

Det er ønskelig å se litt nærmere på selve innholdet i valgkampen. Utvalget ble spurt: "La oss se tilbake på valget nå i høst. Kan du

Tabell 1.3. Engasjement i valgene 1981, 1985 og 1989. Prosent av de spurte som gav uttrykk for sterkt engasjement

|  | 1981 | 1985 | 1989 |
|---|---|---|---|
| Svært lett å bestemme seg . | 50 | 50 | 35 |
| Brydde seg meget om valgutfallet . . . . . . . . . . . . . . | 43 | 46 | 39 |
| Diskuterte om valget daglig | 28 | 28 | 40 |

nevne en eller to saker som var spesielt viktige for din stemmegivning?" Resultatet er presentert i tabell 1.4. Litt over 80 prosent av de spurte kunne nevne ett eller to spørsmål. Det er vanskelig å fastslå om det foreligger en direkte sammenheng mellom stemmegivningen og de temaer som er nevnt. Likevel må man gå ut fra at materialet gir et rimelig bra uttrykk for hvilke saker som opptok velgerne. Tabell 1.4 viser fordelingen blant dem som har besvart spørsmålet. Trygder, helsestell og eldreomsorg er nevnt av nesten halvparten, det vil si noen færre enn ved valget i 1985 (Aardal & Valen 1989). På en god annenplass kommer miljø, natur og energi. Disse temaene er nevnt av over tredjeparten, en enorm stigning sammenlignet med 1985. Som rimelig kan være, er også sysselsettingen kommet i forgrunnen i 1989. Nye temaer i 1989 er innvandring og kriminalpolitikk, men her er utslagene forbløffende svake. Interessen for utenriks- og forsvarspolitikken, som i 1985 rangerte som det tredje viktigste tema, har avtatt betraktelig. De som nevner utenrikspolitikk i 1989, er for det meste opptatt av Norges forhold til EF. Endelig er det bemerkelsesverdig at spørsmålet om regjeringsmakten som ble nevnt av 5 prosent i 1985, er falt helt ut i 1989. Det har trolig sammenheng med fraværet av klare regjeringsalternativer ved siste valg.

Som vanlig varierer oppfatningen av stridsspørsmål meget fra den ene velgergruppe til den annen (Aardal & Valen 1989:46-48). I tabell 1.5 presenteres en del saker som viser klare forskjeller mellom partiene.

Spørsmål om trygder, helsetiltak og eldreomsorg er nevnt mest hyppig blant arbeiderpartivelgere, og med Fremskrittspartiet på annenplass. Spørsmål om energi og miljøvern opptar Venstres og Sosialistisk Venstrepartis velgere langt mer enn velgere i andre partier. Spørsmålet om sysselsettingen er ganske jevnt fordelt mellom partiene, dog er utslaget størst for Arbeiderpartiet og Høyre. I utenrikspolitiske spørsmål ligger Senterpartiets velgere på topp. Det er EF-saken som slår igjennom. Det er den samme sak - med motsatt fortegn - som gir Høyre annenplass på dette området. Ellers utmerker Høyres og Fremskrittpartiets velgere seg ved å være mest opptatt av skatter og andre økonomiske spørsmål. Senterpartiet har den klareste profil når det gjelder desen-

Tabell 1.4. Oppfatning av viktige stridsspørsmål. Tallene for 1985 i parentes

|  | 1989 | (1985) |
|---|---|---|
| Trygder, helsetiltak, eldreomsorg (sosialpolitikk) . . . . . . . . . . . . . . | 46 | (67) |
| Energi, miljøvern . . . . . . . . . . . . | 37 | (5) |
| Sysselsettingen . . . . . . . . . . . . . . | 19 | (14) |
| Utenriks- og forsvarspolitikk . . . . | 10 | (17) |
| Innvandring . . . . . . . . . . . . . . . . . | 9 | (0) |
| Økonomiske spørsmål generelt . . . | 8 | (5) |
| Moralsk-religiøse spørsmål . . . . . . | 8 | (7) |
| Skattepolitikken . . . . . . . . . . . . . | 6 | (8) |
| Sosial utjevning . . . . . . . . . . . . . . | 4 | (6) |
| Utdanning, skole . . . . . . . . . . . . . | 3 | (3) |
| Prisstigningen . . . . . . . . . . . . . . . | 2 | (2) |
| Abortsaken . . . . . . . . . . . . . . | 2 | (2) |
| Distriktspolitikk, desentralisering | 2 | (1) |
| Kriminalpolitikk . . . . . . . . . . . . . | 2 | (0) |
| Statsdrift, omfanget av offentlig sektor . . . . . . . . . . . . . . . . . . . . . . | 1 | (3) |
| Spørsmålet om regjeringsmakten | 0 | (5) |
| Media, reklame i TV og radio . . . . | 0 | (1) |
| U-hjelp . . . . . . . . . . . . . . . . . . . | 0 | (1) |
| Boligpolitikken . . . . . . . . . . . . . . | 0 | (1) |
| Andre spørsmål . . . . . . . . . . . . . . | 9 | (5) |
| Antall personer (N) . . . . . . . . . . . | 1799 | (1631) |

tralisering. Som rimelig kan være, er Kristelig Folkepartis velgere mest opptatt av kristne og moralske verdier. Fremskrittpartiets velgere er mest opptatt av innvandring.

Tendensene i tabellene 1.4 og 1.5 svarer godt til det generelle uttrykk man måtte få ved å følge valgkampen i massemediene. Ikke uventet kom sosialpolitiske spørsmål ut som det viktigste sakskompleks. Det henger sammen med et utspill fra Fremskrittspartiets leder tidlig i valgkampen, der han gikk til angrep på misbruk av trygder og velferdsordninger. Alle de andre partiene tok i større eller mindre grad avstand fra hans synspunkter. Debatten avslørte at velferdsstatens prinsipper om kollektive løsninger var lite forenlige med utpreget liberalistiske oppfatninger om samfunnsstyringen. Det var antakelig denne debatten som skapte høy intensitet i valgkampen. Men akkurat som i 1985 stod også velferdsstatens mangler eller utilstrekkelighet på dagsordenen. Det gjaldt ikke minst helsestell og eldreomsorg.

Tabell 1.5. Oppfatningen av viktige stridsspørsmål og parti. 1989

|  | Parti | | | | | | |
|---|---|---|---|---|---|---|---|
|  | SV | A | V | KrF | SP | H | FrP |
| Trygder, helsetiltak, eldreomsorg . . . . . . . . | 43 | _58_ | 20 | 44 | 34 | 40 | _51_ |
| Energi, miljøvern . . . . . . . . | _75_ | 30 | _92_ | 29 | 40 | 22 | 21 |
| Sysselsettingen | 14 | _27_ | 15 | 16 | 14 | _30_ | 21 |
| Utenrikspolitikken . . . . . . . | 7 | 5 | 11 | 7 | _52_ | _14_ | 5 |
| Skatter . . . . . . . | 2 | 5 | 0 | 0 | 3 | _17_ | _17_ |
| Desentralisering . . . . . . . . | 1 | 1 | 3 | 0 | _19_ | 1 | 0 |
| Moralsk-religiøse spørsmål | _12_ | 4 | 8 | _55_ | 2 | 6 | 2 |
| Innvandring . . . | 6 | 6 | 3 | 1 | 2 | 8 | _26_ |

Det er mulig at spørsmål om natur, miljø og energi kom litt i skyggen av debatten om de sosiale velferdsordningene.[2] Analysen av politiske stridsspørsmål og deres utslag under valget må imidlertid vente til en senere anledning. På dette tidspunktet må vi nøye oss med å slå fast at årets valgkamp fikk betydelige konsekvenser for selve valgresultatet. I under-

søkelsen ble det stilt et spørsmål om tidspunktet når velgerne bestemte seg for hvilket parti de skulle stemme på (spm. 59, Appendiks A). 42 prosent av de spurte oppgav at de bestemte seg i løpet av valgkampen. Det tilsvarende tall var 21 prosent både i 1981 og i 1985. Et enda bedre inntrykk av svingningene får vi ved å se på meningsmålingene.

Figur 1.1.    Meningsmålinger juli-september 1989 (gjennomsnittstall fra fire institutter).
Arbeiderpartiet, Høyre, Fremskrittspartiet og Sosialistisk Venstreparti

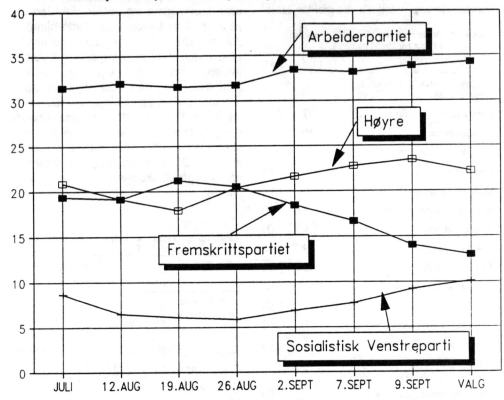

<hr>

[2] Bernt Aardal (1990) har rettet søkelyset på koplingen mellom sosialpolitikk og miljøvern. Spørsmålet er om samspillet mellom disse saksområdene kan forklare utfallet av valget til fordel for det ene av de to miljøpartiene, Sosialistisk Venstreparti, mens det andre, Venstre, led nederlag.

## Meningsmålingene

Basert på de månedlige målinger fra fire meningsmålingsinstitutter (Opinion, Markeds- og Mediainstituttet, Norges Markedsdata og Scan Fact) har vi beregnet gjennomsnittstall for oppslutningen om de enkelte partiene i tiden juli til september 1989. Materialet er framstilt i form av kurver i figurene 1.1 og 1.2. Siste punkt på kurven representerer valgresultatet 11. september 1989. Materialet viser at Arbeiderpartiet lå stabilt på litt over 30 prosent framover til siste uke av august. I overgangen august-september fikk partiet en framgang på et par prosentpoeng. Deretter flatet nivået seg ut, men det kom en svak stigning like foran valget. Høyre hadde tilbakegang i første del av valgkampen, men hadde jevn stigning fra 19. august. Valgresultatet ble litt dårligere enn de siste meningsmålingene forutsa. Fremskrittspartiet hadde litt framgang i begynnelsen av valgkampen. Rundt 19. august lå partiet an til å få omtrent 21 prosent av stemmene. Men i de etterfølgende uker framover til valget tapte partiet tredjeparten av denne tilslutningen. Sosialistisk Venstreparti lå ganske stabilt på 6-7 prosent av stemmene opp til slutten av august. Partiets

Figur 1.2. Meningsmålinger juli-september 1989 (gjennomsnittstall fra fire institutter). Kristelig Folkeparti, Senterpartiet og Venstre

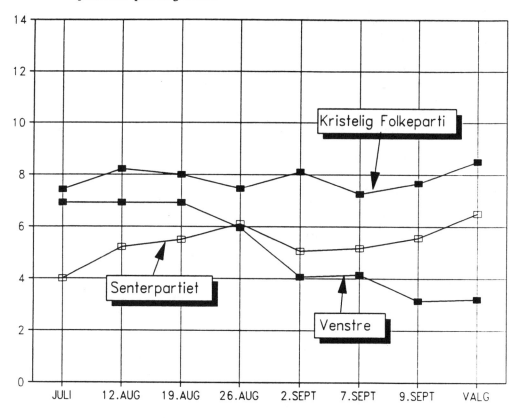

store framgang skjedde i de to siste ukene av valgkampen. For de tre mellompartiene er kurvene mindre regelmessige. Kristelig Folkeparti var mest stabilt og hadde litt framgang under valgkampen. Senterpartiet nådde et bunnivå på 4 prosent av stemmene i juni, men forbedret sin stilling framover til valget. Venstre som hadde hatt en stigende kurve siden sommeren 1988, nådde toppen i juni 1989 med over 7 prosent av stemmene. Valgkampen ble en katastrofe for partiet. Både Kristelig Folkeparti og Senterpartiet fikk større tilslutning ved valget enn i de siste meningsmålingene. For øvrig tyder kurvene på store vandringer fram og tilbake mellom de tre partiene i midten, særlig mellom Venstre og Senterpartiet. Kurvene tyder på et tilsvarende vekselvirkningsforhold mellom Arbeiderpartiet, Høyre og Fremskrittspartiet, særlig mellom de to sistnevnte. Som en oppsummering kan vi slå fast at to partier tapte valgkampen, Venstre og Fremskrittspartiet. For de andre partiene var resultatet mer varierende. Men det største tilsig i løpet av valgkampen tilfalt Sosialistisk Venstreparti og Senterpartiet.

## Analysen

Vårt materiale gir ikke grunnlag for en analyse av svingningene under valgkampen. Men materialet fra meningsmålingene bekrefter at det for tiden er stor mobilitet i velgerskaren. En nærmere analyse av endringene vil forhåpentlig gi økt innsikt i sosiale og politiske prosesser i det moderne samfunn. Analysen som er en videreføring av tilsvarende undersøkelser fra tidligere valg (Valen 1981; Valen og Aardal 1983; Aardal og Valen 1989), vil bli fokusert på tre hovedspørsmål:

(1) *Hvordan har ulike typer av skiftninger bidratt til valgresultatet i 1989?* Det vil bli undersøkt hvordan skiftningene i de totale fordelingene kan føres tilbake til bevegelser fram og tilbake mellom partiene, skiftninger

mellom stemmegivning og hjemmesitting, og fornyelsen av velgerskaren med vekt på førstegangsvelgernes atferdsmønster. Analysen vil bli basert på sammenligninger mellom 1985-89 og mellom 1987-89.

(2) *I hvilken grad er endringene fra valg til valg berørt av geografiske forhold?* Ved stortingsvalget i 1985 så man klare trekk av den gamle senter-periferi-motsetningen. Den slo ut i form av variasjoner mellom landsdelene, men enda mer i variasjoner mellom kommunetyper innenfor de enkelte landsdeler (Aardal & Valen 1989:219-249). Spørsmålet er i hvilken grad tilsvarende endringer kom til uttrykk ved stortingsvalget i 1989.

(3) *Hvilke endringer har funnet sted i forholdet mellom individenes partivalg og deres sosiale bakgrunn?* - Endringene i 1989 som vil bli sammenholdt med langsiktige utviklingstendenser ved tidligere valg. Søkelyset vil også bli rettet på mulige variasjoner mellom aldersgrupper eller kohorter. Videre vil det bli undersøkt i hvilken grad skiftningene har påvirket de enkelte partienes sosiale profil.

## Materialet

Undersøkelsen i 1989 er et ledd i et forskningsprogram som daterer seg tilbake til 1957. Undersøkelsene blir gjennomført i fellesskap mellom Institutt for samfunnsforskning og Statistisk sentralbyrå. Feltarbeidet i 1989 startet dagen etter valget og ble avsluttet ved utgangen av oktober. Spørreskjemaet som ble brukt, er trykt som Appendiks A. I Appendiks B er det redegjort for utvalg og feltarbeid.

For å studere individuelle skiftninger anvendes et såkalt rullerende panel. Det vil si at omtrent halvparten av det utvalg som ble intervjuet i 1985, også ble oppsøkt i 1989. Dessuten ble hele utvalget fra 1985 tilskrevet i forbindelse med kommune- og fylkestingsvalget i 1987. Når det gjelder partivalg kan vi således for en del av utvalget i 1989 sammenligne individenes atferd på tre tidspunkter: 1985, 1987 og 1989. Dette materialet er spesielt relevant for studiet av skiftninger ved valgene (kapitlene 2, 3 og 4).

Partipreferanse er en sentral variabel som blir brukt i mange tabeller i denne boken. Det er derfor ønskelig å se i hvilken grad utvalget i 1989 avspeiler partifordelingen i landet, slik den kom til uttrykk i valgresultatet. Det er vist i tabell 1.6.

Overensstemmelsen mellom de to tallrekkene i tabell 1.6 er meget bra. Det største avviket gjelder Sosialistisk Venstreparti som har fått 12,1 prosent i utvalget mot 10,1 prosent av de avgitte stemmene i henhold til valgstatistikken. Men hvis vi ser på de to sosialistiske partiene samlet, er avviket bare på 1,2 prosentpoeng. Underlaget for den empiriske analysen er således meget bra.

Rapporten fra tidligere valgundersøkelser har hatt et tosidig siktemål: dels å *beskrive* de tendenser som kom til uttrykk ved valget, dels å forklare *hvorfor* de inntraff (Valen 1981; Valen & Aardal 1983; Aardal & Valen 1989). For sistnevnte problemstilling har analysen av stridsspørsmål spilt en sentral rolle. I undersøkelsen av 1989-valget prøver vi en ny stra-

Tabell 1.6. Partifordeling ved valget og i undersøkelsen. Prosent

|  | Valgresultatet | Undersøkelsen*) |
|---|---|---|
| I alt .................. | 100,0 | 100,0 |
| Sosialistisk Venstreparti . | 10,1 | 12,1 |
| Arbeiderpartiet ......... | 34,3 | 33,5 |
| Venstre .............. | 3,2 | 4,2 |
| Kristelig Folkeparti ..... | 8,5 | 8,9 |
| Senterpartiet ........... | 6,5 | 6,0 |
| Høyre .............. | 22,2 | 22,0 |
| Fremskrittspartiet ....... | 13,0 | 11,2 |
| Andre ............... | 2,2 | 2,1 |

*) 5 prosent av de spurte har nektet å oppgi parti. Denne gruppen samt hjemmesitterne (i alt 11 pst.) er holdt utenfor i denne tabellen.

tegi. Denne rapporten vil legge hovedvekten på å studere omfanget og karakteren av skiftningene. Eventuelle sammenhenger mellom skiftningene og konkrete stridsspørsmål vil bli presentert på et senere tidspunkt, dels i form av artikler i fagtidsskrifter, dels i form av en monografi på engelsk. Det knytter seg stor interesse til politiske virkninger av enkelte sentrale saksområder, f.eks. sysselsetting, innvandring, velferdsproblemer. Derfor vil slike temaer bli prioritert i etterfølgende publikasjoner.

# 2. Mellom to stortingsvalg: endringer 1985-1989

Etter norske forhold førte stortingsvalget i 1989 til uvanlig store endringer i partienes stemmetall (tab. 1.1). Men stemmetallene ved et valg angir bare et sluttresultat. Hvilke individuelle skiftninger skjuler det seg bak stemmetallene? Dette er temaet for inneværende kapittel. Som i tidligere analyser av politiske skiftninger (Aardal & Valen 1989:158-176 og 287-296), vil søkelyset bli rettet på tre komponenter som kan påvirke valgresultatet:

* (1) Skiftninger fram og tilbake mellom partiene blant aktive velgere, dvs. de som har avgitt stemme ved samtlige valg som undersøkes.

* (2) Skiftninger ut og inn av hjemmesitternes rekker.

* (3) Den stadige fornyelsen av velgerskaren, det vil si balansen i partipreferansene hos førstegangsvelgere og hos velgere som er utgått av velgerskaren siden foregående valg.

## Vandringer i velgerskaren

Intervjumetoden kan brukes til å skaffe informasjon om individuelle skiftninger ved valgene på to måter, ved *erindringsdata* og ved *paneldata*. I første tilfelle spør man velgerne hvordan de stemte både ved inneværende og ved tidligere valg. I det andre tilfelle foretar man panelintervjuing, det vil si at man oppsøker de samme personer ved to eller flere etterfølgende valg. Jo nærmere i tid en begivenhet ligger, desto lettere er det å skaffe pålitelig informasjon om atferd knyttet til vedkommende begivenhet. Spørsmål om atferd ved tidligere valg har en tendens til å være misvisende, særlig blant velgere som har skiftet standpunkt i den forløpne periode (Waldahl & Aardal 1981; Granberg & Holmberg 1986). I dagens situasjon, da det foregår hyppige skiftninger i velgerskaren, er erindringsdata en mindre pålitelig metode for å studere endringsprosessene. Vi faller derfor tilbake på vårt panelutvalg for 1985-1989 (se s. 21), som ble oppsøkt umiddelbart etter de respektive valg. Men også denne metoden har sin pris, idet utvalget er lite (rundt 800 personer), og feilmarginen tilsvarende stor. Man bør derfor være varsom ved tolkningen av det etterfølgende materialet.[1]

Det er naturlig å ta utgangspunkt i stemmegivningen i 1985. Hvordan har ulike velgergrupper ved dette valget stemt fire år senere? Det

---

[1] Legg merke til at man hele tiden bør se på underlagsmaterialet for en gitt beregning. Hvis underlaget er et stemmetall på 20-30 personer for et gitt parti, kan et avvikende mønster blant 2-3 personer gi et sterkt og ofte misvisende inntrykk. Men når analysen er basert på overgangsmatriser der hele panelutvalget på omtrent 800 utgjør prosentunderlaget, da er man på tryggere grunn, og selv små forskjeller kan være betydningsfulle.

| Parti i 1989 | I alt | RV+ K | SV | A | V+ DLF | KrF | SP | H | FrP | Andre | Stemte ikke |
|---|---|---|---|---|---|---|---|---|---|---|---|
| | | | | | Parti i 1985 | | | | | | |
| I alt ....... | 100 | 100 | 100 | 100 | 100 | 100 | 100 | 100 | 100 | 100 | 100 |
| FMS ...... | 1 | - | 4 | 0 | 0 | 0 | 0 | 0 | 0 | - | 0 |
| SV ....... | 11 | - | _65_ | 6 | 42 | 1 | 0 | 3 | 4 | - | 14 |
| A ........ | 31 | - | 16 | _78_ | 8 | 4 | 4 | 6 | 7 | - | 20 |
| V ........ | 4 | - | 4 | 1 | _27_ | 4 | 13 | 5 | 0 | - | 5 |
| KrF ....... | 9 | - | 0 | 0 | 12 | _72_ | 0 | 4 | 4 | - | 5 |
| SP ........ | 6 | - | 0 | 1 | 4 | 1 | _67_ | 0 | 4 | - | 6 |
| H ........ | 19 | - | 2 | 2 | 4 | 7 | 11 | _56_ | 15 | - | 13 |
| FrP ....... | 10 | - | 4 | 5 | 0 | 4 | 4 | 18 | _48_ | - | 7 |
| Andre ...... | 1 | - | 4 | 0 | 0 | 0 | 0 | 0 | 0 | - | 1 |
| Stemte ikke ... | 9 | - | 2 | 8 | 4 | 7 | 2 | 6 | 19 | - | _31_ |
| N ........ | 787 | 2 | 51 | 251 | 27 | 74 | 54 | 208 | 27 | 2 | 88 |

er vist i tabell 2.1. Velgere som er kommet i stemmerettsalder etter 1985, er ikke med i panelet. Tabell 2.1 viser bemerkelsesverdige forskjeller mellom partiene. Andelen som har holdt fast ved sitt gamle parti, forteller om stabiliteten i velgerskaren. Andelen er høyest i Arbeiderpartiet (78 prosent). Deretter følger Kristelig Folkeparti, Senterpartiet og Sosialistisk Venstreparti. For Høyres vedkommende er den nede på 56 prosent, og den er enda lavere i Fremskrittspartiet og Venstre. I alle partier, unntatt Kristelig Folkeparti, er stabiliteten i 1989 klart lavere enn i 1985 (Aardal & Valen 1989:159). Materialet viser altså at det ikke er noen entydig sammenheng mellom partienes oppslutning ved et gitt valg og deres stabilitet i forhold til foregående valg. Kontrasten mellom Arbeiderpartiet og Fremskrittspartiet er slående. Arbeiderpartiet som var en av valgets tapere, greide å holde på 8 av 10 av sine gamle velgere. Fremskrittspartiet som hadde størst framgang ved valget i 1989, mistet omtrent halvparten av sine velgere fra 1985. Lav stabilitet kan være et tegn på at vedkommende parti mangler grunnfjell. Til tross for at Venstre bygger på særdeles lange tradisjoner, har dette partiet i en årrekke ført en omflakkende tilværelse i det politiske landskap. Mesteparten av tilslutningen har tydeligvis kommet fra flytende velgere. Fremskrittspartiet på den andre siden som er et nytt parti i sterk framgang, har ennå ikke rukket å bygge opp en fast tilhengerskare av særlig omfang. Men tilstrømningen til nettopp dette partiet kom til å sette sitt preg på valget. Temaet vil bli berørt flere ganger i denne rapporten.

Figur 2.1. Stemmegivning i 1989 for Arbeiderpartiets, Høyres, Sosialistisk Venstrepartis og Frem-
skrittspartiets velgere i 1985. Prosent. ("Hvor gikk de hen"?)

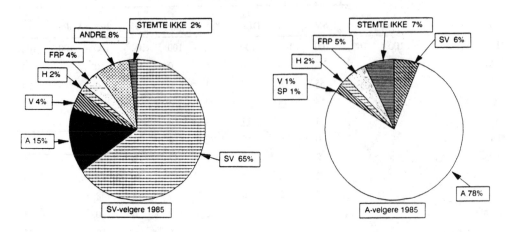

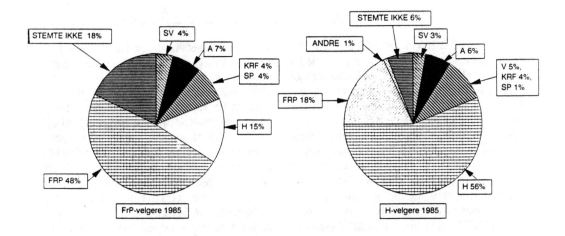

Av like stor interesse er det å se på vandring-
ene fram og tilbake mellom partiene. Mest
markerte er svingningene mellom de to partie-
ne som tapte valget og de to som vant. For å
anskueliggjøre endringene skal vi framstille
disse fire partienes velgerskare i 1985 i form
av sirkler. Sektorene angir hvor de respektive
partienes velgere har tatt veien i 1989. Arbei-
derpartiet har avgitt mest til hjemmesitterne
og til Sosialistisk Venstreparti. Høyrevelger-
ne har beveget seg i alle retninger, men størst
er overgangene til Fremskrittspartiet, hjem-

mesitterne, Arbeiderpartiet og Venstre. Sosialistisk Venstreparti har tapt mest til Arbeiderpartiet. Fremskrittspartiets velgere har fortrinnsvis gått til hjemmesitterne, Høyre og Arbeiderpartiet.

Det dreier seg imidlertid om en to-veis-trafikk: de enkelte partier både avgir og mottar velgere. Man kunne derfor like gjerne spørre: hvor er partienes velgere i 1989 kommet fra? Vi skal nøye oss med å se på de to partiene som hadde stor framgang, Fremskrittspartiet og Sosialistisk Venstreparti. Figur 2.2 framstiller deres tilgang på velgere i 1989 (førstegangsvelgere ikke medregnet). Partiets gamle tilhengere utgjør kjernen av Sosialistisk Ven-

strepartis velgere, hele 40 prosent. Ellers kommer de sterkeste innslag fra Arbeiderpartiet, Venstre, hjemmesittergruppen samt Høyre. Fremskrittspartiet har en helt annen profil. Bare 17 prosent av partiets velgere i 1989 hadde også stemt på partiet i 1985. Halvparten kommer fra Høyre, men bare 16 prosent fra Arbeiderpartiet. En tilsvarende beregning for de andre partiene viser at i Arbeiderpartiet, Høyre, Senterpartiet og Kristelig Folkeparti har mellom 75-80 prosent av velgerne i 1989 stemt for samme parti også i 1985. Men Venstre utgjør stadig et unntak: Bare 20 prosent av partiets velgere stemte Venstre i 1985, 29 prosent stemte Høyre, mens 20 prosent stemte Senterpartiet.

Figur 2.2.    Sosialistisk Venstrepartis og Fremskrittspartiets velgere i 1989 ut fra stemmegivning i 1985. Prosent. ( "Hvor kom de fra?")

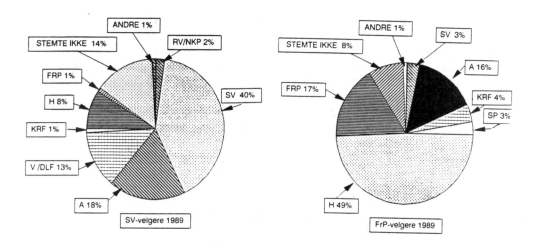

Materialet forteller om store innbyrdes skiftninger mellom de to partiene på høyresiden og mellom de to sosialistiske partiene. En tredje gruppering er partiene i sentrum, Venstre, Kristelig Folkeparti og Senterpartiet. Velgere fra disse partiene skifter fortrinnsvis til hverandre eller til Arbeiderpartiet og Høyre. Bortsett fra at mange venstrevelgere er gått over til Sosialistisk Venstreparti, forekommer det nesten ingen skiftninger mellom sentrumspartiene og fløypartiene.

Til tross for stabil valgdeltagelse, viser tabell 2.1 at gruppen hjemmesittere skifter en god del fra valg til valg. Av hjemmesitterne fra 1985 satt mindre enn en tredjepart hjemme også i 1989.

Tabell 2.1 forteller om tilbøyeligheten til å skifte standpunkt innenfor ulike velgergrupper, men den beskriver ikke det reelle bytteforhold mellom partiene. Grunnen er at partiene varierer i størrelse, noe som kommer til uttrykk i tallunderlaget for de enkelte partier i tabell 2.1. Når for eksempel 7 prosent av Fremskrittspartiets 1985-velgere har gått over til Arbeiderpartiet i 1989, mens bare 5 prosent av Arbeiderpartiets velgere har gått i motsatt retning, skulle man kanskje tro at det er Arbeiderpartiet som har trukket det lengste strå. Men en omregning av prosenttallene viser at 13 arbeiderpartivelgere i utvalget har flyttet til Fremskrittspartiet, mens bare to velgere har gått i motsatt retning, altså en betydelig netto overgang til fordel for Fremskrittspartiet. For å få et klarere inntrykk av bytteforholdet skal vi beregne partifordelingene ved de to valgene for hele panelutvalget under ett. I materialet som er presentert i tabell 2.2., kan vi avlese

netto forskyvninger mellom ulike partigrupper.

Tabell 2.2 viser to typer av skiftninger: mellom partiene og mellom stemmegivning og hjemmesitting. De markerte cellene langs diagonalen i tabellen viser andelen i ulike velgergrupper som holdt fast ved samme standpunkt i 1989 som i 1985. Til sammen utgjør de 61,6 prosent av utvalget. Med andre ord, over 38 prosent av utvalget har skiftet standpunkt mellom de to valgene. Det er det største omfang av individuelle skiftninger som er observert siden valgforskningsprogrammet startet i 1957. Til sammenligning kan nevnes at andelen av stabile velgere fra 1977-81 var 68,8 prosent og fra 1981-85, 71,2 prosent.

Det store antall individuelle skiftninger i 1989 faller i tråd med tendensen i partiforskyvningene (tabell 1.1). Spørsmålet er hvordan ulike komponenter har medvirket til sluttresultatet.

Vi skal begynne med å se på skiftninger mellom stemmegivning og hjemmesitting. Raden nederst i tabell 2.2 viser hvordan de ulike partiene greide å aktivisere hjemmesittere fra 1985. Kolonnen ytterst til høyre viser i hvilken grad partiene mistet stemmer til hjemmesittergruppen. Ved å sammenligne tallene for hvert enkelt parti får vi et mål på tap og gevinst. Sosialistisk Venstreparti har hatt klar gevinst på vandringene ut og inn av hjemmesittergruppen. For de andre partiene er det omtrent balanse. Det gjelder også for Arbeiderpartiet og Høyre, valgets to tapere, og for Fremskrittsspartiet som ble seierherre. Materialet tyder altså på at denne typen av skiftninger har gitt små utslag på valgresultatet. Men det bør tilføyes at det er vanskeligere å måle virkningen av skiftninger i valgdeltagelsen enn skiftninger mellom partiene[2].

**Skiftninger mellom partiene**

Desto mer viktige er skiftningene fram og tilbake mellom partiene. Balansen for det enkelte parti i form av overganger til og fra andre partier kan direkte avleses fra tabell 2.2.[3] Men denne analysen skal begrenses til den del av velgerskaren som har stemt ved begge valg. Resultatet er presentert i tabell C.1, Appendiks C.[4]

Tabell 2.2.   Overgangsmatrise: stemmegivning i 1985 og 1989 (omfatter bare personer med stemmerett i 1985) (N=787)

| Parti i 1985 | I alt | FMS | SV | A | V | KrF | SP | H | FrP | Andre | Stemte ikke |
|---|---|---|---|---|---|---|---|---|---|---|---|
| | | | | Parti i 1989 | | | | | | | |
| I alt . . . . . . . | 100 | 0,6 | 10,6 | 31,0 | 4,5 | 8,9 | 6,1 | 18,9 | 9,8 | 0,6 | 9,0 |
| NKP + RV . . . | 0,6 | 0,3 | 0,1 | - | - | - | - | - | - | 0,1 | 0,0 |
| SV . . . . . . | 6,5 | 0,3 | 4,2 | 1,0 | 0,3 | - | - | 0,1 | 0,3 | 0,3 | 0,1 |
| A . . . . . . . . | 31,9 | - | 1,9 | 24,8 | 0,3 | 0,1 | 0,4 | 0,5 | 1,5 | - | 2,4 |
| V + (DLF) . . . | 3,4 | - | 1,4 | 0,4 | 0,9 | 0,4 | 0,1 | 0,1 | - | - | 0,1 |
| KrF . . . . . . . | 9,4 | - | 0,4 | 0,4 | 0,4 | 6,7 | 0,1 | 0,6 | 0,4 | - | 0,6 |
| SP . . . . . . . . | 6,9 | - | - | 0,3 | 0,9 | - | 4,6 | 0,8 | 0,3 | - | 0,1 |
| H . . . . . . . . | 26,4 | 0,1 | 1,3 | 1,7 | 1,3 | 1,0 | 0,1 | 14,9 | 4,8 | 0,1 | 1,5 |
| FrP . . . . . . . | 3,4 | - | - | 0,3 | - | 0,1 | 0,1 | 0,5 | 1,7 | - | 0,6 |
| Andre . . . . . . | 0,3 | - | - | - | - | - | - | - | 0,1 | 0,1 | - |
| Stemte ikke . . . | 11,2 | - | 1,5 | 2,3 | 0,5 | 0,5 | 0,6 | 1,4 | 0,8 | 0,1 | 3,4 |

[2] Oppgaver om stemmegivning i intervjuet blir kontrollert mot de avkryssende manntall. Men utvalget er begrenset til personer som er i alderen 18-79 år. Personer som ble intervjuet i 1985, men som har passert 80 år i den etterfølgende periode, er således utgått av panelutvalget. Selv om det er få personer det dreier seg om, medfører metoden en viss unøyaktighet i målingen. Frammøteprosenten i det totale utvalget svarer nesten nøyaktig til frammøtet for hele befolkningen. Men for den delen av utvalget som faktisk ble intervjuet var valgdeltagelsen 88,7 prosent mot 83,2 for hele befolkningen. Denne forskjellen som går igjen i alle valgundersøkelser, viser at det er vanskeligere å oppnå intervju med hjemmesittere enn med aktive velgere. Forskjellen innebærer at ethvert utvalg overrepresenterer de aktive i større eller mindre grad (Waldahl et al. 1974). Overrepresentasjonen av aktive bidrar også til å redusere nøyaktigheten i målingen av skiftninger mellom hjemmesitting og stemmegivning.

[3] Denne overgangsmatrisen er identisk med den som er gjengitt i Statistisk ukehefte nr. 50, 1989. I senere publikasjoner fra valgundersøkelsen (jfr. Aardal 1990 B) er det foretatt visse justeringer av teknisk art slik at små avvik forekommer. Dette har imidlertid ingen betydning for de hovedmønstre som avdekkes.

[4] Legg merke til at omfanget av skiftninger er litt større i tabell 2.2 enn i tabell C.1. Det skyldes at hjemmesitterne er inkludert i førstnevnte tabell, men ikke i den siste.

Tap registreres i raden for vedkommende parti, mens gevinst framkommer i kolonnen for partiet. Ved å summere verdiene for de enkelte partier får vi følgende:

|      | Tap  | Gevinst | Netto |
|------|------|---------|-------|
| SV   | 2,6  | 5,8     | 3,2   |
| A    | 5,7  | 4,8     | -0,9  |
| V    | 2,9  | 3,6     | 0,7   |
| KrF  | 2,4  | 2,0     | -0,4  |
| SP   | 2,6  | 1,1     | -1,5  |
| H    | 12,1 | 3,2     | -8,9  |
| FrP  | 1,4  | 8,8     | 7,4   |

Som ventet, kan Fremskrittspartiet notere en betydelig nettogevinst på overgangene, men Høyres tap er enda større. Utslagene på venstrefløyen er mer overraskende: Sosialistisk Venstreparti har en nettogevinst på omkring 3 prosentpoeng, mens Arbeiderpartiet har et ubetydelig underskudd på overgangene. Også for partiene i sentrum er utslagene moderate. Neste oppgave er å se på vandringene mellom ulike partier.

### Vandringer mellom partigrupperinger

Et hovedskille i politikken går mellom sosialistiske og borgerlige partier. Tabell 2.3 framstiller endringer langs dette skille for de siste seks stortingsvalgene. Øverste rad i ta-

bell 2.3 forteller om graden av stabilitet, som var høy i 1960-årene. Den sank betraktelig i 1970-årene, men steg markert i første halvdel av 1980-årene. Den nådde et minimum ved siste valg. Av like stor interesse er typene av skiftninger. Sammenlignet med tendensen fra 1981-85 er det i 1989 en viss økning i innbyrdes skiftninger mellom de sosialistiske partiene, og fra sosialistisk til borgerlig. Det er betydelig større økning i skiftninger fra den borgerlige til den sosialistiske blokken. Men de hyppigste skiftningene har forekommet innenfor den borgerlige blokken. Utslaget representerer en markert stigning sammenlignet med tidligere valg. En oppsplitting av materialet viser at stigningen i sin helhet skyldes økte skiftninger mellom Høyre og Fremskrittspartiet. Derimot er bevegelsene mellom partiene i sentrum og de to partiene på høyresiden av samme omfang som tidligere.

Tabell C.1 viser at skiftningene mellom partiene i betydelig grad skjer fram og tilbake mellom naboer i partispektret. Men det forekommer mange avvik fra denne hovedtendensen. Det gjelder særlig for de to store partiene som mottar og avgir stemmer i alle retninger. For å få et mer detaljert bilde, skal vi se på nettoskiftningene mellom partiene parvis. De er framstilt i figur 2.3. Vi skal igjen begynne med valgets seierherrer.

Tabell 2.3. Skiftninger og stabilitet fra valg til valg. Prosent. 1965–1989

|                                          | 1965-69 | 1969-73 | 1973-77 | 1977-81 | 1981-85 | 1985-89 |
|------------------------------------------|---------|---------|---------|---------|---------|---------|
| I alt .......................            | 100,0   | 100,0   | 100,0   | 100,0   | 100,0   | 100,0   |
| Stabile velgere ...............          | 82,4    | 75,5    | 75,9    | 80,7    | 79,9    | 69,7    |
| Skiftere mellom sosialistiske partier ...................... | 3,6 | 6,2 | 5,5 | 2,8 | 3,0 | 4,2 |
| Fra sosialistisk til borgerlig ......    | 3,2     | 5,1     | 6,9     | 4,5     | 3,9     | 4,7     |
| Fra borgerlig til sosialistisk ......    | 2,6     | 2,8     | 3,0     | 2,2     | 5,0     | 7,2     |
| Innenfor den borgerlige blokken          | 8,5     | 10,3    | 11,4    | 9,6     | 8,6     | 14,9    |

Figur 2.3.    Nettooverganger mellom partiene fra 1985-1989. Pilene i diagrammene peker i retning av det parti som hadde gevinst i bytteforholdet

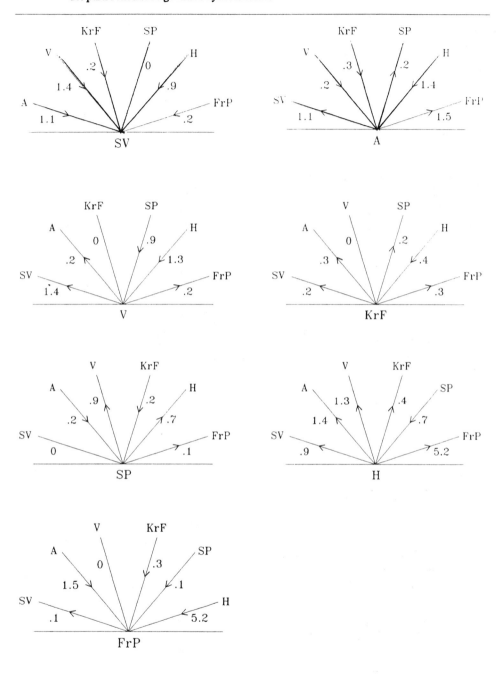

Fremskrittspartiet har overskudd i forhold til praktisk talt alle andre partier, men det meste av gevinsten kommer fra Høyre og Arbeiderpartiet. Også Sosialistisk Venstreparti har for det meste overskudd i forhold til andre partier. Nesten hele gevinsten kommer fra Venstre, Arbeiderpartiet og Høyre. Valgets største taper, Høyre, har betydelige nettotap i alle retninger, med unntak av Senterpartiet. Overgangen til Fremskrittspartiet nærmer seg en avskalling. For Arbeiderpartiet er bildet mer nyansert. Partiets tap i forhold til Fremskrittspartiet og Sosialistisk Venstreparti blir langt på vei oppveid av gevinst i forhold til Høyre. Kristelig Folkeparti har et nøytralt bytteforhold med alle andre partier. Venstre derimot har mottatt et betydelig stemmetall fra Høyre og Senterpartiet, men har tapt i forhold til Sosialistisk Venstreparti. Endelig er det Senterpartiet som har tapt en del til Høyre og Venstre, men som har balanse i forhold til andre partier.

Tatt i betraktning den store feilmarginen avspeiler skiftningene mellom partiene i store trekk hovedtendensene i valget. Men omfanget av skiftningene gir langt fra en tilstrekkelig forklaring på valgresultatet. Spesielt bør bemerkes at Arbeiderpartiet som gikk tilbake med 6,5 prosentpoeng i velgeroppslutning i forhold til valget i 1985, har tapt mindre enn 1 prosent på skiftningene. Vi kommer til den tredje hovedkomponent i endringsprosessen.

### Alder og stemmegivning

Hvordan innvirker fornyelsen av velgerskaren på partienes stemmetall? For å kunne besvare dette spørsmålet må man kjenne partipreferansene både hos nye velgere som har fått stemmerett siden forrige stortingsvalg, og hos velgere som er avgått ved døden i den forløpne periode. Gevinst eller tap for de enkelte partiene ligger i differansen mellom disse to tallrekkene. Vi er dessverre ute av stand til å foreta en slik beregning, dels fordi vi mangler

Tabell 2.4. Alder og parti 1989. Prosent

| Parti | Alder. År | | | | | | | | |
|-------|-----------|---|---|---|---|---|---|---|---|
| | 18-21 | 22-29 | 30-39 | 40-49 | 50-59 | 60-69 | 70- | Gjennomsnittsalder | Standardavvik |
| Total ..... | 100 | 100 | 100 | 100 | 100 | 100 | 100 | 43,0 | 16,9 |
| FMS (RV+NKP) | 0 | 2 | 2 | 1 | 0 | 1 | 0 | 34,8 | 12,6 |
| SV ...... | 12 | 18 | 20 | 10 | 9 | 5 | 3 | 37,0 | 12,8 |
| A ....... | 24 | 23 | 31 | 39 | 36 | 40 | 42 | 46,7 | 16,6 |
| V ....... | 6 | 5 | 5 | 4 | 4 | 2 | 4 | 40,0 | 15,9 |
| KrF ...... | 5 | 4 | 6 | 7 | 11 | 16 | 19 | 52,1 | 17,3 |
| SP ...... | 6 | 3 | 5 | 7 | 9 | 7 | 6 | 46,8 | 15,9 |
| H ....... | 25 | 27 | 21 | 23 | 21 | 18 | 19 | 41,9 | 16,6 |
| FrP ...... | 20 | 17 | 9 | 8 | 10 | 11 | 6 | 39,0 | 17,1 |
| Andre ..... | 2 | 1 | 1 | 1 | 0 | 0 | 1 | 35,9 | 13,8 |
| N ....... | 162 | 287 | 392 | 354 | 245 | 232 | 165 | | |

informasjon om personer i vårt utvalg som er avgått ved døden siden forrige valg, dels fordi aldersbegrensningen på 80 år ekskluderer en strategisk viktig aldersgruppe fra panelutvalget. Men en undersøkelse av partienes styrke innenfor ulike aldersgrupper kan gi viktig informasjon om denne problemstillingen. Vi holder oss i dette tilfellet til hele utvalget, altså ikke panelet. Et parti som har tyngden av sine velgere innenfor eldre årsklasser, vil tape uforholdsmessig mange stemmer som følge av dødsfall. Som tabell 2.4 viser, passer denne karakteristikken på Kristelig Folkeparti, Arbeiderpartiet og Senterpartiet. De har alle en gjennomsnittsalder over gjennomsnittet. Partier som er populære blant de unge vil derimot ha forholdsvis stor tilgang på førstegangsvelgere. Det gjelder særlig Sosialistisk Venstreparti, Fremskrittspartiet og Høyre.

Vi kan begynne med å spørre hvor stor andel førstegangsvelgerne, dvs. velgere mellom 18-21 år i 1989, utgjør av de enkelte partiers velgerskare. Det er vist i figur 2.4. Omtrent 9 prosent av hele utvalget er førstegangsvelgere. Som figur 2.4 viser er innslaget av førstegangsvelgere høyst varierende fra parti til parti. Det er suverent høyest i Fremskrittspartiet. Deretter følger Venstre. Men legg merke til at også Høyre ligger litt over gjennomsnittet. Sosialistisk Venstreparti ligger akkurat på gjennomsnittet, mens de andre partiene ligger under. Mest overraskende er det at innslaget av førstegangsvelgere utgjør bare 6 prosent av Arbeiderpartiets velgere i 1989. Dette partiet var tidligere spesielt attraktivt for unge velgere (Aardal & Valen 1989:168).

Figur 2.4. Førstegangsvelgernes prosentvise andel av partienes velgerskare i 1989

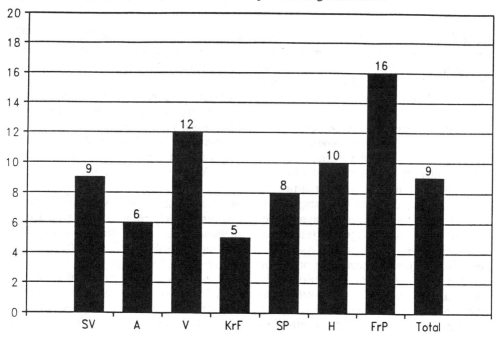

Figur 2.5. Førstegangsvelgernes stemmegivning i 1985 og 1989. Prosent

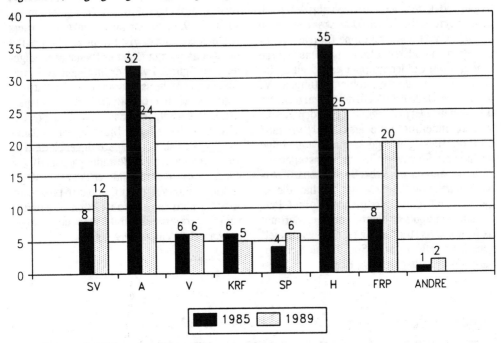

For å få innsikt i endringsprosessen er det imidlertid nødvendig å foreta en direkte sammenligning av partifordelingene i 1989 og 1985 innenfor ulike aldersgrupper. Vi begynner med førstegangsvelgerne.

Som figur 2.5 viser, har Fremskrittspartiet mer enn fordoblet sin tilslutning innenfor denne gruppen. Også Sosialistisk Venstreparti har en betydelig tilvekst, skjønt svakere enn motparten på høyrefløyen. Både Arbeiderpartiets og Høyres stemmeandel blant førstegangsvelgerne er blitt sterkt redusert, men Høyres andel innenfor denne gruppen ligger fortsatt 3 prosentpoeng høyere enn for velgere over 21 år. Førstegangsvelgernes oppslutning om de tre partiene i sentrum er omtrent uforandret. Sluttresultatet er at førstegangsvelgerne markerer en svak forskyvning i høyreretning. Høyre og Fremskrittspartiet har sammenlagt

gått fram fra 43 til 45 prosent fra 1985 til 1989, mens de to sosialistiske partiene har gått tilbake fra 40 til 36 prosent.

Den sterke tilstrømning av førstegangsvelgere har bidratt betydelig til Fremskrittspartiets og Sosialistisk Venstrepartis framgang ved valget, mens den sviktende oppslutning i denne velgergruppen må ha vært en viktig kilde til Arbeiderpartiets store stemmetap.

Hvis vi i stedet for førstegangsvelgerne tar for oss samtlige velgere under 30 år, er forskjellen mellom de to valgene praktisk talt identisk med mønsteret i figur 2.5. Det er fortsatt status quo i sentrum. Fremskrittspartiet har gått fram fra 7 til 19 prosent, og Sosialistisk Venstreparti fra 9 til 16 prosent. Samtidig har Høyre gått tilbake fra 34 til 26 prosent, og Arbeiderpartiet fra 32 til 24 prosent. Med andre ord,

Endring og kontinuitet

unge velgere har vært sterkt tilbøyelige til å bevege seg i retning av ytterpartiene. Spørsmålet er i hvilken grad den samme tendens har gjort seg gjeldende innenfor eldre årsklasser.

I tidligere analyser har vi funnet det mest formålstjenlig å angripe dette spørsmålet gjennom såkalte kohortanalyser, der velgerne blir klassifisert etter fødselsår (Valen & Aardal 1983:127-128; Aardal & Valen 1989:167-170). I denne tilnærmingen ligger det en antakelse om at velgernes politiske holdninger og atferdsmønster stadig er preget av motsetninger og samfunnsforhold som hersket i deres barndom og tidlige ungdom. Vi skal ikke gjenta disse analysene. Derimot skal vi se på utviklingen ved de siste tre stortingsvalgene. Vi begrenser framstillingen til de fire partiene som ble sterkest berørt av endringene ved valget i 1989. Her brukes ikke paneldata, men de samlede utvalg ved de respektive valgene.

Det er et gjennomgående trekk at Arbeiderpartiet har sterkest tilslutning blant velgere som ble født før 2. verdenskrig. Men figur 2.6 viser at relativt sett har partiet styrket sin stilling innenfor etterkrigsgenerasjonen ved de to siste valgene. I den eldste kohorten, dvs. velgere født før 1920, har partiet stabil tilslutning, skjønt det er en svak tilbakegang ved siste valg.[5] I de to kohortene mellom 1920-1940 har det vært vedvarende tilbakegang ved de to siste valgene. I kohortene fra 1940-1960 hadde partiet framgang fra 1981-85, men stabilitet fra 1985-89. Det meste av partiets tap ved valget i 1989 fant sted blant velgere som er født etter 1960, dvs. de som var under 30 år.

For Sosialistisk Venstreparti er hovedtendensen omvendt. Det meste av partiets tilslutning har hele tiden kommet fra de yngste kohortene. Ved valget i 1989 stod partiet fortsatt svakt blant velgere født før 1930, det hadde en viss framgang i kohortene mellom 1930-50,

og stor framgang i de to yngste kohortene, særlig blant velgere født i 1950-årene.

Sammenlignet med Arbeiderpartiet er Høyres tilslutning forbløffende jevn innenfor ulike kohorter. Det gjelder også endringene fra valg til valg. I 1985 holdt partiet stillingen innenfor samtlige kohorter, bortsett fra tilbakegang blant velgere født før 1920. I 1989 sank partiets stemmetall med 8-12 prosentandeler i alle kohorter, med unntak av den eldste, der tilbakegangen var ubetydelig.

Fremskrittspartiet har det til felles med Sosialistisk Venstreparti at tilslutningen er systematisk størst innenfor de yngste kohortene. Men figur 2.7 viser at endringene ved siste valg har slått ut over hele aldersspektret. Framgangen er imidlertid minst i den eldste kohorten og størst i den yngste. I samtlige kohorter mellom 1920-60 har partiet i 1989 nådd en stemmeandel rundt 10 prosent. Totalt har denne utviklingen ført til en viss utflating i aldersprofilen hos Fremskrittspartiets velgere.

Hvis vi slår sammen stemmeandelene for Arbeiderpartiet og Sosialistisk Venstreparti på den ene siden og Høyre og Fremskrittspartiet på den andre siden, finner vi en forbløffende stabilitet fra 1985-89 innenfor de eldste kohortene. Det bekrefter det store omfang av skiftninger mellom de to store partiene og deres respektive fløypartier (jfr. tabell C.1). Sammenlagt har de to sosialistiske partiene hatt en svak tilbakegang blant velgere født før 1930. Den er tydeligvis kommet mellompartiene til gode. Men samlet har de sosialistiske partiene en betydelig framgang i kohortene 1940-49 og 1950-59. Og nettopp i disse gruppene har partiene på høyresiden en samlet tilbakegang av nesten identisk omfang. Sistnevnte partier har ellers en svak tilbakegang innenfor førkrigsgenerasjonen, men framgang blant velgere født etter 1960.

---

[5] Tidligere analyser har vist at det er en svak tendens til at eldre folk beveger seg bort fra partiene på venstresiden og over til Kristelig Folkeparti (Aardal & Valen 1989:169-170).

Figur 2.6. Oppslutningen om de to sosialistiske partiene i ulike alderskohorter, 1981, 1985 og 1989. Søylene angir prosentandel av stemmene

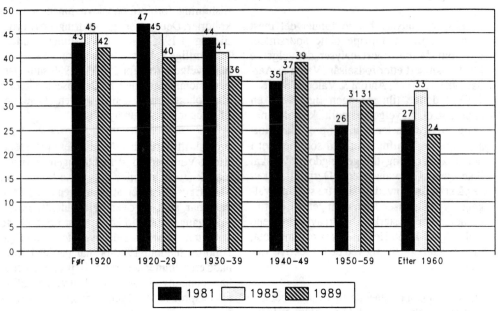

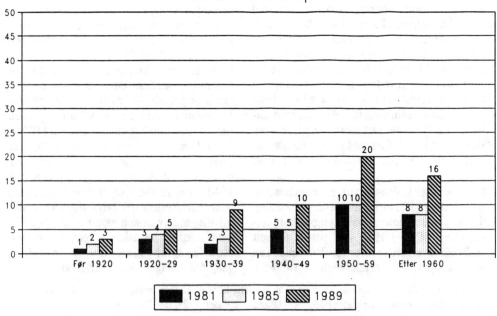

Figur 2.7.    Oppslutningne om Høyre og Fremskrittspartiet i ulike alderskohorter, 1981, 1985 og 1989. Søylene angir prosentandel av stemmene

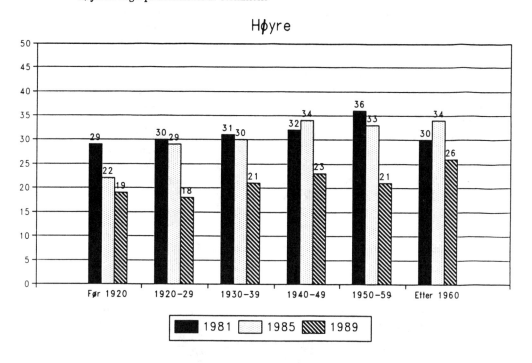

Høyre

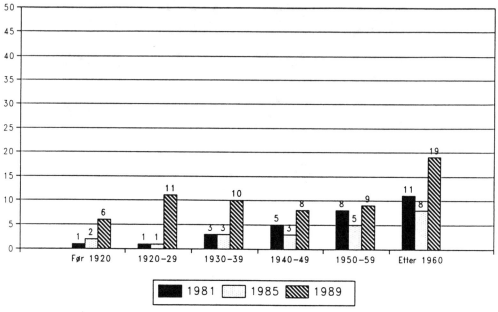

Fremskrittspartiet

## Kjønn og stemmegivning

Siden midten av 1970-årene er det kommet til syne en ny internasjonal tendens i velgeratferden: kvinnene er blitt tilbøyelige til å foretrekke partiene på venstresiden, mens menn helst går i borgerlig retning. Dette gapet i atferdsmønsteret, som særlig gjør seg gjeldende blant yngre velgere, har vakt stor interesse blant valgforskere (Klein 1984: Listhaug et al. 1985; Miller 1986; Goul Andersen 1984; Dahlerup 1984; Bjørklund 1986; Norris 1988). Temaet ble også omfattende analysert i forbindelse med stortingsvalget i 1985 (Aardal & Valen:170-173 og 250-275). Vi skal derfor nøye oss med å registrere hovedtendensene under valget i 1989.

Vi begynner med den totale partifordeling. Figur 2.8 viser at så sent som i 1981 var andelen som stemmer sosialistisk litt høyere for menn enn for kvinner. Ved de to siste valgene er forholdet omvendt: kvinnenes prosentandel er omtrent 5 prosent høyere enn mennenes. Men disse tallene for befolkningen som helhet er langt fra representativ for stemningen blant de unge.

I figur 2.9 framstilles partifordelingen for kvinner og menn blant førstegangsvelgerne i 1989. Den nye tendens kommer klart til uttrykk blant partiene på venstresiden. Sammenlagt stemmer 42 prosent av kvinnene mot bare 31 prosent av mennene på Arbeiderpartiet og Sosialistisk Venstreparti. Kontrasten

Figur 2.8. Andel som stemmer sosialistisk, etter kjønn. Prosent. 1977-1989

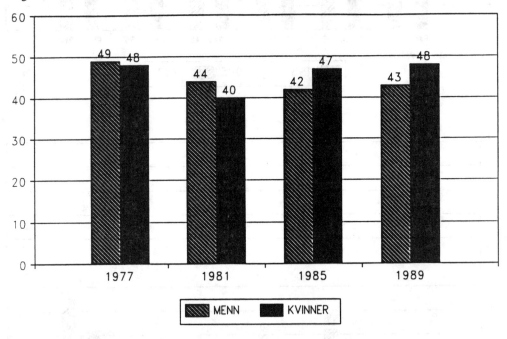

Endring og kontinuitet

finner vi i Fremskrittspartiet som får oppslutning blant 25 prosent av mennene mot bare 16 prosent av kvinnene. Inntil 1985 var også Høyre forholdsvis mest populært blant menn, men som figur 2.9 viser, er denne forskjellen forsvunnet blant førstegangsvelgerne i 1989. Det er heller ingen nevneverdige forskjeller for mellompartienes vedkommende, bortsett fra at kvinner som vanlig er mer tilbøyelige enn menn til å stemme Kristelig Folkeparti.

Ettersom både alder og kjønn gir seg klare utslag på partifordelingene, skal vi helt til slutt se hvordan de samme faktorer har påvirket skiftningene fra 1985-1989.

## Skiftninger og demografisk bakgrunn

Fordi analysen av skiftninger må baseres på panelutvalget, blir tallunderlaget svakt dersom vi prøver å splitte opp materialet på undergrupper. Det er imidlertid uproblematisk å studere selve omfanget av skiftninger blant aktive velgere. De blir målt ved hjelp av overgangsmatriser (jfr. tabell C.1, Appendiks C). Velgere som faller i cellene langs diagonalen i matrisen, har vært stabile i sitt partivalg, mens resten har skiftet parti siden forrige valg. En oppsplitting etter kjønn viser at 31 prosent av kvinnene mot 30 prosent av mennene har skiftet parti. Det er altså ingen nevneverdig

Figur 2.9.  Førstegangsvelgernes stemmegivning i 1989, etter kjønn. Prosent

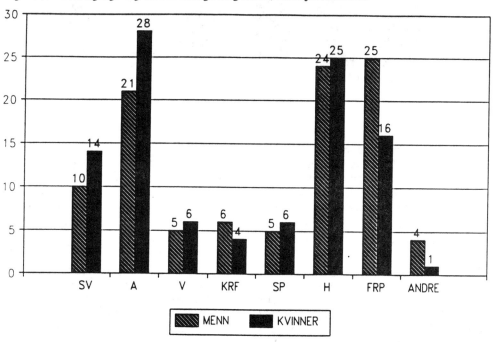

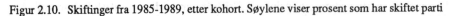

Figur 2.10. Skiftinger fra 1985-1989, etter kohort. Søylene viser prosent som har skiftet parti

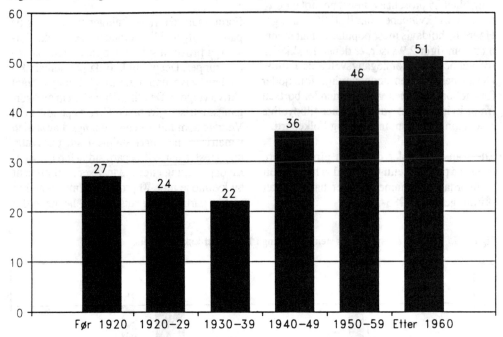

forskjell. En oppsplitting etter alder gir klarere utslag. I figur 2.10, der panelet er inndelt i kohorter (jfr. figur 2.3), framkommer et velkjent mønster. Med stigende alder øker stabiliteten i velgernes partipreferanse. Det beror på at jo flere ganger en person har stemt på et bestemt parti, desto sterkere tilknytning føler han/hun til partiet (Campbell et al. 1964:91; Valen & Katz 1964:212). Figur 2.10 bekrefter at stabiliteten er svakest blant velgere født etter 1960, over halvparten har skiftet parti. Deretter øker stabiliteten fra kohort til kohort og når toppen blant velgere født i 1930-årene. De to eldste kohortene representerer imidlertid et avvik fra den generelle tendens, idet de viser en stigende tilbøyelighet til å skifte parti. Det gjelder særlig personer født før 1920.

Uansett graden av stabilitet, representerer karakteren av skiftningene et sentralt spørsmål. På grunn av det svake underlagsmateriale er det nødvendig å bruke få og store undergrupper. Først er det sondringen mellom kvinner og menn. Figur 2.11 er begrenset til de to fløypartiene som var mest sentrale i endringsprosessen. Nettoovergangene til Fremskrittspartiet var langt større blant menn enn blant kvinner. Utslaget er størst i forhold til Høyre. Andelen menn som har skiftet er mer enn dobbelt så stor som kvinneandelen. Tendensen er den samme i forholdet til Arbeiderpartiet. Når det gjelder Sosialistisk Venstreparti er tendensen stikk motsatt. Kvinnene har vært mest tilbøyelige til å bevege seg i retning av dette partiet. Utslagene er størst i forholdet til Arbeiderpartiet, Venstre og Høyre.

Endring og kontinuitet

Figur 2.11.  Nettooverganger for Fremskrittspartiet og Sosialistisk Venstreparti i forhold til alle andre
partier 1985-1989; separat for kvinner og menn. Pilen peker i retning av det parti som
hadde gevinst i bytteforholdet

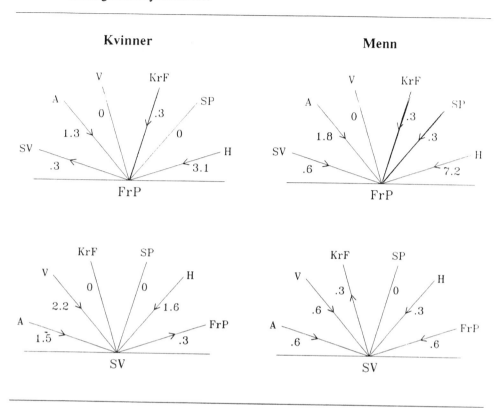

På samme måte inndeles utvalget i to jevnstore grupper etter alder, de som er født før og etter 1945 (figur 2.12). Nettoovergangen fra Høyre til Fremskrittspartiet er litt større for yngre enn for eldre velgere. Men i Arbeiderpartiet er det de eldste som har vært mest tilbøyelige til å skifte til Fremskrittspartiet. Derimot er skiftningene til Sosialistisk Venstreparti ubetinget størst innenfor etterkrigsgenerasjonen. Utslagene er størst i forhold til Arbeiderpartiet, Venstre og Høyre.

**Oppsummering**

Analysen i dette kapitlet forteller om uvanlig store skiftninger i velgerskaren fra 1985-1989. Hovedresultatene av analysen kan kort oppsummeres:

Figur 2.12. Nettooverganger for Fremskrittspartiet og Sosialistisk Venstreparti i forhold til alle andre partier 1985-1989, etter alder. Pilen peker i retning av det parti som hadde gevinst i bytteforholdet

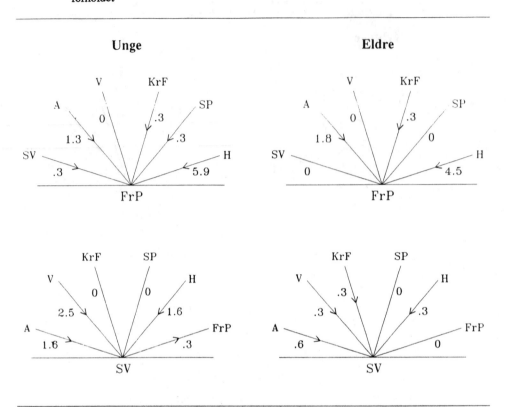

1.  Skiftningene ut og inn av hjemmesitternes rekker var omfattende til tross for at frammøteprosenten var nesten den samme ved de to valgene. Materialet tyder imidlertid ikke på at denne typen av skiftninger har påvirket partienes stemmetall i nevneverdig grad.

2.  Skiftningene mellom partiene i den aktive velgerskare har slått ut i favør av fløypartiene Sosialistisk Venstreparti og, særlig, Fremskrittspartiet. Høyre har lidd store tap, mest til Fremskrittspartiet. Derimot kan Arbeiderpartiets store tilbakegang ved

valget i liten grad tilskrives nettotap på skiftninger i velgerskaren.

3. Sammenlignet med det foregående stortingsvalg var det i 1989 markerte endringer i førstegangsvelgernes stemmegivning. Det var stor framgang for de to fløypartiene og tilsvarende tilbakegang for de to store partiene, Arbeiderpartiet og Høyre. Sistnevnte parti fikk imidlertid en tilslutning som lå over partiets gjennomsnitt for hele befolkningen. Fornyelsen av velgerskaren, som ligger i balansen mellom stemmegivningen hos førstegangsvelgerne på den ene siden og den naturlige avgang ved dødsfall på den andre siden, må ha innvirket sterkt på valgresultatet i 1989. Begge fløypartiene som har tyngden i sin tilslutning blant unge velgere, har profittert betydelig på denne typen skiftninger. Arbeiderpartiet har tapt mest, fordi partiet ble relativt underrepresentert blant førstegangsvelgerne, samtidig med at det ble rammet forholdsvis mye ved naturlig frafall. Høyre har tapt på redusert tilsig av førstegangsvelgerne, men partiets tap ved naturlig frafall har vært begrenset, ettersom høyrevelgernes gjennomsnittsalder er lavere enn gjennomsnittet for befolkningen.

4. Som ved de to foregående stortingsvalg er kvinner mer tilbøyelige enn menn til å stemme sosialistisk, mens menn er mest tilbøyelige til å foretrekke partier på høyresiden. Tendensen kommer særlig til uttrykk blant førstegangsvelgerne og andre unge velgere. Et nytt trekk ved valget i 1989 bør bemerkes: I Høyres tilslutning var det denne gang balanse mellom kjønnene. Mannsdominansen på høyresiden gikk i sin helhet til Fremskrittspartiet. Den

samme tendens slo også klart ut i skiftningene mellom partiene. Nettoovergangene til Fremskrittspartiet var langt større for menn enn for kvinner.

Tilslutningen til partiene i sentrum er noenlunde balansert mellom kjønnene, bortsett fra at Kristelig Folkeparti stadig er mer attraktivt for kvinner enn for menn. Det gjelder særlig eldre velgergrupper.

5. Kohortanalysen viser at også eldre velgere har begynt å bevege seg i retning av Fremskrittspartiet. Derimot får Sosialistisk Venstreparti stadig nesten hele sin tilslutning innenfor etterkrigsgenerasjonen. Men når det gjelder førstegangsvelgerne er Fremskrittspartiet mest overrepresentert. Den samlede tilslutning for Arbeiderpartiet og Sosialistisk Venstreparti og for Høyre og Fremskrittspartiet viser en forbløffende stabilitet fra 1985-89 for de to grupperingene innenfor de ulike kohortene. Den viktigste endring som skjedde ved siste valg var betydelig samlet framgang for de sosialistiske partiene blant velgere født i 1940- og 1950- årene.

Den store stabilitet i sentrum var et særtrekk ved valget i 1989. Det meste av endringene skjedde mellom de to store partiene og deres respektive naboer på venstre og høyre fløy. Men skiftningene direkte mellom fløyene bør også bemerkes. Arbeiderpartiets tap til Fremskrittspartiet ble nesten oppveiet av nettogevinst i forhold til Høyre.

De beskrevne tendenser gjelder hele perioden 1985-89. I hvilken grad ble valgresultatet i 1989 påvirket av det begivenhetsrike kommune- og fylkestingsvalg som fant sted i 1987? Dette spørsmålet er tema for neste kapittel.

# 3. I skyggen av kommune- og fylkestingsvalget i 1987

Kommune- og fylkestingsvalget i 1987 resulterte i et gjennombrudd for Fremskrittspartiet. Valget kom til å sette dagsorden i nasjonal politikk framover mot stortingsvalget to år senere. Spørsmålet om hvilke krefter og tendenser kommune- og fylkestingsvalget utløste, bør derfor være et sentralt tema i analysen av siste stortingsvalg.

Valget i 1987 og forskyvningene fra 1985-1987 er behandlet i en tidligere analyse (Aardal & Valen 1989:287-307). Analysen ble basert på informasjon fra et spørreskjema til det utvalg som ble intervjuet i forbindelse med stortingsvalget i 1985.[1] Analysen vil bli videreført i nærværende kapittel, som vil rette

søkelyset på endringene fra fylkestingsvalget i 1987 til stortingsvalget i 1989. Det kan innvendes at en slik sammenligning er litt misvisende, idet et stortingsvalg dreier seg om rikspolitiske spørsmål, mens kommune- og fylkestingsvalg i større eller mindre grad dreier seg om lokale og fylkeskommunale saker. Men denne forskjellen bør ikke overdrives ettersom det rikspolitiske element også har betydelig gjennomslag ved kommune- og fylkestingsvalg. Det gjelder ikke minst for valget i 1987. I analysen har vi valgt å bruke fylkestingsvalget som sammenligningsgrunnlag, heller enn kommunevalget, fordi listealternativene er praktisk talt identiske ved fylkestingsvalg og stortingsvalg.

Tabell 3.1. Stemmegivning i 1989 etter parti i 1987. Prosent

| Parti i 1989 | Total | RV+ K[1] | SV | A | V+ DLF | KrF | SP | H | FrP | Andre[1] | Stemte ikke |
|---|---|---|---|---|---|---|---|---|---|---|---|
| Total ........ | 100 | - | 100 | 100 | 100 | 100 | 100 | 100 | 100 | - | 100 |
| FMS ........ | 1 | - | 3 | 0 | 0 | 0 | 0 | 0 | 0 | - | 1 |
| SV .......... | 10 | - | 82 | 6 | 25 | 2 | 0 | 1 | 3 | - | 9 |
| A .......... | 31 | - | 10 | 83 | 10 | 5 | 3 | 5 | 11 | - | 30 |
| V .......... | 5 | - | 0 | 1 | 52 | 0 | 8 | 3 | 2 | - | 4 |
| KrF ........ | 9 | - | 0 | 0 | 7 | 74 | 13 | 4 | 5 | - | 4 |
| SP .......... | 7 | - | 0 | 1 | 3 | 7 | 72 | 2 | 4 | - | 3 |
| H .......... | 20 | - | 2 | 1 | 3 | 4 | 2 | 68 | 26 | - | 15 |
| FrP ........ | 10 | - | 0 | 1 | 0 | 4 | 2 | 13 | 44 | - | 12 |
| Andre ....... | *) | - | 3 | 0 | 0 | 0 | 0 | 0 | 0 | - | 0 |
| Stemte ikke ... | 7 | - | 0 | 7 | 0 | 4 | 0 | 4 | 5 | - | 22 |
| N .......... | 668 | 7 | 39 | 170 | 29 | 54 | 39 | 142 | 57 | 3 | 128 |

[1] For få tilfelle til beregning av prosenter. *) Mindre enn 0,05 prosent.

[1] Forespørselen var begrenset til to spørsmål: (1) Om respondentene hadde stemt ved kommune- og fylkestingsvalget, og (2) Hvilken liste de hadde stemt på. Henvendelsen ble besvart av 1 739 personer, det vil si omtrent 80 prosent av de tilskrevne. Oppgavene om frammøte ble i dette tilfelle ikke kontrollert mot de avkryssede manntall. Den rapporterte frammøteprosent i materialet er antakelig noe for høy (Aardal & Valen 1989:289-290).

Endring og kontinuitet

### Individuelle forskyvninger

Endringene i partienes stemmetall over de siste tre valgene er vist i kapittel 1 (s. 12-13). Som tabell 1.2 viser, er forskyvningene fra 1987-89 moderate, bortsett fra at Sosialistisk Venstreparti har fått sin nye tilvekst nettopp i denne perioden.

Vi går over til å studere individuelle skiftninger mellom de to valgene. Tabell 3.1 viser stemmegivningen i 1989 når velgerne er klassifisert etter partivalg i 1987. Tallene langs diagonalen i tabellen angir prosentandelen som har holdt fast ved sitt gamle parti. For de fleste partienes vedkommende er stabiliteten høyere enn fra 1985-87 (Aardal & Valen 1989:290) samt fra 1985-89 (jfr. tabell 2.1, s. 23). Det er imidlertid enkelte interessante avvik. Venstre har beholdt bare halvparten av sine velgere, mens tredjeparten er gått til Sosialistisk Venstreparti og Arbeiderpartiet. Senterpartiet har stort tap til Kristelig Folkeparti og Venstre. Men mest bemerkelsesverdige er skiftningene på høyrefløyen. Fremskrittspartiet har mistet over halvparten av sine velgere fra 1987. En fjerdepart er gått til Høyre, og det er også stor overgang til Arbeiderpartiet. Høyre mistet et stort antall velgere, mest til Fremskrittspartiet. Men målt i prosent av partienes stemmetall i 1987 er overgangen fra Høyre til Fremskrittspartiet bare halvparten av andelen som er gått i motsatt retning. Ustabiliteten i Fremskrittspartiets velgerunderlag er bemerkelsesverdig. 3 av 4 av partiets velgere fra 1985 holdt fast ved partiet i 1987 (Aardal & Valen 1989:290). Men de mange nye fremskrittspartivelgere i 1987 viste en langt svakere tilknytning. Som tabell 3.1 viser, forlot over halvparten partiet to år senere.

Vi skal se nærmere på de to partiene som vant valget i 1989. I figur 3.1 er deres velgere fra 1987 framstilt som sirkler, der sektorene beskriver hvor deres velgere tok veien i 1989.

Forskjellen i stabilitet markerer den skarpeste kontrasten. Sosialistisk Venstreparti har holdt på 8 av 10 av sine gamle velgere, mens 1 av 10 er gått til Arbeiderpartiet. For Fremskrittspartiets vedkommende er de store overgangene til Høyre og Arbeiderpartiet et dominerende dominerende trekk. Hvordan skal vi så forklare de to partienes framgang i 1989? - Tidligere (s. 30-36) er det vist at begge partiene hadde sterk økning i sin tilslutning blant førstegangsvelgerne i 1989. Like viktig er det imidlertid å se på overgangene fra andre partier fra 1987-1989. Det er framstilt i figur 3.2, der de to sirklene representerer velgerskaren (uten førstegangsvelgere) til de to partiene i 1989. Sektorene beskriver prosentvis fordeling av stemmene ved fylkestingsvalget i 1987. Nesten halvparten av Sosialistisk Venstrepartis velgere i 1989 har også stemt på partiet to år tidligere. Det tilsvarende tall for Fremskrittspartiet er bare 39 prosent. Forskjellen er bemerkelsesverdig tatt i betraktning at Sosialistisk Venstreparti gikk fram 4,4 prosentenheter fra 1987-1989, mens Fremskrittspartiet hadde en framgang på mindre enn 1 prosentenhet (jfr. tabell 1.2). Begge partier fikk stort tilsig fra hjemmesittere i 1987. Tallet for Sosialistisk Venstreparti ligger på omtrent gjennomsnitt i utvalget, mens Fremskrittspartiets andel ligger betydelig over gjennomsnittet. Det overveldende innslag av nye velgere til Fremskrittspartiet kommer fra Høyre og hjemmesittergruppen, mens det er særlig Arbeiderpartiet og Venstre som har blødd i forhold til Sosialistisk Venstreparti.

---

Figur 3.1.   Stemmegivning i 1989 for Sosialistisk Venstrepartis og Fremskrittspartiets velgere i 1987.
             Prosent. ("Hvor gikk de hen?")

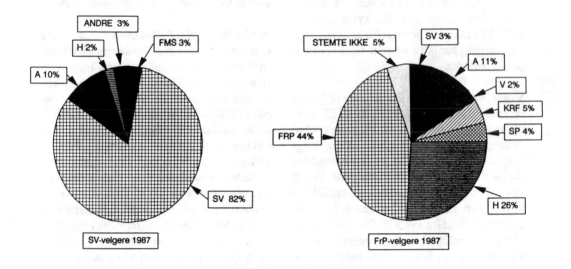

Som diskutert i foregående kapittel (s. 28-30), er det balansen i skiftningene mellom partiene som er avgjørende for tap og gevinst. Tabell 3.1 er derfor omregnet til en overgangsmatrise, der det totale antall velgere i panelet utgjør basis for prosentberegningen. Fordi det knytter seg stor usikkerhet til informasjonen om frammøtet ved valget i 1987 (jfr. note 1), skal vi holde oss til velgere som har stemt ved begge valg. Materialet er presentert i tabell

3.2. Andelen som har holdt fast ved samme parti ved de to valgene er 73 prosent. Det tilsvarende tall fra 1985-1989 var 70 prosent. En beregning av gevinst og tap for de enkelte partier gir et resultat som vist i tabell 3.3. Som rimelig kan være, hadde Sosialistisk Venstreparti størst nettogevinst på skiftningene, mens Høyre hadde et like stort tap. Mer bemerkelsesverdig er det at også Fremskrittspartiet hadde nettotap på skiftningene, mens

Figur 3.2.  Sosialistisk Ventstrepartis og Fremskrittspartiets velgere i 1989 ut fra stemmegivning i
1987.  Prosent. ("Hvor kom de fra?")

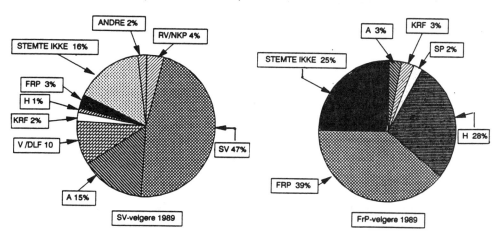

Tabell 3.2. Stemmegivning i 1987 og 1989. Overgangsmatrise (N=1518)

| Parti i 1987 | Parti i 1989 | | | | | | | | | |
|---|---|---|---|---|---|---|---|---|---|---|
| | I alt | FMS | SV | A | V | KrF | SP | H | FrP | Andre |
| I alt ......... | 100,0 | 0,6 | 11,0 | 32,2 | 5,0 | 11,0 | 7,7 | 22,8 | 9,3 | 0,4 |
| RV+NKP .... | 1,4 | 0,4 | 0,6 | 0,2 | 0 | 0 | 0 | 0 | 0 | 0,2 |
| SV ......... | 7,5 | 0,2 | 6,2 | 0,8 | 0 | 0 | 0 | 0,2 | 0 | 0,2 |
| A .......... | 30,7 | 0 | 1,9 | 27,2 | 0,4 | 0 | 0,4 | 0,4 | 0,4 | 0 |
| V(+DLF) .... | 5,6 | 0 | 1,4 | 0,6 | 2,9 | 0,4 | 0,2 | 0,2 | 0 | 0 |
| KrF ......... | 10,0 | 0 | 0,2 | 0,6 | 0 | 7,7 | 0,8 | 0,4 | 0,4 | 0 |
| SP .......... | 7,5 | 0 | 0 | 0,2 | 0,6 | 1,0 | 5,4 | 0,2 | 0,2 | 0 |
| H .......... | 26,3 | 0 | 0,2 | 1,4 | 1,0 | 1,2 | 0,6 | 18,5 | 3,5 | 0 |
| FrP ......... | 10,4 | 0 | 0,4 | 1,2 | 0,2 | 0,6 | 0,4 | 2.9 | 4,8 | 0 |
| Andre ....... | 0,6 | 0 | 0,2 | 0,2 | 0 | 0,2 | 0 | 0 | 0 | 0 |

Figur 3.3.   Nettooverganger mellom partiene fra 1987-1989. Pilene i diagrammene peker i retning av det parti som hadde gevinst i bytteforholdet

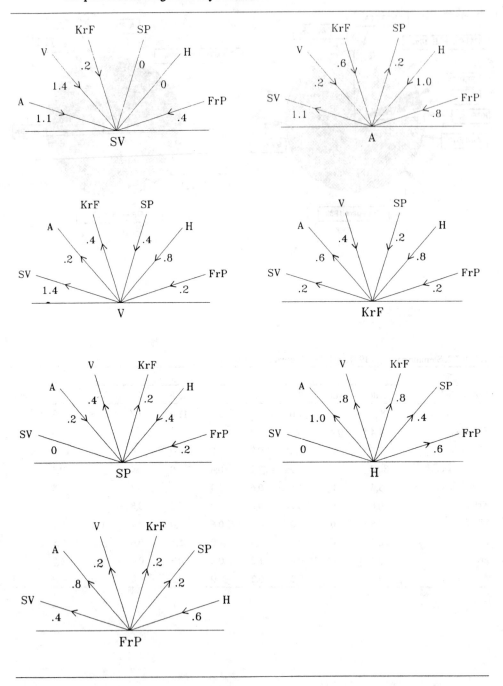

Tabell 3.3. Nettoskiftninger for de enkelte partiene 1987-89. Prosent av totalt antall aktive velgere

|  | FMS | SV | A | V | KrF | SP | H | FrP |
|---|---|---|---|---|---|---|---|---|
| Vunnet ...... | 0,2 | 4,.8 | 5,0 | 2,1 | 3,3 | 2,3 | 4,3 | 4,5 |
| Tapt ......... | 1,0 | 1,3 | 3,5 | 2,7 | 2,3 | 2,1 | 7,8 | 5,6 |
| Netto ........ | -0,8 | 3,5 | 1,5 | -0,6 | 1,0 | 0,2 | -3,5 | -1,1 |

Arbeiderpartiet hadde en svak gevinst. På grunnlag av overgangsmatrisen (tabell 3.2) har vi beregnet nettoforskyvninger mellom partiene parvis, og resultatet er vist i figur 3.3. Sosialistisk Venstreparti hadde balanse eller gevinst i forhold til alle andre partier. Størst var tilsiget fra Arbeiderpartiet og Venstre. Arbeiderpartiet tapte til Sosialistisk Venstreparti, men vant i forhold til partiene på høyresiden samt Kristelig Folkeparti. Venstre hadde størst tap i forhold til Sosialistisk Ven-streparti, men gevinst i forhold til Høyre. Kristelig Folkepartis tap til Arbeiderpartiet ble oppveiet av gevinst fra Høyre. Senterpartiet hadde omtrent balanse i sitt bytteforhold med alle de andre partiene. Bortsett fra balanse i forhold til Sosialistisk Venstreparti hadde Høyre tap i forhold til alle andre partier, mest til Arbeiderpartiet, Venstre og Kristelig Folkeparti. Fremskrittspartiet hadde gevinst i forhold til Høyre, men tap i forhold til Arbeiderpartiet.

Figur 3.4.    Omfanget av skiftninger ved tre påfølgende valg, 1985, 1987 og 1989, etter partpreferanse i 1989. Prosent

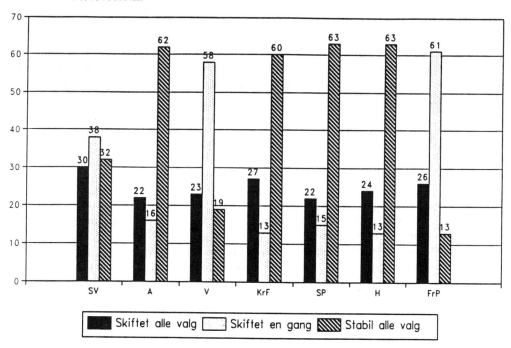

## Stabilitet over tre valg

Materialet forteller om komplekse endrings-prosesser over de siste tre valgene. Det fore-gikk store skiftninger fra 1985-1987. En del av disse skiftningene ble reversert fra 1987-1989, samtidig med at helt nye bevegelser kom i stand. Når vi holder oss til den aktive velgerskare, som stemte både i 1985, 1987 og 1989, har omtrent halvparten av de spurte holdt fast ved samme parti hele tiden, fjerde-parten har skiftet én gang, mens den siste fjerdeparten har foretrukket et nytt parti ved hvert valg. I figur 3.4 er velgerne klassifisert etter stemmegivning i 1989. Underlagsmate-rialet er svakt fordi det bare omfatter personer som har stemt ved alle tre valgene. Tendense-ne svarer likevel godt til det mønster som er observert foran. I Arbeiderpartiet, Høyre, Kristelig Folkeparti og Senterpartiet er stabi-liteten ganske høy. Omtrent 60 prosent av de spurte har stemt på samme parti hele tiden. Sosialistisk Venstreparti inntar en mellomstil-ling. Omtrent tredjeparten av velgerne har stemt på partiet ved alle tre valgene, den andre tredjeparten har støttet partiet ved to valg, mens den siste tredjeparten var helt ny i 1989. De to mest ustabile partiene er Venstre og Fremskrittspartiet. I Venstre har mindre enn femteparten stemt på partiet ved samtlige tre valg, mens nær 60 prosent har stemt på partiet ved to valg. Bare 13 prosent av Fremskritts-partiets velgere har stemt på partiet ved alle de tre siste valgene, mens over fjerdeparten stem-te på partiet for første gang i 1989. Det er naturlig nok at et nytt og sterkt voksende parti har mottatt mange nye velgere. Men det meste av økningen i partiets totale stemmetall skjed-de fra 1985-1987. Partiets tap av 1987-velgere så vel som tilgangen av helt nye velgere i 1989 har et omfang som er bemerkelsesverdig.

## Avslutning

Dette kapitlet behandler skiftningene i den aktive velgerskare fra fylkestingsvalget i 1987 til stortingsvalget i 1989. Det totale omfang av skiftningene er fortsatt meget stort. Men ret-ningen i skiftningene er langt fra entydige. Både Høyre og Fremskrittspartiet har nettotap på skiftningene. Uroen på høyrefløyen er det mest interessante trekk. Et stort antall velgere har beveget seg fra Høyre til Fremskrittsparti-et, og nesten like mange har gått i motsatt retning.

Som rimelig kan være har Sosialistisk Ven-streparti hatt den største gevinst på skiftning-ene. Bemerkelsesverdig er det at også Arbei-derpartiet har en moderat gevinst. Det er ikke spesielt godt samsvar mellom nettosvingning-ene mellom partiene fra 1987-1989 og en-dringene i partienes totale stemmetall. Forklaringen ligger i førstegangsvelgernes at-ferdsmønster i 1989 (se kap. 2, s. 31-32). Fremskrittspartiet og til en viss grad Høyre fikk et uforholdsmessig stort tilsig av første-gangsvelgere. Arbeiderpartiets tilslutning in-nenfor denne gruppen var langt svakere enn for eldre aldersgrupper. Sosialistisk Venstre-parti hadde omtrent balanse. Sammenlignet med fylkestingsvalget i 1987 var Sosialistisk Venstreparti det eneste parti som hadde ve-sentlig framgang i 1989 (jfr. tab. 1.2). Denne framgangen må i hovedsak tilskrives skift-ninger i den aktive velgerskaren.

En sammenstilling av analysene i dette kapit-let og foregående kapittel som behandler en-dringene fra 1985-1989, tyder på at valget i 1987 fikk stor innvirkning på velgernes reak-sjoner to år senere. I 1987 var valgdeltagelsen rekordlav. To år senere nådde den gamle høyder. Samtidig fortsatte uroen og de store skiftningene i velgerskaren. Men retningen i skiftningene ble delvis reversert etter 1987. Fremskrittspartiet er det parti som har stått mest sentralt i endringsprosessene i senere år. I 1987 seiret partiet med et valgskred. I de etterfølgende to år tapte partiet en betydelig del av sine nyvunne velgere, men vant mange nye. Samtidig økte partiets tiltrekning blant førstegangsvelgerne. Materialet viser imidlertid at stabiliteten i partiets tilslutning er særdeles svak. I likhet med Venstre mangler Fremskrittspartiet et grunnfjell og er derfor uhyre sårbart.

I rikspolitisk sammenheng ble valgresultatet i 1989 ikke spesielt oppsiktsvekkende - sett i lys av kommune- og fylkestingsvalget i 1987. Men valgnatten brakte mange overraskelser på lokalt og regionalt plan. En nærmere analyse av geografiske variasjoner i 1989 kan bidra til å forklare endringsprosessene ved valget. Det er temaet for neste kapittel.

# 4. Lokale variasjoner

Analysen på de foregående sider handler om landsomfattende tendenser ved valget. I dette kapitlet vil søkelyset bli rettet på geografiske variasjoner. Spørsmålet er i hvilken grad endringene ved de senere valgene er betinget av regionale og lokale forhold. Problemstillingen krever en nærmere begrunnelse.

Studiet av regionale kontraster har lange tradisjoner i norsk valgforskning (Hansen 1897; Øidne 1957; Rokkan & Valen 1964; Aardal & Valen 1989). Helt siden de første rene partivalg i 1880-årene har det forekommet markerte skiller i partienes oppslutning i ulike landsdeler. Samtidig har det innenfor de enkelte regioner vært klare skiller mellom by og land, eller snarere mellom tettbygde og spredtbygde strøk. De geografiske variasjonene er blitt betegnet som en "senter-periferi"-motsetning, i hovedsak en konflikt mellom på den ene siden de sentrale deler av landet rundt hovedstaden og på den andre siden to distinkte periferier, den sørvestnorske og den nordnorske (Rokkan & Valen 1964; Rokkan 1970).

Regionale motsetninger utgjør en del av konfliktmønsteret i norsk politikk.[1] Samtidig er de regionale forskjellene til en viss grad betinget av sosiale og økonomiske strukturforhold. Konfliktstrukturen definerer partienes sosiale velgerunderlag. En analyse av politiske endringsprosesser bør derfor være opptatt av sosiale endringer, herunder forholdet til politiske regioner.

Tidlig i 1970-årene begynte de geografiske variasjonene i stemmegivningen å avta (Aardal & Valen 1989:219-232). Høyrebølgen var et dominerende trekk i utviklingen, og Høyres framgang var spesielt sterk på Sør- og Vestlandet. Det politiske skillet mellom Østlandet og Vestlandet ble derfor gradvis redusert. Samtidig avtok de kulturelle forskjellene mellom landsdelene, idet det var tilbakegang for de tre motkulturene, målsak, avholdssak og religiøs legmannsbevegelse, som alle hadde sin tyngde i det sørvestnorske bygdesamfunn.

Ved stortingsvalget i 1985 framstod imidlertid senter-periferi-motsetningen i ny skikkelse. De borgerlige partiene, særlig Høyre og Fremskrittspartiet hadde markert tilbakegang i utkantstrøkene, mens de holdt stillingen i urbane strøk i Sør-Norge. Arbeiderpartiet, som var det ledende opposisjonsparti i 1985, hadde derimot framgang i Utkant-Norge. Særlig kom dette til uttrykk i kyststrøkene fra Finnmark i nord til Rogaland i sør. Tendensen var ikke uventet i Trøndelag og Nord-Norge, der partiet lenge har hatt sterkt fotfeste. Derimot representerte framgangen i kyststrøkene på Vestlandet noe helt nytt, idet Arbeiderpartiet i likhet med andre sosialistiske partier tradisjonelt har hatt svak velgertilslutning i denne delen av landet. Analysen av materialet fra 1985 tyder på klar sammenheng mellom politiske endringer ved valget og økonomisk stagnasjon i utkantstrøkene. Arbeiderpartiet gikk mest fram og Høyre mest tilbake i kom-

---

[1] For en utførlig diskusjon og analyse av konfliktmønsteret, se Valen & Rokkan 1974.

muner med høy arbeidsledighet, stor utflytting og andre tegn på vanskelige økonomiske og sosiale forhold (Aardal & Valen 1989:243-246).

Spørsmålet om utkantvelgernes reaksjon hadde ikke tapt sin aktualitet ved det etterfølgende stortingsvalg. I kjølvannet av det økonomiske tilbakeslag som rammet landet i 1986, fulgte økende problemer i utkanten. Valgkampen i 1989 satte fiskerikrisen på den politiske dagsorden sammen med arbeidsledigheten. Utflyttingen fra utkanten fortsatte. Siden 1985 var dessuten innvandringen fra andre land dukket opp som et helt nytt politisk stridstema. Det var riktignok et emne som ikke berørte utkanten spesielt. Men i likhet med arbeidsledighet og fiskeriproblemer var innvandring et tema som hadde varierende utslag fra kommune til kommune.

I det etterfølgende skal vi ta opp tråden fra undersøkelsen i 1985. Hvilke geografiske variasjoner finner vi ved valgene i 1987 og i 1989? I hvilken grad kan valgresultatet i 1989 betegnes som en utkantprotest? Analysen vil bli basert på aggregerte data fra de enkelte kommuner.

## Regioner

I samsvar med tidligere analyser, er landet blitt inndelt i fem regioner: Oslofjordområdet, Indre Østlandet, Sør- og Vestlandet, Trøndelag og Nord-Norge (Rokkan & Valen 1964).[2] Fordelingen av stemmene ved de to siste stortingsvalgene og ved fylkestingsvalget i 1987 er vist i tabell C.2 (Appendiks C). Legg merke til at tallene for de enkelte partier representerer gjennomsnittet for de kommuner som inngår i de respektive landsdeler, og det er ikke foretatt veiing for kommunenes størrelse.

Det er derfor ikke helt samsvar mellom den faktiske stemmefordeling i landsdelene og de prosenttall som framkommer i tabellen. Materialet gir imidlertid svar på spørsmål om variasjoner mellom landsdelene og endringer over tid.

De tradisjonelle regionale forskjeller kan kort beskrives: Arbeiderpartiet står sterkest i Nord-Norge og på Indre Østlandet og svakest på Sør- og Vestlandet. Sosialistisk Venstreparti har en lignende profil med størst tilslutning i Nord-Norge og svakest på Sør- og Vestlandet. Sistnevnte region har alltid vært den sterkeste bastion for partiene i sentrum. Det gjelder fortsatt for Kristelig Folkeparti og Venstre. Senterpartiet derimot, står sterkest i Trøndelag med Indre Østlandet og Sør- Vestlandet på annen plass. Partiene på høyresiden står systematisk sterkere i Oslofjordområdet enn i andre landsdeler.

Det som interesserer mest i denne analysen er utviklingen over tid. For de tre mellompartienes vedkommende er det jevnt over stabilitet i de enkelte regioner fra 1985-1989. Venstres framgang i 1987 og tilbakegang i 1989 slo ut noenlunde ensartet i samtlige landsdeler. I store trekk kan det samme sies om de fire partiene som ble mest berørt av valgvindene. Deres tilslutning ved de tre valgene er framstilt i figur 4.1. Høyres tilbakegang er massiv over hele landet fra 1985-1987 og fra 1987 til 1989. Arbeiderpartiet har en tilsvarende tendens, bortsett fra at partiet holdt stillingen på Sør- og Vestlandet fra 1987 til 1989. For Sosialistisk Venstrepartis vedkommende er tilslutningen omtrent uforandret fra 1985-1987, men det er framgang over hele landet fra 1987-1989. Endelig er det Fremskrittspartiet som har hatt systematisk framgang over hele landet ved de to siste valgene.

---

[2] Den fylkesvise sammensetning av landsdelene er følgende: (1) Oslofjordområdet: Østfold, Akershus, Oslo, Vestfold samt nedre Buskerud og nedre Telemark. (2) Indre Østlandet: Hedmark, Oppland, indre Buskerud og indre Telemark. (3) Sør- og Vestlandet: Agderfylkene, Rogaland, Hordaland, Sogn- og Fjordane og Møre og Romsdal. (4) Trøndelag: Sør-Trøndelag og Nord-Trøndelag. (5) Nord-Norge: Nordland, Troms og Finnmark.

---

Materialet tyder således på at hovedtendensene i de siste valgene har vært landsomfattende. Hvis vi ser på differansen fra 1985-1989 i tabell C.2, er det riktignok en del variasjoner mellom landsdelene. Men her må vi ta i betraktning den tilslutning vedkommende parti hadde i utgangspunktet. Høyre har for eksempel tapt langt flere stemmer i Oslofjordområdet enn i andre landsdeler, men det var også i Oslofjordområdet partiet hadde mest å tape. Hvis vi beregner differansen fra 1985-1989 i prosent av tilslutningen i 1985, er det bare ubetydelige variasjoner mellom landsdelene for de enkelte partiene. Det fins imidlertid et par viktige unntak: Arbeiderpartiet har gått forholdsvis mer tilbake i Nord-Norge enn i andre landsdeler. Samtidig er framgangen for Sosialistisk Venstreparti forholdsvis svakest i nord. I prosent av deres samlede oppslutning i 1985 er tilbakegangen for de de to sosialistiske partiene mer enn dobbelt så stor i Nord-Norge som i resten av landet. Videre er framgangen for Fremskrittspartiet noe større i Nord-Norge og Indre Østlandet enn i andre landsdeler.

Det er grunn til å se nærmere på Nord-Norge. Arbeiderpartiets store tilbakegang har naturligvis sammenheng med Aunelista i Finnmark. Men om vi holder Finnmark utenfor er tilbakegangen i resten av Nord-Norge fortsatt litt høyere enn i andre landsdeler.[3] Sosialistisk Venstreparti har gått mer fram i Finnmark enn i Nordland og Troms. Derimot har Fremskrittspartiet mindre framgang i Finnmark enn i de andre fylkene nordpå. Partiets prosentdifferanse fra 1985-1989 er 7,7 i Nordland og Troms, mot 5,1 i Finnmark.[4] Det er tydelig at Aunelista har svekket Fremskrittspartiets appell i det nordligste fylket.

Tabell C.2 beskriver gjennomsnittstendenser for de fem landsdelene. Men materialet viser at det er til dels store variasjoner innenfor hver enkelt landsdel. For å belyse variasjonene skal vi presentere noen kart over endringene basert på data for de enkelte kommuner.[5] Framstillingen blir begrenset til Høyre og Arbeiderpartiet, som begge tradisjonelt har en klar regional profil, samt Fremskrittspartiet, som i 1989 fikk sitt gjennombrudd i Utkant-Norge og Sosialistisk Venstreparti som nesten fordoblet sitt stemmetall fra 1985-1989.

Figurene 4.2 og 4.3 viser utviklingen i Fremskrittspartiet fra 1985-1987 og fra 1987-1989. Partiets framgang fra 1985 til fylkestingsvalget i 1987 var størst i tettbygde strøk i Oslofjordområdet og på Sør-Vestlandet. Men mange "lommer" på kartet indikerer også betydelig framgang utover i landet, særlig på Indre Østlandet og i Nord-Norge. Legg spesielt merke til framgangen i mange kystkommuner i Finnmark. Det var før Aunebevegelsen kom i gang.

Mønsteret er noe annerledes i de neste to årene, 1987-1989, som vist i figur 4.3. Framgangen fra fylkestingsvalget har fortsatt i Agderfylkene og i enkelte kommuner i Vestfold, Telemark og Buskerud. Men det meste av framgangen faller i kyststrøkene fra Møre og Romsdal og nordover til Troms. I Finnmark har partiet tilbakegang eller status quo i kystområdene, men framgang i enkelte innlandskommuner. Konkurransen med Aunelista har altså rammet Fremskrittspartiet i fiskerikommunene.

---

[3] Nedgangen i Arbeiderpartiets stemmetall fra 1985-1989 var omtrent 15 prosent på Sør-Vestlandet, ca. 16 prosent i de andre landsdelene i Sør-Norge, men 18 prosent i Nordland og Troms, og 39 prosent i Finnmark.
[4] I 1985 stod partiet helt likt i de tre nordligste fylkene, det hadde da en stemmeandel på litt over 1 prosent.
[5] Kartene er utarbeidet av Norsk samfunnsvitenskapelig datatjeneste (NSD).

Figur 4.1a. Sosialistisk Venstrepartis og Arbeiderpartiets oppslutning i ulike landsdeler, 1985, 1987 og
1989

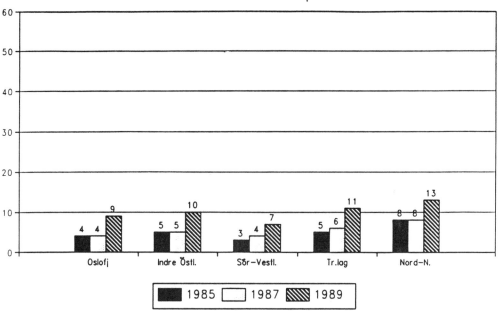

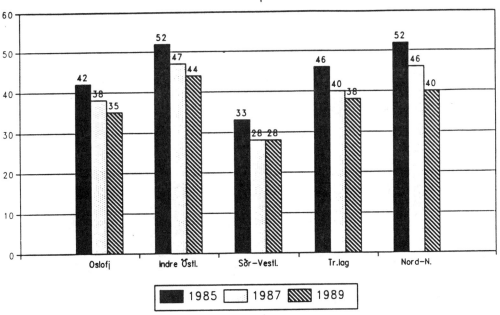

Figur 4.1b.  Fremskrittspartiets og Høyres oppslutning i ulike landsdeler, 1985, 1987 og 1989

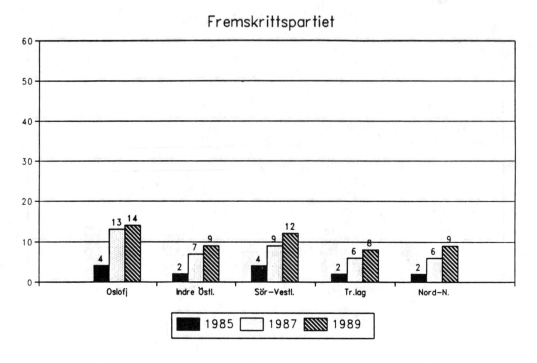

## Fremskrittspartiet

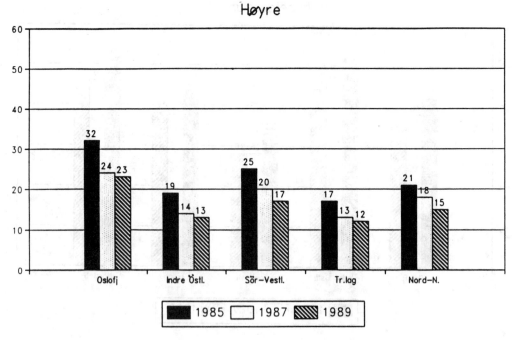

## Høyre

Figur 4.2. Valgoppslutning Fremskrittspartiet 1985-1987. Endring i prosent basert på antall godkjente stemmer

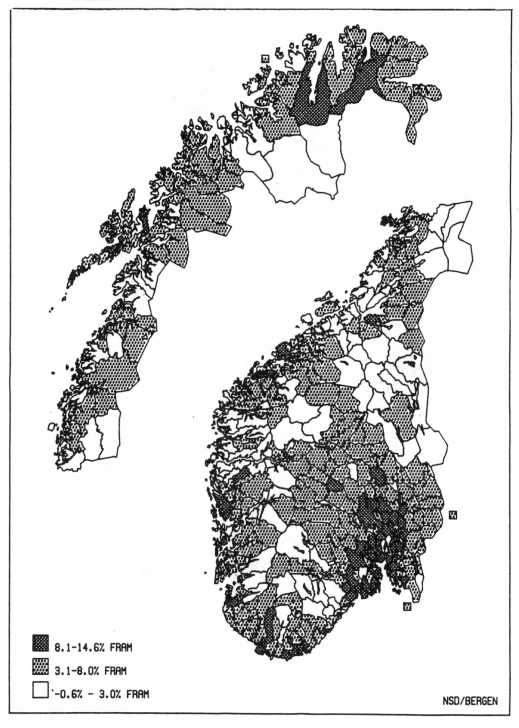

8.1-14.6% FRAM

3.1-8.0% FRAM

'-0.6% - 3.0% FRAM

NSD/BERGEN

Figur 4.3.   Valgoppslutning Fremskrittspartiet 1987-1989. Endring i prosent basert på antall godkjente stemmer

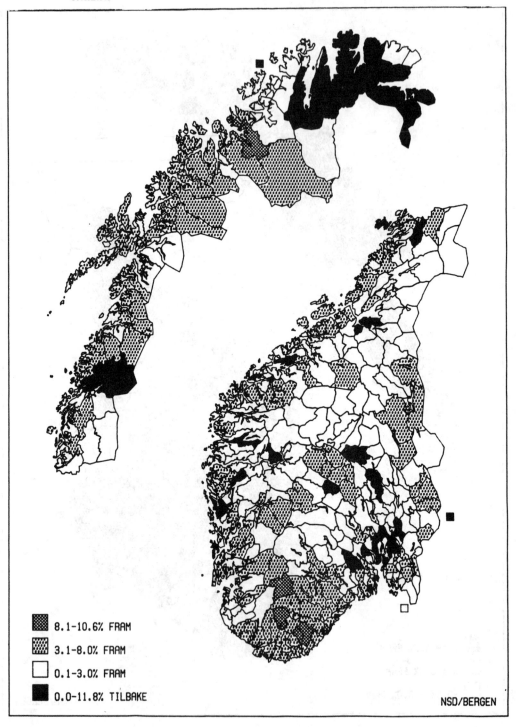

8.1-10.6% FRAM

3.1-8.0% FRAM

0.1-3.0% FRAM

0.0-11.8% TILBAKE

NSD/BERGEN

Figur 4.4.    Valgoppslutning Høyre 1985-1989. Endring i prosent basert på antall godkjente stemmer

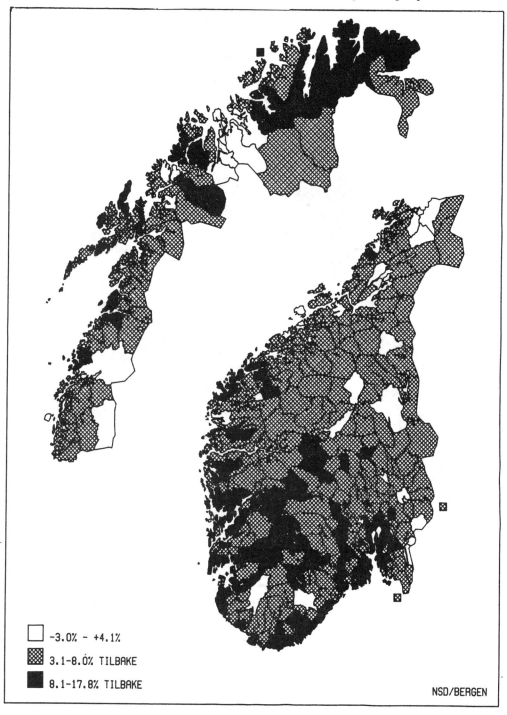

☐  -3.0% - +4.1%

▨  3.1-8.0% TILBAKE

■  8.1-17.8% TILBAKE

NSD/BERGEN

Figur 4.5.  Valgoppslutning Arbeiderpartiet 1985-1989. Endring i prosent basert på antall godkjente stemmer

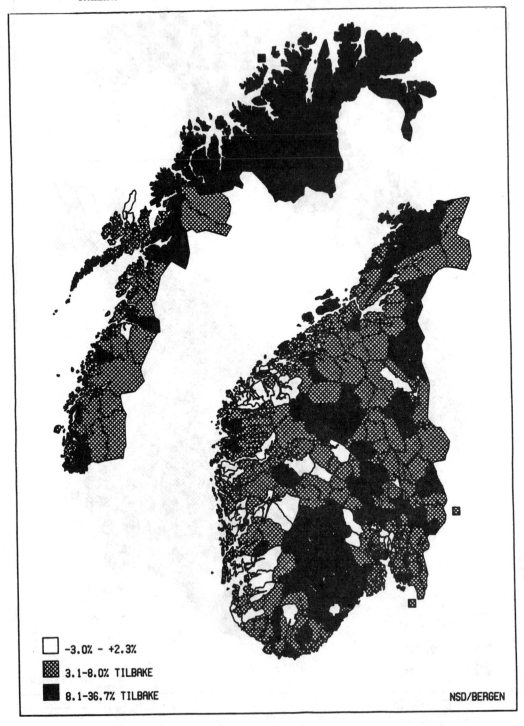

-3.0% - +2.3%

3.1-8.0% TILBAKE

8.1-36.7% TILBAKE

NSD/BERGEN

Endring og kontinuitet

Figur 4.4 viser endringene i Høyres oppslutning fra 1985-1989.

En sammenligning med de to foregående figurene tyder på at Høyre har tapt mest i områder der Fremskrittspartiet har gått sterkt fram. Det er ikke overraskende tatt i betraktning de store skiftningene som foregår mellom de to partiene på høyresiden (jfr. kap. 2 og 3). Høyre har tapt mest i områder der partiet tradisjonelt står sterkt, det vil si særlig i Oslofjordområdet, på Sørlandet og til dels på Vestlandet. Kartet synes å bekrefte at den relative tilbakegang er noenlunde jevn over hele landet, men det har forekommet enorme variasjoner på det lokale plan.

De regionale tendensene er langt klarere for Arbeiderpartiets vedkommende. Det er framstilt i figur 4.5. Arbeiderpartiet har holdt stillingen best på Vestlandet, mens tilbakegangen er sterkest i Finnmark og i Telemark. Men også i dette partiet er lokale variasjoner i endringene et dominerende trekk.

Endelig er det Sosialistisk Venstreparti som lå ganske stabilt på omtrent 5 prosent av stemmene fra 1977-1985. Figur 4.6 viser at den fordobling av stemmetallet som inntraff mellom 1985-1989, har gitt seg utslag over hele landet. Et mer nyansert kart tyder imidlertid på at framgangen er størst i tettbygde områder.

## Storbytendensen

Siden tidlig i 1960-årene har samfunnsutviklingen vært preget av sentralisering. De større bysentra har nesten uavbrutt trukket til seg arbeidskraft fra utkantstrøkene (Foss et al. 1987; Byfuglien 1988). Samtidig har det skjedd en betydelig omforming av yrkesstrukturen. Sysselsettingen i tertiærsektoren har økt over alt, men mest markert i de store byene. Økende behov for personale til administrasjon, undervisning og en mangfoldighet av nye serviceyrker kjennetegner utviklingen i det moderne bysamfunn (Aardal & Valen 1989:198-200). Den eksplosjonsartede veksten i "den nye middelklassen", som disse yrkene blir kalt, har hatt klare politiske konsekvenser. I de store byene har de sosialistiske partiene vært i jevn tilbakegang siden omkring 1960 (Aardal & Valen 1989:242). Og siden begynnelsen av 1970-årene har også mellompartiene tapt terreng. Derimot har det vært markert framgang for partiene på høyresiden.

Ved valget i 1985 stagnerte storbytendensen: De sosialistiske partiene fikk en svak framgang sammenlignet med foregående valg, mens høyresiden fikk en tilsvarende tilbakegang. I tabell 4.1 presenteres stemmefordelingen ved de siste tre valgene i de seks største byene. Mellompartienes tilslutning er uendret. Derfor blir tabellen begrenset til de to store partiene og fløypartiene.

Sosialistisk Venstreparti har hatt jevn framgang. Både Arbeiderpartiet og Høyre hadde sterk tilbakegang fra 1985-1987, men status quo fra 1987-1989. Fremskrittspartiet hadde enorm framgang i 1987, men en viss tilbakegang to år senere. Sistnevnte parti gikk tilbake i samtlige storbyer, unntatt Kristiansand, der partiet kunne notere fortsatt framgang (jfr. figur 4.2). Tabell 4.1 viser at de to partiene på høyresiden har en samlet framgang fra 1985-1989 på 1 prosentenhet, mens de to partiene på venstresiden har en tilsvarende tilbakegang. Høyrebølgen har altså stort sett stoppet opp i storbyene. Hva har skjedd i mindre urbane kommuner?

Figur 4.6.  Valgoppslutning Sosialistisk Venstreparti 1985-1989.  Endring i prosent basert på antall
godkjente stemmer

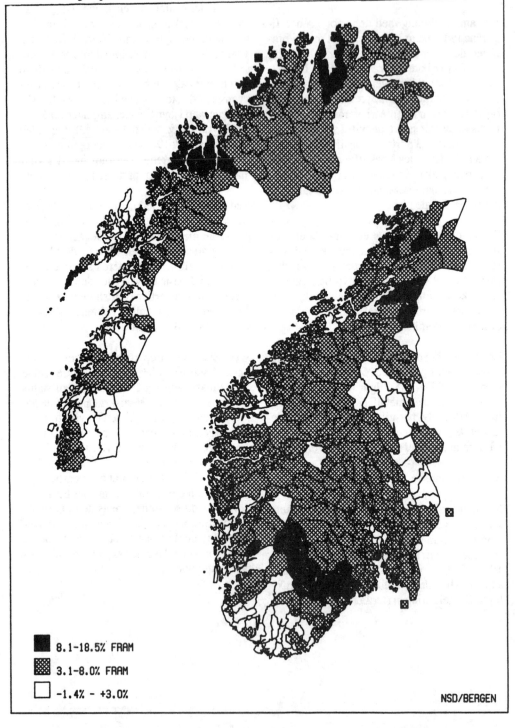

8.1-18.5% FRAM

3.1-8.0% FRAM

-1.4% - +3.0%

NSD/BERGEN

## Sentralitet

Statistisk sentralbyrå har utarbeidet en sentralitetsindeks. Landets 448 kommuner blir her inndelt i sju kategorier etter to kriterier, kommunikasjonsmessig plassering i forhold til regionale og nasjonale sentra og næringsstruktur (Standard for kommuneklassifisering 1985:16-17). Vi har beregnet partifordelinger innenfor hver av disse kategoriene ved valgene i 1985, 1987 og 1989. Hovedinntrykket er at tendensen i endringene fra valg til valg er den samme uansett graden av sentralitet. Klarest kommer dette til uttrykk for mellompartienes og Høyres vedkommende. Visse avvik bør likevel bemerkes: Framgangen for Sosialistisk Venstreparti i 1989 var forholdsvis sterkest i sentrale kommuner. Arbeiderpartiet hadde forholdsvis størst tilbakegang i utkantkommuner. Fremskrittspartiet hadde i 1987 størst framgang i sentrale kommuner, men fra 1987-1989 gikk partiet mest fram i utkantstrøkene. Men det dreier seg ikke om store og markerte forskjeller. Vi kan derfor slå fast at heller ikke kommuneinndelingen etter graden av sentralitet gir en entydig forklaring på endringene på det lokale plan.

De sterke variasjoner som kartene beskriver, må imidlertid ha sin bakgrunn i lokale forhold. Det er selvsagt mulig at også kontrasten mellom senter og utkant kan ha vært en medvirkende årsak, selv om dette ikke kommer klart til uttrykk i en bivariat sammenheng. Spørsmålet er i hvilken grad de politiske endringene kan forklares i lys av et samspill mellom flere ulike forhold som kjennetegner lokalsamfunnet. Det er temaet i neste avsnitt.

## Regresjonsanalyse

Spørsmålet om hvordan sosiale strukturforhold i de enkelte kommuner har påvirket valgresultatet skal til slutt behandles i en multivariat regresjonsanalyse. Den begrenses til de fire partiene som ble sterkest berørt av endringene fra 1985-1989, Arbeiderpartiet, Høyre, Fremskrittspartiet og Sosialistisk Venstreparti. Avhengig variabel er endringen i de respektive partiers andel av avgitte stemmer i kommunene mellom de to valgene. For Fremskrittspartiets vedkommende skal vi også se på endringene fra 1985-1987 og fra 1987-1989.

Formålet med analysen er å studere sammenhengen mellom de økonomiske og sosiale problemer kommunene strir med og endringer i partienes oppslutning. I en økologisk analyse av valget i 1985 ble det skilt mellom tre grupper av variable som beskriver kommunenes situasjon: økonomisk utviklingsnivå, sosiopolitisk sårbarhet og tilgang på velferdstjenester (Listhaug & Aardal 1989). I denne analysen vil vi begrense oss til forhold som berører de to første kategoriene. Valget av strukturvariable er i stor grad begrenset av tilgjengeligheten av relevante opplysninger om kommu-

Tabell 4.1. Stemmefordeling i de seks største byene (Oslo, Bergen, Trondheim, Stavanger, Kristiansand og Drammen) i 1985, 1987 og 1989. Prosentvis andel av de avgitte stemmer

|  | SV | A | H | FrP |
|---|---|---|---|---|
| 1985 . . . . . . | 5,4 | 37,7 | 36,3 | 4,7 |
| 1987 . . . . . . | 6,1 | 32,4 | 27,4 | 16,0 |
| 1989 . . . . . . | 9,7 | 32,4 | 27,3 | 14,8 |
| Diff. 1985-1989 | 4,3 | -5,3 | -9,0 | 10,1 |

nene. For å karakterisere kommunenes sosio-politiske situasjon har vi trukket inn følgende variable:

*Arbeidsledighet* i kommunen, prosent av yrkesbefolkningen arbeidsledig, gjennomsnittstall for 1989.[6]

*Uførepensjonister*, antall uførepensjonister i prosent av befolkningen i 1988.

*Utflytting*, balansen mellom utflytting fra og innflytting til kommunen, i prosent av befolkningen i 1988. Den varierer fra stor nettoutflytting (høyest verdi) til stor nettoinnflytting.

Interkorrelasjonen mellom disse variablene er ikke spesielt høy, bortsett fra arbeidsledighet og andelen uførepensjonister (r=0.43).

For å karakterisere kommunenes økonomiske nivå trekker vi inn følgende variabel: *Sentralitet*, klassifiseringen av de respektive kommuner etter SSBs sentralitetsindeks.[7] Denne variabelen indikerer kommunenes utkantkarakter målt ved reisetid til sentrale byer og sysselsetting i primærnæringene. Lav verdi indikerer lang reisetid og høy andel i primær-

næringene. Sentralitetsindeksen er moderat korrelert med de forannevnte variable, bortsett fra sterk sammenheng med utflytting (r=0.46). Arbeidsledighet, andel uførepensjonister, utflytting og sentralitet ble også inkludert i vår analyse av valget i 1985 (Aardal & Valen 1989:243-246). Derimot er følgende variabel ny:

*Innvandring*, antall innvandrere fra andre land i prosent av total befolkning i kommunen.[8]

Innvandring ble et hett spørsmål ved kommune- og fylkestingsvalget i 1987. Innvandringen er størst i mer sentrale kommuner (sentralitet/innvandring, r=0.22). Innvandring er negativt korrelert med de øvrige variable.

Tabell 4.2 presenterer resultatet av analysen på nasjonalt nivå for de fire partiene. Vi minner om at det er de enkelte kommuner og ikke individene som er enhet i analysen. Uttrykket $R^2$ betegner i fagsjargongen 'forklart varians' og brukes i dette tilfelle som et mål på den statistiske sammenheng mellom sosial struktur og endring i stemmetall.

Tabell 4.2 viser store variasjoner mellom partiene. Den forklarte varians er høyest for Ar-

Tabell 4.2. Endringer i stemmeandel fra 1985-1989 og sosial struktur i kommunene. Regresjon

|  | A | | H | | SV | | FrP | |
|---|---|---|---|---|---|---|---|---|
|  | B | Beta | B | Beta | B | Beta | B | Beta |
| Innvandring ......... | 0,33 | 0,02 | -2,38* | -0,22 | -0,54 | -0,07 | 2,09* | 0,20 |
| Arbeidsledighet ...... | -0,84* | -0,18 | -0,10 | -0,04 | 0,08 | 0,04 | 0,61* | 0,23 |
| Uførepensjonister .... | -0,85* | -0,48 | 0,15* | 0,14 | 0,14* | 0,18 | -0,01 | -0,00 |
| Utflytting .......... | 0,05 | 0,06 | 0,02 | 0,05 | -0,04* | -0,12 | -0,01 | -0,04 |
| Sentralitet ......... | 0,26* | 0,12 | -0,29* | -0,22 | -0,03 | -0,03 | 0,55* | 0,45 |
| $R^2$ ............... | 0,38 | | 0,17 | | 0,06 | | 0,33 | |

* Statistisk signifikant på minst 0,05 nivå.

[6] Vi har vurdert å bruke endring i arbeidsledigheten fra 1988-1989. Men denne variabelen forklarer intet utover tallene for 1989.

[7] Indeksen er konstruert slik at laveste verdi 1 står for ekstrem utkant, mens det andre ytterpunkt 7 markerer sentrale kommuner.

[8] Kommunene er inndelt i to grupper etter omfang av innvandring. 1 = høy innvandring (mer enn 3 prosent innvandrere), 0 = lav innvandring (mindre enn 3 prosent).

beiderpartiet. Det betyr at sosial struktur har påvirket dette partiets valgresultat sterkest. Men utslaget er nesten like høyt for Fremskrittspartiets vedkommende. På den andre siden står Høyre og, særlig, Sosialistisk Venstreparti med lav forklart varians. Det må tolkes slik at endringer til gevinst eller tap for disse partiene er stort sett landsomfattende og forholdsvis lite berørt av lokale forhold.

Av like stor interesse er utslagene for de enkelte variable. Regresjonskoeffisienten B er et relativt mål på sammenhengen mellom en uavhengig variabel og den avhengige variabelen, samtidig som de andre variablene i modellen holdes konstant. Beta er et tilsvarende standardisert mål, normert mellom 0 og 1. Denne er ment å gi mer sammenlignbare størrelser for de enkelte koeffisienter.[9] For Arbei-

derpartiets vedkommende er utslagene statistisk utsagnskraftige for tre variable: Andel uførepensjonister, arbeidsledighet og sentralitet. Størst betydning har andelen av uførepensjonister. Det negative fortegnet betyr at partiets tilbakegang er størst i kommuner med høyt antall uførepensjonister og stort innslag av arbeidsledighet. Partiet har klart seg best i kommuner med høy sentralitet. Dette betyr en reversering av tendensen fra 1985, da partiets framgang var størst i utkantstrøkene, samtidig med at høy arbeidsledighet og stort antall uføretrygdede styrket partiets valgsjanser i kommunen. Fremskrittspartiet har i 1989 den sterkeste framgang i kommuner med høy arbeidsledighet. Endelig har innvandring gitt et positivt utslag for partiet. For Høyres vedkommende er tendensen motsatt: Partiet har gått mest tilbake i kommuner med høy innvan-

Tabell 4.3. Endring i Fremskrittspartiets stemmetall ved de to siste valgene og sosial struktur. Regresjon

|  | 1985-1987 | | 1987-1989 | | | |
|---|---|---|---|---|---|---|
|  | Modell 1 | | Modell 1 | | Modell 2 | |
|  | B | Beta | B | Beta | B | Beta |
| Innvandring ........ | 2,07* | 0,20 | -0,17 | -0,02 | -0,09 | -0,01 |
| Uførepensjonister .... | 0,02 | 0,02 | 0,07 | 0,08 | 0,03 | 0,04 |
| Utflytting .......... | -0,07 | -0,15 | 0,03 | 0,09 | 0,04* | 0,10 |
| Sentralitet .......... | 0,62* | 0,50 | -0,10 | -0,10 | -0,09 | -0,08 |
| Arbeidsledighet ...... | - | - | - | - | 0,25* | 0,11 |
| $R^2$ ............... | 0,43 | | 0,04 | | 0,05 | |

\* Statistisk signifikant på minst 0,05 nivå.

[9] Med ett unntak opererer vi i denne analysen med kontinuerlige variabler uttrykt i prosenter. De ustandardiserte koeffisienter kan dermed tolkes som prosentvise endringer på partienes oppslutning fra 1985 til 1989. Tolkningen av koeffisientene kompliseres imidlertid av at vi opererer med forandring i oppslutning mellom to tidspunkter og ikke nivået i f.eks. 1989. I tillegg vil en av de uavhengige variablene, flyttebalansen i 1988, inneholde både positive og negative verdier. Tolkningen av denne variabelen blir uansett at en positiv koeffisient medfører et positivt utslag for det respektive partis vedkommende. For partier i framgang betyr dette at økningen har vært stor i fraflyttingskommuner, for partier med tilbakegang betyr dette at de der har holdt stillingen bedre. Når det gjelder betakoeffisientene, er deres betydning omdiskutert, og vi velger å legge mindre vekt på dette målet

dring, og det har klart seg best i strøk med lav sentralitet, samt i kommuner med mange uførepensjonister. Sosialistisk Venstreparti har gjort sine forholdsvis største innhogg i kommuner med mange uførepensjonister, og i kommuner med nettoinnflytting. Grunnen til at sentralitet ikke slår sterkere ut for dette parti, er trolig at utflytting/innflytting er interkorrelert med sentralitet.

Som en oppsummering kan vi slå fast at Arbeiderpartiet har tapt og Fremskrittspartiet har vunnet på stor arbeidsledighet i lokalsamfunnet. Forekomsten av mange uførepensjonister faller sammen med tap for Arbeiderpartiet og gevinst for Høyre og Sosialistisk Venstreparti. Fremskrittspartiet har framgang og Høyre til-

bakegang i kommuner med mange innvandrere. Høy sentralitet slår ut til fordel for Arbeiderpartiet og Fremskrittspartiet og til tap for Høyre. En sammenligning med analysen for 1985 tyder på at både sentralitet og utflytting spilte forholdsvis større rolle den gang enn i 1989 (jfr. Aardal & Valen 1989:244).

Som berørt foran (figurene 4.2 og 4.3) var tendensene i Fremskrittspartiets utvikling noe motstridende ved de to siste valgene. Det kan derfor være av interesse å splitte opp materialet for dette partiets vedkommende i to perioder, 1985-1987 og 1987-1989. Arbeidsledighet som gjelder situasjonen i 1989, kan ikke anvendes for 1987 (Modell 1). Materialet er presentert i tabell 4.3. Den forklarte varians i

Tabell 4.4. Endringer i stemmeandel 1985-1989 og sosial struktur, etter landsdel. Regresjon

| | Østlandet | | Sør-Vestlandet | | Nord-Norge + Trøndelag | |
|---|---|---|---|---|---|---|
| | B | Beta | B | Beta | B | Beta |
| **Arbeiderpartiet** | | | | | | |
| Arbeidsledighet ...... | -2,07* | -0,41 | 0,01 | 0,00 | -2,51* | -0,39 |
| Uførepensjonister .... | -0,34* | -0,19 | -0,86* | -0,49 | -0,55* | -0,29 |
| Utflytting .......... | -0,14 | -0,14 | 0,05* | 0,15 | 0,04 | 0,04 |
| Sentralitet ......... | 0,24 | 0,16 | 0,10 | 0,07 | 0,40 | 0,10 |
| $R^2$ ............... | 0,32 | | 0,25 | | 0,37 | |
| **Høyre** | | | | | | |
| Arbeidsledighet ...... | 0,06 | 0,01 | -0,12 | -0,04 | -0,02 | -0,01 |
| Uførepensjonister .... | 0,37* | 0,25 | 0,11 | 0,06 | 0,00 | 0,00 |
| Utflytting .......... | 0,30* | 0,36 | -0,03 | -0,08 | 0,11 | 0,25 |
| Sentralitet ......... | -0,12 | -0,09 | -0,49* | -0,36 | 0,29 | 0,20 |
| $R^2$ ............... | 0,22 | | 0,12 | | 0,06 | |
| N ............... | 151 | | 158 | | 139 | |

* Statistisk signifikant på minst 0,05 nivå.

modellen er enorm i første periode, men ubetydelig i neste. Materialet bekrefter at partiets framgang i 1987 overveiende har funnet sted i sentrale kommuner. I 1989 spiller sentralitet liten rolle, men det negative fortegn antyder at partiet ved dette valg har mobilisert sterkere i utkantstrøkene. Som ventet er det i 1987 meget sterkt utslag for innvandring (jfr. Aardal & Valen 1989:287-303). To år senere har denne variabelen tapt sin betydning. En annen sak er at det mønster som ble etablert i 1987, har holdt seg over fireårsperioden (jfr. tabell 4.2). Når arbeidsledighet blir tatt med for 1989 (Modell 2), gir denne variabelen betydelig virkning for endringene 1987-1989. Selv om økningen i forklart varians er liten, er Modell 2 signifikant bedre enn Modell 1.

Helt til slutt skal vi se på endringene fra 1985-1989 i de enkelte landsdeler. Fordi antall

enheter er så lavt er det nødvendig å slå sammen naboregioner slik at vi får tre landsdeler: (1) Østlandet, (2) Sør- og Vestlandet, (3) Trøndelag og Nord-Norge. Antallet kommuner med høy innvandring er så lavt at denne variabelen ikke kan brukes i den regionale analysen.

Materialet er presentert i tabellene 4.4 og 4.5. I Arbeiderpartiet er Sør- og Vestlandet en litt avvikende region. Her er den forklarte varians lavere enn i andre regioner. I alle regioner er det slik at partiet har størst tilbakegang i kommuner med et stort antall uførepensjonister. Videre trekker arbeidsledigheten sterkt i negativ retning på Østlandet og i Trøndelag/Nord-Norge, men ikke på Sør-Vestlandet. I sistnevnte landsdel er det derimot positivt utslag for partiet i kommuner med nettoutflytting. Partiet har i alle regioner klart seg best i

Tabell 4.5. Endringer i stemmeandel 1985-1989 og sosial struktur, etter landsdel. Regresjon

| | Østlandet | | Sør-Vestlandet | | Nord-Norge + Trøndelag | |
|---|---|---|---|---|---|---|
| | B | Beta | B | Beta | B | Beta |
| **Sosialistisk Venstreparti** | | | | | | |
| Arbeidsledighet ...... | 1,51* | 0,45 | 0,12 | 0,09 | 0,29 | 0,12 |
| Uførepensjonister ..... | -0,10 | -0,09 | -0,06 | -0,07 | 0,11 | 0,15 |
| Utflytting .......... | 0,00 | 0,00 | -0,04* | -0,26 | 0,04 | 0,11 |
| Sentralitet .......... | -0,12 | -0,12 | -0,14* | -0,22 | 0,25 | 0,18 |
| $R^2$ ............... | 0,17 | | 0,10 | | 0,05 | |
| **Fremskrittspartiet** | | | | | | |
| Arbeidsledighet ...... | 0,14 | 0,04 | 0,89* | 0,30 | 0,26 | 0,12 |
| Uførepensjonister ..... | 0,04 | 0,03 | 0,48* | 0,24 | -0,04 | -0,07 |
| Utflytting .......... | -0,18 | 0,06 | 0,03 | 0,07 | -0,13* | -0,35 |
| Sentralitet .......... | 0,45* | 0,41 | 0,66* | 0,44 | -0,35 | -0,28 |
| $R^2$ ............... | 0,38 | | 0,48 | | 0,14 | |
| N ................. | 151 | | 158 | | 139 | |

* Statistisk signifikant på minst 0,05 nivå.

sentrale kommuner. Sentralitet er statistisk utsagnskraftig på landsomfattende basis (jfr. tabell 4.2), men ikke regionalt. Det skyldes trolig at utkantkommunene er overrepresentert i kystfylkene, slik at oppsplittingen etter region demper virkningen av sentralitet.

Også i Høyre foreligger det betydelige regionale forskjeller. På Østlandet, som er partiets gamle høyborg, er den statistiske sammenheng mellom endret stemmetall og sosial struktur langt sterkere enn i andre landsdeler. På Østlandet har partiet klart seg best i kommuner med mange uførepensjonister og i kommuner med nettoutflytting. På Sør- og Vestlandet er tilbakegangen svakest i utkantkommunene. I Nord-Norge og Trøndelag er ingen variable statistisk utsagnskraftige, men tendensen er at partiet har klart seg forholdsvis best i sentrale kommuner, samt i kommuner med nettoutflytting.

I likhet med Høyre har Sosialistisk Venstreparti størst forklart varians på Østlandet. Her har partiet størst framgang i kommuner med stor arbeidsledighet. På Sør- og Vestlandet er framgangen størst i kommuner med nettoinnflytting og i mindre sentrale kommuner. I Nord-Norge og Trøndelag er utslagene ikke statistisk utsagnskraftige, men tendensen er at partiets framgang er størst i sentrale kommuner, samt i kommuner med mange uførepensjonister og stor arbeidsledighet.

Fremskrittspartiet har størst framgang i sentrale strøk både på Østlandet og på Sør-Vestlandet. I Nord-Norge og Trøndelag er derimot framgangen størst i utkantkommunene. På Sør- og Vestlandet har dessuten stor arbeidsledighet og stort innslag av uførepensjonister påvirket partiets valgresultat i positiv retning. I Nord-Norge og Trøndelag gir kommuner med nettoinnflytting stor tilvekst til partiets stemmetall.

## Avslutning

Den store uro i velgerskaren i 1980-årene kom til uttrykk ikke bare i form av individuelle skiftninger, men også på det lokale plan i form av bemerkelsesverdige endringer i partienes stemmeandel fra valg til valg. Her var det tale om store variasjoner fra den ene kommune til den annen. Ved stortingsvalget i 1985 skjedde de største endringer i utkantstrøkene med massiv framgang for Arbeiderpartiet, som da var det ledende opposisjonsparti. I dette kapitlet er det gjort et forsøk på å studere geografiske variasjoner i valgresultatene ved stortingsvalget i 1989. Analysen er basert på aggregerte data for landets 448 kommuner: partifordelinger så vel som informasjon om sosial struktur. Resultatene kan oppsummeres:

1. Endringene i partienes styrkeforhold fra 1985-1989 var overveiende av landsomfattende karakter. Tendensene var ganske jevne i ulike regioner, bortsett fra Nord-Norge, der endringene var spesielt store. En inndeling av kommunene viser heller ikke et klart mønster i endringene. Dog har Arbeiderpartiet gått forholdsvis mest tilbake i utkantkommunene, der partiet hadde størst framgang fire år tidligere. Den multivariate analysen gir imidlertid viktig informasjon om lokale variasjoner.

2. I kommuner med stor arbeidsledighet har Arbeiderpartiet gått sterkt tilbake, mens Fremskrittspartiet har gått tilsvarende fram.

3. I kommuner med et stort innslag av uførepensjonister har Arbeiderpartiet gått sterkt tilbake, mens Høyre har klart seg forholdsvis bra.

4. Flytting mellom kommunene hadde langt mindre virkning for endringer 1985-89 i 1989 enn i perioden 1981-1985. Men Sosialistisk Venstreparti hadde forholdsvis størst framgang i kommuner med stor nettoinnflytting.

5. Analysert i multivariat sammenheng har også graden av sentralitet påvirket de politiske endringene, men virkningen er langt svakere enn i 1985. I 1989 har Arbeiderpartiet og Fremskrittspartiet forholdsvis bedre valgresultater i sentrale kommuner enn i utkantstrøk, mens Høyre har klart seg best i utkantkommunene.

6. I kommuner med høy innvandring fra andre land har Fremskrittspartiet stor framgang, mens Høyre har størst tap.

7. For Fremskrittspartiets vedkommende er det gjort en separat analyse av endringene fra 1985-1987 og fra 1987-1989. I den første perioden skjedde partiets framgang overveiende i sentrale kommuner, og i kommuner med stor innvandring. I 1989 var virkningen av disse faktorene sterkt neddempet. Partiet fikk et gjennombrudd i Utkant-Norge. Til gjengjeld bidrog arbeidsledigheten til partiets framgang.

8. Analysen av endringene fra 1985-1989 er også gjennomført separat i de enkelte landsdeler. Hovedresultatene er følgende:

   * I samtlige regioner er Arbeiderpartiets tilbakegang forholdsvis størst i kommuner med stort innslag av uførepensjonister. Bortsett fra Sør- og Vestlandet har

stor arbeidsledighet virket i samme retning.

* Høyre har i Østlandsområdet klart seg best i kommuner med mange uførepensjonister og i kommuner med nettoutflytting. På Østlandet og, særlig, på Sør- og Vestlandet har partiet bedre resultat i utkantstrøk enn i sentrale strøk, men i Nord-Norge og Trøndelag er tendensen omvendt: her har partiet klart seg best i sentrale kommuner.

* Sistnevnte tendens er speilvendt for Fremskrittspartiet, som har gått mest fram i utkantstrøk i de nordlige landsdeler, mens framgangen er størst i sentrale kommuner på Østlandet og på Sør-Vestlandet.

* For Sosialistisk Venstreparti er det betydelig sprik mellom landsdelene. Partiets framgang i kommuner med stor arbeidsledighet er spesielt markert i Østlandsområdet.

Det framlagte materiale forteller om hvordan strukturelle betingelser i lokalsamfunnet påvirker politiske endringsprosesser. Materialet gir imidlertid ikke grunnlag for å trekke slutninger om individenes reaksjoner. Et par sentrale tendenser fortjener likevel en nærmere omtale. Som det ledende opposisjonsparti i 1985 fikk Arbeiderpartiet økende tilslutning i utkantstrøkene, særlig i kommuner med tegn på sosiale og økonomiske problemer, som fraflytting, arbeidsledighet og hyppig bruk av uføretrygd som sosialpolitisk virkemiddel. I 1989 slo pendelen i motsatt retning. På dette tidspunkt satt Arbeiderpartiet med regjeringsmakten og ble holdt ansvarlig for nettopp den samme type av problemer. Partiets forholdsvis store tilbakegang i kommuner med høy arbeidsledighet og et stort antall uførepensjonister er betegnende. Det er likevel en viktig forskjell mellom 1985 og 1989: Ved førstnevnte valg slo motsetningen mellom utkant og sentrale strøk sterkt ut. I 1989 spilte denne motsetningen mindre rolle. En sannsynlig forklaring er at det økonomiske tilbakeslag som satte inn i 1986, har rammet ikke bare utkantkommunene, men også mange kommuner i sentrale strøk.

Det er bemerkelsesverdig at Fremskrittspartiet med sin liberalistiske politikk ble møtt med stor velvilje i strøk som tydelig er preget av økonomiske problemer. Materialet tyder således på at fiskerikrisen i Nord-Norge har ført til økt tilslutning for partiet. Det er ikke uten videre klart hvordan man skal tolke en slik tendens. Framgang for et gitt parti kan bety at velgerne mener at vedkommende parti er best i stand til å løse deres aktuelle problemer. Men

en like sannsynlig tolkning i dette tilfellet er at stemmegivningen er utslag av protest. Med andre ord, velgere i de berørte kommuner vender seg til et nytt parti fordi de er skuffet over at de etablerte partier ikke har greid å løse problemene.

Kommune- og fylkestingsvalget i 1987 er med rette blitt betegnet et protestvalg. Fremkrittspartiets store framgang i kommuner med mange innvandrere underbygger denne påstanden. Virkningen av innvandring var tydeligvis mindre framtredende ved stortingsvalget to år senere. Ved dette valget var derimot arbeidsledigheten blitt en trusel for store deler av velgerskaren. Det er mulig at det foreligger en indre sammenheng mellom disse fenomenene. Spørsmålet om i hvilken grad innvandringen blir sett som en belastning på det sosiale velferdssystemet vil bli sentralt i de framtidige analyser.

# 5. Sosial struktur og partivalg

## Innledning

Sammenhengen mellom økonomisk og sosial struktur på den ene side og partivalg på den andre, har stått sentralt i norsk og internasjonal valgforskning i mange år. Den klassiske konfliktmodellen til Stein Rokkan og Henry Valen er ikke bare brukt til å forklare den historiske framveksten av de ulike partiene, men den har også vært viktig for forståelsen av partivalg og vandringer mellom partiene ved senere valg (Rokkan 1967; Valen & Rokkan 1974; Valen 1981; Valen & Aardal 1983; Aardal & Valen 1989). Selv om modellen tar utgangspunkt i de strukturelle motsetninger i samfunnet, understrekes også betydningen av kulturelle konflikter. Motkulturene målsak, avholdssak og religiøs legmannsbevegelse har spilt en sentral rolle i norsk politikk. I de foregående kapitler har vi analysert partivalg i forhold til geografisk tilknytning og alder/kohort. I dette kapitlet skal vi konsentrere oss om en del av de andre variabler som inngår i den strukturelle modellen.[1] Vi skal fokusere på stortingsvalget i 1989, men det vil også bli foretatt sammenligninger med tidligere valg.

Et sentralt funn i valgforskningen er at sammenhengen mellom velgernes plassering i den sosiale struktur og deres partivalg gradvis er blitt svekket. Særlig gjelder dette den yngre generasjon som er blitt mer uavhengige av sosial bakgrunn når det gjelder valg av parti. Men det er samtidig vist at sosial bakgrunn fortsatt har en viss betydning for valg av parti. I en analyse av stortingsvalget i 1985 konkluderte vi med at:

"Det tradisjonelle konfliktmønster har fortsatt gyldighet. Det gjelder økonomiske og kulturelle motsetninger så vel som region. Men utslagene ved valgene er forholdsvis svakere enn før. Sosiale strukturforhold spiller stadig en større rolle for oppslutningen om sosialistiske partier enn for partiene på høyresiden" (Aardal & Valen 1989: 216).

Tilsvarende konklusjoner er for øvrig gjort i nyere valganalyser både i Sverige (Oskarson 1990: 216-245) og i Danmark (Glans 1989: 52-83).

---

[1] Den strukturelle konfliktmodellen skiller mellom seks skillelinjer eller motsetninger som har gjort seg sterkt gjeldende i norsk politikk: En territoriell motsetning mellom senter og periferi, mellom sentrale deler av landet og utkantstrøkene. En sosiokulturell motsetning som berører språkpolitikken. En moralsk motsetning som spesielt går på kontrollen over salg og produksjon av alkohol. En religiøs motsetning som historisk har vært knyttet til kontrollen over statskirken, men som nå hovedsakelig går mellom religiøst aktive og medlemmer av religiøse foreninger og grupper på den ene side og det store flertall av religiøst passive på den andre. En motsetning knyttet til konflikten på varemarkedet mellom primærnæringer og bynæringer. Og endelig en konflikt i arbeidsmarkedet mellom lønnstakere og arbeidsgivere (jfr. Valen 1981: 55-56).

I dette kapitlet skal vi derfor se nærmere på betydningen av en rekke bakgrunnsvariable for stemmegivningen. Den sentrale problemstilling er i hvilken grad og hvordan stemmegivning kan forklares ut fra sosiale bakgrunnsforhold. Først skal vi se nærmere på forholdet mellom yrke og partivalg.

## Stemmegivning og yrke

Yrkesstrukturen har gjennomgått betydelige endringer over tid, ikke minst i forbindelse med framveksten av ulike former for tjenesteyting både i privat og offentlig sektor. Dette innebærer at en del av de tradisjonelle yrkesinndelinger ikke "treffer" den faktiske situasjon i arbeidslivet like godt som før. Dette representerer et problem for undersøkelser med lange tidsserier slik som Valgundersøkelsene. For å kunne foreta mest mulig direkte sammenligninger over tid, må vi holde oss til den yrkesinndeling som har vært benyttet i disse undersøkelsene. Men vi har også mulighet til å prøve ut nye yrkesinndelinger som

muligens er bedre tilpasset yrkesstrukturen slik den er i dag. Dette kommer vi tilbake til i et senere avsnitt. Men la oss først se på partivalg blant arbeidere, offentlige funksjonærer, private funksjonærer, selvstendig næringsdrivende og bønder/fiskere. Resultatet vises i tabell 5.1. Yrke er her enten eget, nåværende eller tidligere yrke. De som ikke har eget yrke er blitt plassert etter eventuell ektefelles yrke.

### Arbeidere

Arbeiderpartiet er fortsatt det største partiet blant arbeiderne, med 47 prosent av stemmene i 1989. Selv om Fremskrittspartiet er det "nest største" arbeiderparti, er det meget stor avstand mellom de to partiene. Fremskrittspartiet fikk 14 prosent av arbeiderstemmene i 1989, noe som likevel innebærer en betydelig framgang i forhold til valget i 1985 da partiet bare fikk 4 prosent av stemmene i denne yrkesgruppen. Høyre på sin side gjorde et dårligere valg blant arbeiderne ved dette valget enn i 1985. Sosialistisk Venstreparti økte sin til-

Tabell 5.1. Stemmegivning etter yrke 1985 og 1989

| Parti | Arbeider | | Offentlig funksjonær | | Privat funksjonær | | Selv- stendig | | Bonde/ fisker | | Stud./ elever | |
|---|---|---|---|---|---|---|---|---|---|---|---|---|
| | 1985 | 1989 | 1985 | 1989 | 1985 | 1989 | 1985 | 1989 | 1985 | 1989 | 1985 | 1989 |
| I alt . . . . . . | 100 | 100 | 100 | 100 | 100 | 100 | 100 | 100 | 100 | 100 | 100 | 100 |
| FMS . . . . . | 1 | 1 | 1 | 2 | 0 | 1 | 1 | 1 | 1 | 0 | 0 | 2 |
| SV . . . . . . | 5 | 11 | 9 | 21 | 6 | 9 | 4 | 7 | 2 | 7 | 12 | 15 |
| A . . . . . . . | 58 | 47 | 35 | 31 | 27 | 25 | 22 | 28 | 19 | 28 | 24 | 22 |
| V . . . . . . . | 3 | 3 | 8 | 5 | 2 | 4 | 2 | 5 | 1 | 3 | 15 | 7 |
| KrF . . . . . . | 8 | 8 | 12 | 10 | 8 | 9 | 9 | 9 | 14 | 10 | 7 | 4 |
| SP . . . . . . . | 3 | 4 | 4 | 2 | 6 | 5 | 9 | 3 | 45 | 31 | 2 | 3 |
| H . . . . . . . | 18 | 12 | 28 | 24 | 47 | 33 | 50 | 33 | 18 | 11 | 34 | 29 |
| FrP . . . . . . | 4 | 14 | 2 | 4 | 4 | 14 | 3 | 12 | 0 | 9 | 5 | 16 |
| Andre . . . . . | 0 | 0 | 1 | 1 | 0 | 0 | 0 | 2 | 0 | 1 | 1 | 2 |
| N . . . . . . . | 594 | 578 | 328 | 386 | 386 | 355 | 180 | 151 | 96 | 152 | 59 | 105 |

slutning blant arbeidere fra 5 til 11 prosent, men fordi Arbeiderpartiet tapte hele 11 prosent gikk de sosialistiske partiene totalt sett tilbake i denne gruppen. Endringene fra 1985 til 1989 inngår i en entydig langtidstendens: sosialistpartiene går tilbake blant arbeidere, mens høyrepartiene går fram. Tidligere undersøkelser har vist at disse tendensene har vært mest uttalt blant de unge arbeiderne (Valen 1981: 131- 133; Valen & Aardal 1983: 81-83, 87-91; Aardal & Valen 1989: 205-208). Mellompartienes stilling er også gradvis blitt svekket i denne yrkesgruppen. For å få et bedre bilde av langtidstendensene viser vi i figur 5.1 oppslutning om sosialistpartiene og høyrepartiene blant arbeidere over og under 30 år i perioden 1969-1989.[2]

Det dramatiske skiftet for sosialistpartienes vedkommende inntraff allerede ved valget i 1977. Oppslutningen om sosialistpartiene sank fra 72 prosent i 1969 til 51 prosent i 1977 blant arbeidere under 30 år.[3] Valget i 1985 førte til en liten oppgang for sosialistpartiene, men i 1989 er oppslutningen lavere enn noen gang tidligere. For høyrepartiene har tendensen vært motsatt. Fra et meget lavt utgangspunkt i 1969 er oppslutningen om høyrepartiene i 1989 nesten like stor som for sosialistpartiene blant yngre arbeidere. Blant arbeidere over 30 år finner vi den samme langtidstendensen, men utslagene er betydelig svakere enn for yngre arbeidere. Mens forholdet mellom sosialistisk og konservativ stemmegivning i 1989 er vel 3:1 blant arbeidere over 30 år, er forholdet omtrent 1:1 i gruppen under 30 år.[4] Utviklingen er mest bekymringsfull for Arbeiderpartiet. Mens 47 prosent av arbeidere under 30 år sluttet opp

om Arbeiderpartiet i 1985, var andelen sunket til 29 prosent i 1989. Til gjengjeld økte oppslutningen om Fremskrittspartiet fra 8 til 23 prosent, og for Sosialistisk Venstrepartis vedkommende økte oppslutningen fra 7 til 17 prosent. Polariseringen ved valget i 1989 har med andre ord slått sterkt ut blant yngre arbeidere.

### Funksjonærer

Funksjonærene er kanskje den yrkesgruppe som har gjennomgått de største forandringer i etterkrigstiden. Dels som en følge av et stadig økende omfang av tjenesteyting i samfunnet, og dels endringer i forholdet mellom offentlige og private funksjonærer og lavere og høyere funksjonærgrupper. Vi kommer tilbake til skillet mellom lavere og høyere funksjonærer i et senere avsnitt. I denne omgang skal vi kort kommentere resultatene i tabell 5.1. De største endringene når det gjelder valgatferden til offentlige funksjonærer, omfatter Sosialistisk Venstreparti som har økt sin tilslutning fra 9 til 21 prosent i perioden 1985 til 1989. Arbeiderpartiet har på sin side en svak tilbakegang, det samme gjelder Høyre. Samlet fører dette likevel til at godt over halvparten av offentlige funksjonærer nå stemmer sosialistisk. Blant private funksjonærer er den største endringen at Høyre er gått tilbake fra 47 til 33 prosent, samtidig som Fremskrittspartiet er gått fram fra 4 til 14 prosent. Til sammen stemmer derfor nesten halvparten av de private funksjonærene på høyrepartiene. De to funksjonærgruppene er fortsatt sterkt delte i sine politiske preferanser. Figur 5.2 og 5.3 viser langtidstendensen for de samme gruppene.

[2] Vær oppmerksom på at avstanden i tid mellom 1969 og 1977 er større enn for de andre tidspunktene i figuren. Dette gjelder samtlige figurer i dette kapitlet.

[3] Blant arbeidere over 30 var oppslutningen stabil med 78 prosent i 1969 og 76 prosent i 1977. Vi har av flere grunner ikke tatt med valget i 1973 i oversiktene over langtidstendensene. For det første ble utvalget i 1973 ikke supplert med nye velgere, og for det andre ble spørsmålene om motkultur ikke stilt i 1973-undersøkelsen.

[4] For arbeidere under 30 år er tallene 47 prosent for sosialistpartiene og 40 prosent for høyrepartiene. Blant arbeidere over 30 år er tallene henholdsvis 65 og 19 prosent.

Figur 5.1.   Stemmegivning blant arbeidere 1969-1989

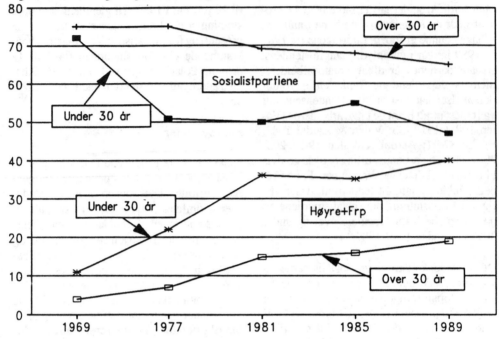

Siden 1981 har sosialistandelen økt ganske markert blant offentlige funksjonærer, samtidig som oppslutningen både om mellompartiene og høyrepartiene er blitt mindre. Den prosentvis største økningen har som nevnt kommet Sosialistisk Venstreparti til gode. Offentlige funksjonærer er for øvrig den eneste yrkesgruppen der avstanden mellom sosialistpartiene og høyrepartiene har økt fram mot valget i 1989.

Blant de private funksjonærene ser vi i figur 5.3 at selv om Høyre og Fremskrittspartiet fortsatt får det meste av stemmene i denne gruppen, har avstanden mellom blokkene avtatt. Dette skjer altså samtidig som Fremskrittspartiet går sterkt fram i forhold til valget i 1985.

**Selvstendig næringsdrivende**

Blant selvstendig næringsdrivende har Høyre vært det klart dominerende parti, periodevis med over halvparten av stemmene alene. Ved valget i 1989 ser vi imidlertid i tabell 5.1 at Høyres grep på denne velgergruppen er betydelig svakere enn i 1985. Fra en oppslutning på 50 prosent i 1985, var det bare 33 prosent av de selvstendig næringsdrivende som stemte Høyre ved siste valg. Både Arbeiderpartiet, SV og FrP har styrket sin stilling i denne gruppen. Fremskrittspartiets framgang kompenserer likevel ikke Høyres tap fullt ut, slik at balansen mellom blokkene er blitt endret. Figur 5.4 illustrerer langtidstendensen.

Figur 5.2.   Stemmegivning blant offentlige funksjonærer 1969-1989

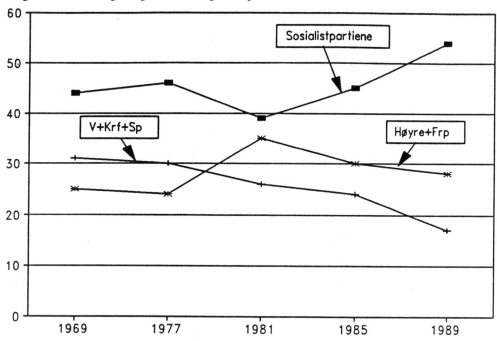

Figur 5.3.   Stemmegivning blant private funksjonærer 1969-1989

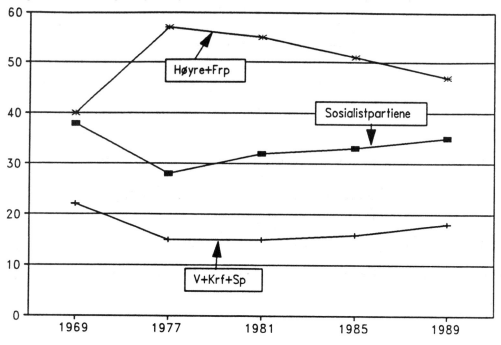

Figur 5.4.    Stemmegivning blant selvstendig næringsdrivende 1969- 1989

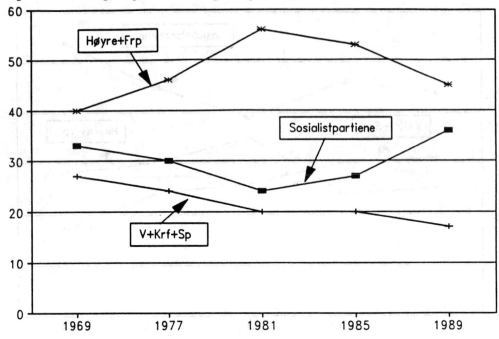

Figur 5.5.    Stemmegivning blant bønder og fiskere 1969-1989

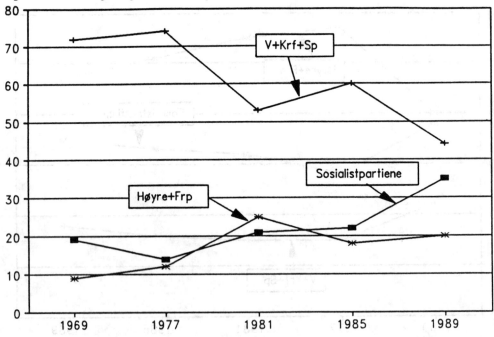

Endring og kontinuitet

Siden høyrebølgens første topp i 1981, har oppslutningen om høyrepartiene gått jevnt nedover blant selvstendig næringsdrivende. Igjen ser vi at dette skjer selv om Fremskrittspartiet har styrket sin stilling i denne gruppen. Samtidig har oppslutningen om sosialistpartiene økt, særlig i perioden 1985 til 1989. Avstanden mellom de to største partiblokkene er derfor betydelig mindre enn den har vært ved de siste 2-3 stortingsvalgene. Det samme gjelder som nevnt også private funksjonærer.

## Bønder og fiskere

Bønder og fiskere, det vil si den overveiende del av sysselsatte i primærnæringene, har tradisjonelt vært mellompartienes og særlig Senterpartiets viktigste rekrutteringsteig. Valget i 1989 ser imidlertid ut til å ha ført til betydelige forskyvinger i denne velgergruppen.[5] Senterpartiet har gått markert tilbake, og sosialistpartiene har gått fram i forhold til valget i 1985.

Langtidstendensene i figur 5.5 viser at den mest markante endringen faktisk skjedde i perioden 1977 til 1981. Da sank oppslutningen om mellompartiene fra 74 prosent til 53 prosent. I 1985 gjorde mellompartiene det noe bedre, men i 1989 falt de ned til 44 prosent.

## Skoleelever og studenter

Skoleelever og studenter utgjør selvsagt ingen yrkesgruppe, men det kan likevel være interessant å se nærmere på partivalg også i denne gruppen. Den største endringen fra 1985 er nedgangen for Høyre og den økte oppslutningen om Fremskrittspartiet. Men et-

tersom denne gruppen i overveiende grad er unge velgere, fanges tendensene i stor grad opp i analysene av alder og stemmegivning.

Analysen av partivalg og yrke viser at forskjellene mellom de ulike blokkene er mindre enn før. Unntaket er først og fremst gruppen av offentlige funksjonærer der polariseringen har økt. Samtidig gjenspeiler tabellene tradisjonelle politiske motsetninger mellom ulike yrkesgrupper. I neste avsnitt skal vi se nærmere på hvilke forskjeller det er mellom ulike utdanningsgrupper.

## Stemmegivning og utdanning

Et av de viktigste trekk ved utviklingen i moderne samfunn er den eksplosive økningen i utdanningsnivået (Valen 1981: 101-104). Mens gjennomsnittet for antall år skolegang i valgundersøkelsen i 1969 var 9,5 år, økte dette til 10,7 i 1981 og 11,4 år i 1989 (jfr. Valen & Aardal 1983: 69). Andelen av befolkningen med universitets- eller høgskoleutdanning økte i samme periode fra 13 prosent i 1969, 16 prosent i 1981 og til 19 prosent i 1989. Det økte utdanningsnivået har konsekvenser også for den politiske atferd. I tabell 5.2 viser vi først stemmegivning i fire utdanningsgrupper i 1985 og 1989.[6]

Fortsatt er det slik at valg av parti varierer sterkt etter hvilket utdanningsnivå velgerne har. Oppslutningen om Høyre er større jo høyere utdanningsnivået er, mens oppslutningen om Arbeiderpartiet viser stikk motsatt tendens. Vi ser imidlertid at Høyre har betydelig tilbakegang i alle utdanningsgrupper, men minst blant de med bare grunnskole.

---

[5] Andelen bønder og fiskere er noe høyere i 1989-utvalget (6,4 %) enn i 1985-utvalget (5,2 %). Det virker ikke rimelig at denne gruppen faktisk har økt fra 1985 til 1989. Vi er derfor tilbøyelige til å tilskrive økningen tilfeldige utslag i utvalget.

[6] Grunnskole inkluderer utdanning av inntil 9 års varighet. Gymnas I er utdanning av en samlet varighet på 10 år. Gymnas II er utdanning av en samlet varighet på 11-12 år. Universitet og høgskole omfatter de som har en utdanning av en samlet varighet på minst 13 år

Figur 5.6.   Oppslutning om sosialistpartiene i ulike utdanningsgrupper 1969-1989

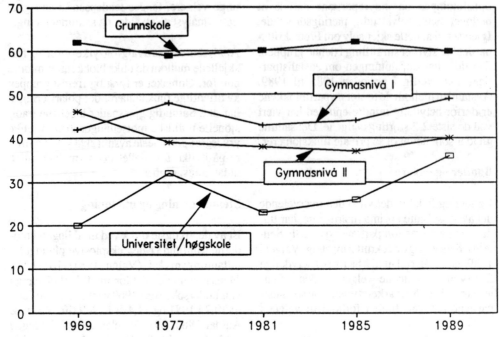

Figur 5.7.   Oppslutning om mellompartiene i ulike utdanningsgrupper 1969-1989

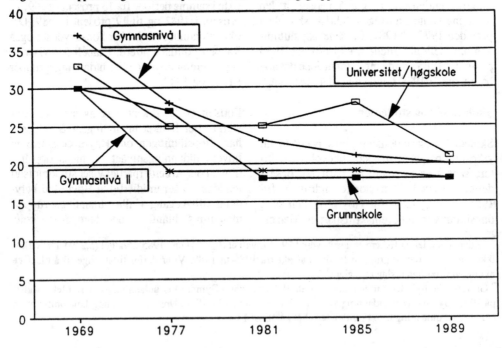

Tabell 5.2. Stemmegivning etter utdanningsnivå 1985 og 1989

| Parti | Grunnskole | | Gymnas I | | Gymnas II | | Universitet/høgskole | |
|---|---|---|---|---|---|---|---|---|
| | 1985 | 1989 | 1985 | 1989 | 1985 | 1989 | 1985 | 1989 |
| I alt . . . . . . . | 100 | 100 | 100 | 100 | 100 | 100 | 100 | 100 |
| FMS . . . . . . | 0 | 1 | 0 | 0 | 0 | 1 | 3 | 2 |
| SV . . . . . . . | 5 | 7 | 4 | 10 | 6 | 14 | 10 | 19 |
| A . . . . . . . . | 58 | 52 | 39 | 38 | 31 | 25 | 13 | 14 |
| V . . . . . . . . | 1 | 2 | 2 | 3 | 4 | 6 | 10 | 8 |
| KrF . . . . . . . | 9 | 9 | 12 | 10 | 8 | 6 | 11 | 11 |
| SP . . . . . . . | 8 | 7 | 7 | 8 | 7 | 7 | 6 | 2 |
| H . . . . . . . . | 17 | 11 | 31 | 18 | 38 | 27 | 43 | 36 |
| FrP . . . . . . . | 3 | 10 | 4 | 13 | 5 | 14 | 3 | 7 |
| Andre . . . . . . | 0 | 1 | 1 | 0 | 0 | 2 | 0 | 1 |
| N . . . . . . . . | 518 | 431 | 573 | 584 | 409 | 486 | 321 | 372 |

Figur 5.8. Oppslutning om høyrepartiene i ulike utdanningsgrupper 1969-1989

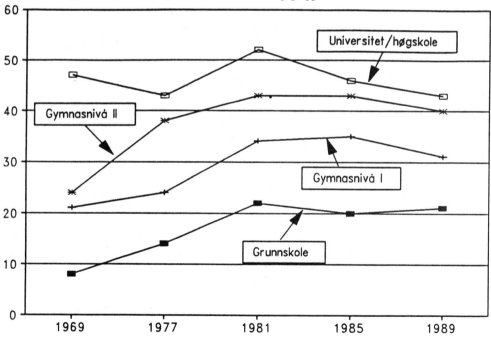

Fremskrittspartiets framgang varierer ikke særlig mye etter utdanning, men framgangen er noe mindre blant de med høyest utdanning. Dette er samtidig den utdanningsgruppen der Sosialistisk Venstreparti er gått mest fram. I figur 5.6 viser vi langtidstendensen for sosialistisk stemmegivning etter utdanningsnivå.

Den største endringen for sosialistpartienes vedkommende finner vi blant de med universitets- eller høgskolebakgrunn. Her har oppslutningen økt jevnt siden 1981. Men som tabell 5.2 viser er det først og fremst Sosialistisk Venstreparti som har fått glede av denne tilstrømmingen.

I figur 5.7 viser vi på samme måte oppslutning om mellompartiene i ulike utdanningsgrupper.

Mønsteret er noe mindre oversiktlig for mellompartienes vedkommende. Mens oppslutningen på 1980-tallet har vært størst blant de med høyest utdanning, ser vi at det skjedde et markert fall nettopp i denne gruppen fra 1985 til 1989. Ved siste valg var det derfor svært små forskjeller i oppslutningen om mellompartiene mellom ulike utdanningsgrupper.

I figur 5.8 viser vi oppslutning om høyrepartiene etter utdanning.

Her er igjen mønsteret meget klart. Oppslutningen om høyrepartiene har hele tiden vært størst blant de med høyest utdanning. Ved de tre siste valgene har det imidlertid skjedd en utjevning, blant annet ved at oppslutningen blant de med universitets- og høgskoleutdanning relativt sett har falt mer enn i andre grupper. Men vi ser fortsatt at oppslutningen om høyrepartiene er mer enn dobbelt så stor blant de med universitets- eller høgskoleutdanning som blant de som kun har grunnskolebakgrunn. Interessant nok er denne

figuren nærmest et speilbilde av figur 5.6, som viste oppslutningen om sosialistpartiene etter utdanningsnivå.

## Stemmegivning og inntektsnivå

Tabell 5.3 viser partipreferanse etter inntekt i 1985 og 1989. Når det gjelder sammenligninger over tid, er dette vanskeligere med hensyn til inntekt enn for andre bakgrunnsforhold. Ikke minst gjør inflasjon og lønnsøkninger det vanskelig å foreta direkte sammenligninger. Vi har derfor valgt å skille mellom tre omtrent jevnstore inntektsgrupper. I 1989 ble skillet satt ved inntil 149 000 kroner for lav inntekt, mellom 150 000 og 299 000 for middels inntekt, og over 300 000 kroner for høy inntekt.[7]

Tabell 5.3 viser at Arbeiderpartiet har tapt mest i den laveste inntektsgruppen. Den motsatte tendens finner vi for Høyre der nedgangen er størst i gruppene med høyest inntekt. Fremskrittspartiet ser på den andre side ut til å fange opp velgere i de midlere og lavere inntektsgruppene i større grad enn i de høyere

Tabell 5.3. Stemmegivning etter inntekt 1985 og 1989

| Parti | Lav inntekt | | Middels inntekt | | Høy inntekt | |
|---|---|---|---|---|---|---|
| | 1985 | 1989 | 1985 | 1989 | 1985 | 1989 |
| I alt .. | 100 | 100 | 100 | 100 | 100 | 100 |
| FMS .. | 0 | 1 | 1 | 1 | 1 | 1 |
| SV ... | 6 | 12 | 7 | 13 | 5 | 13 |
| A ... | 46 | 36 | 39 | 36 | 27 | 27 |
| V ... | 3 | 3 | 4 | 4 | 4 | 6 |
| KrF .. | 10 | 11 | 10 | 9 | 7 | 6 |
| SP .. | 8 | 6 | 6 | 7 | 5 | 4 |
| H ... | 21 | 15 | 30 | 19 | 47 | 34 |
| FrP .. | 4 | 14 | 2 | 12 | 4 | 8 |
| Andre . | 1 | 1 | 0 | 0 | 0 | 2 |
| N ... | 693 | 557 | 640 | 741 | 409 | 456 |

---

[7] I 1985 er skillet for lav inntekt inntil 119 000 kroner, for middels inntekt mellom 120 000 og 199 000, og for høy inntekt over 200 000 kroner.

inntektsgruppene. SV øker sin tilslutning noenlunde jevnt i de tre inntektsgruppene. For de øvrige partier er det små endringer i forhold til valget i 1985.

### Religiøst engasjement og parti

Motkulturene er i videste forstand motsetninger mellom bygdekultur på den ene side og bykultur på den andre. Religiøst engasjement er i valgundersøkelsene målt ved flere spørsmål som dels går på medlemskap i religiøse eller kristelige foreninger, og dels på eksponering for forkynnelse gjennom gudstjenester, møter eller andakter. Ut fra disse opplysningene er det konstruert en indeks for religiøst engasjement.[8] Tabell 5.4 viser fordelingen på indeksen i 1985 og 1989.

Andelen som er medlemmer i kristelige foreninger eller legmannsorganisasjoner har ligget stabilt på i underkant av 10 prosent, mens andelen med middels aktivitet er gått noe ned, og andelen helt passive har økt litt. Totalt sett er endringene forbausende små. Omfanget av medlemskap i religiøse foreninger og grupper har faktisk holdt seg konstant helt siden slutten av 1960-årene (Valen & Aardal 1983: 75,77).

Tradisjonelt har religiøs tilknytning vært den faktor som har spilt størst rolle for oppslutningen om Kristelig Folkeparti. Dette er fortsatt tilfelle i 1989 (tabell 5.5), ettersom 46 prosent av de som er medlemmer av kristelige foreninger har stemt på dette partiet. Samtidig ser vi imidlertid at KrF har tapt betydelig oppslutning i den samme gruppen i forhold til valget i 1985.

En enkeltstående meningsmåling før siste stortingsvalg tydet på velgeroverganger fra Kristelig Folkeparti til Fremskrittspartiet. Det ble i den forbindelse spekulert på om dette var

Tabell 5.4. Religiøs tilknytning og aktivitet 1985 og 1989

| | I alt | Medlem | Middels aktiv | Lite aktiv | Helt passiv | N |
|---|---|---|---|---|---|---|
| 1985 . . . | 100 | 8 | 23 | 13 | 56 | 2 180 |
| 1989 . . . | 100 | 9 | 19 | 13 | 59 | 2 195 |

Tabell 5.5. Stemmegivning etter religiøs tilknytning og aktivitet 1985 og 1989

| Parti | Medlem | | Middels aktiv | | Lite aktiv | | Helt passiv | |
|---|---|---|---|---|---|---|---|---|
| | 1985 | 1989 | 1985 | 1989 | 1985 | 1989 | 1985 | 1989 |
| I alt . . . . . . . . | 100 | 100 | 100 | 100 | 100 | 100 | 100 | 100 |
| FMS . . . . . . . . | 0 | 0 | 0 | 1 | 1 | 0 | 1 | 2 |
| SV . . . . . . . . | 2 | 7 | 4 | 7 | 4 | 9 | 8 | 16 |
| A . . . . . . . . . | 14 | 15 | 47 | 38 | 40 | 42 | 38 | 34 |
| V . . . . . . . . . . | 4 | 4 | 2 | 4 | 6 | 3 | 4 | 5 |
| KrF . . . . . . . | 58 | 46 | 13 | 13 | 8 | 5 | 1 | 2 |
| SP . . . . . . . . | 4 | 4 | 10 | 10 | 7 | 10 | 6 | 4 |
| H . . . . . . . . . . | 14 | 15 | 23 | 20 | 30 | 21 | 37 | 24 |
| FrP . . . . . . . . | 2 | 9 | 1 | 8 | 4 | 11 | 5 | 13 |
| Andre . . . . . . . | 2 | 0 | 1 | 1 | 0 | 0 | 1 | 1 |
| N | 170 | 185 | 425 | 344 | 232 | 232 | 1 013 | 1 076 |

[8] Se Valen & Aardal (1983:75) og Valen (1981:186) når det gjelder kodingen av denne indeksen.

et tegn på en nymoralistisk bølge i det norske folk.[9] Det var særlig Fremskrittspartiets understreking av misbruk av offentlige ytelser blant "uverdig" trengende som var bakgrunnen for denne antakelse. Som vi har sett i tidligere kapitler er det ikke belegg i våre data for at det i særlig grad har vært overganger mellom de to partiene. Selv om FrP har gått fram med 7 prosent blant religiøst aktive, ser vi av tabell 5.5 at partiet har økt sin andel med samme prosentpoeng også i de grupper som er helt passive i religiøse spørsmål. Det er likevel større oppslutning om Fremskrittspartiet blant religiøst passive velgere enn blant religiøst aktive.

Figur 5.9 viser for øvrig at oppslutningen om Kristelig Folkeparti har variert en god del blant medlemmer av religiøse foreninger og grupper. Oppslutningen om KrF var i 1989 omtrent på samme nivå som 20 år tidligere. På den annen side ser vi av tabellen og figuren at både høyrepartiene og sosialistpartiene har økt sin andel av stemmene i den samme gruppen. Dette tyder på at den politiske polarisering også gjør seg sterkt gjeldende blant religiøst aktive velgere.[10]

## Avholdssak og parti

Den mest markante endring når det gjelder avholdsstandpunkt fant sted allerede på 1960-tallet. I valgundersøkelsen i 1965 ble 22 prosent av de spurte karakterisert som aktive avholdsfolk. Denne andelen sank til 17 prosent i 1979 og 15 prosent i 1977 (Valen 1981: 149). Siden 1981 har imidlertid andelen aktive avholdsfolk ligget stabilt rundt 11-12 prosent, slik den også gjør i 1989 (tabell 5.6). Andelen "protesterende ikke-avholdsfolk" har heller ikke forandret seg særlig i den samme perioden.[11]

Tabell 5.6. Avholdssak 1985 og 1989

|          | I alt | Avhold, aktiv | Avhold, passiv | Ikke-avh., passiv | Ikke-avh., protesterende | N |
|----------|-------|-------|-------|-------|-------|-------|
| 1985 ........ | 100 | 12 | 4 | 60 | 24 | 2 167 |
| 1989 ........ | 100 | 11 | 3 | 62 | 24 | 2 124 |

[9] Spørsmålet om Fremskrittspartiets "nymoralistiske" appell ble blant annet reist av Hilmar Rommetvedt i kronikken "Autoritær nymoralist" i Aftenposten 30. august 1989.

[10] I 1965 fikk derimot Kristelig Folkeparti bare 36 prosent av stemmene i denne gruppen.

[11] Klassifiseringen er basert på flere spørsmål som dels gjelder om man regner seg som avholdsmann eller -kvinne, hvor sterkt interessert man er i avholdssaken og hvordan man ser på myndighetenes tiltak for å regulere bruken av alkohol. Aktive avholdsfolk er de som karakteriserer seg som avholdsmann eller -kvinne og som dessuten er sterkt interessert i avholdssaken. Inntil undersøkelsen i 1985 ble de som sier de smaker alkohol eller betegner seg som måteholdsfolk, og som samtidig mener myndighetenes regulering er for streng, klassifisert som protesterende ikke-avholdsfolk. I 1989 ble spørsmålet om standpunkt til myndighetenes alkoholpolitikk ikke stilt. Til gjengjeld ble intervjupersonene bedt om å plassere seg på en skala fra 1 til 10 alt etter hvor enige de var i utsagn om "fritt salg og sterk reduksjon av prisene på alkoholholdige drikkevarer" eller "salg og produksjon av alkohol bør reguleres enda sterkere" (jfr. Spm. 47 A/1989). De som var helt enige i førstenevnte påstand fikk verdien 1, mens de som var helt enige i den andre påstanden ble gitt verdien 10. De som derfor oppgav at de ikke var avholdsfolk, og som samtidig plasserte seg på verdiene 1-4 på denne skalaen, dvs. var enige i fritt salg og produksjon, er i 1989 klassifisert som protesterende ikke-avholdsfolk.

Figur 5.9.   Stemmegivning blant medlemmer av religiøse foreninger 1969-1989

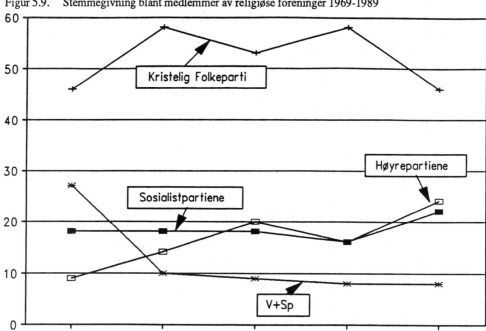

Tabell 5.7 Stemmegivning etter avholdssak 1985 og 1989

| Parti | Avhold, aktiv | | Avhold, passiv | | Ikke-avh., passiv | | Ikke-avh., protesterende | |
|---|---|---|---|---|---|---|---|---|
| | 1985 | 1989 | 1985 | 1989 | 1985 | 1989 | 1985 | 1989 |
| I alt ........ | 100 | 100 | 100 | 100 | 100 | 100 | 100 | 100 |
| FMS........ | 0 | 0 | 0 | 0 | 1 | 1 | 0 | 1 |
| SV ........ | 2 | 6 | 3 | 2 | 6 | 15 | 7 | 10 |
| A .......... | 26 | 26 | 38 | 35 | 45 | 37 | 29 | 24 |
| V .......... | 3 | 3 | 3 | 4 | 3 | 5 | 5 | 4 |
| KrF ........ | 48 | 45 | 22 | 17 | 5 | 5 | 1 | 1 |
| SP ........ | 9 | 8 | 11 | 10 | 7 | 7 | 5 | 3 |
| H .......... | 10 | 7 | 19 | 25 | 29 | 21 | 46 | 32 |
| FrP ........ | 0 | 6 | 3 | 6 | 3 | 8 | 7 | 25 |
| Andre ....... | 1 | 1 | 1 | 2 | 1 | 1 | 1 | 1 |
| N .......... | 218 | 199 | 73 | 52 | 1 105 | 1 135 | 440 | 410 |

Endring og kontinuitet                                                          81

Når det derimot gjelder sammenhengen mellom avholdsstandpunkt og stemmegivning, har mønsteret variert en god del. Oppslutningen om Fremskrittspartiet har f.eks. vært størst blant de som er protesterende ikke-avholdsfolk. På den annen fløy har Kristelig Folkeparti samlet flest stemmer blant aktive avholdsfolk. Det samme mønster finner vi ved valget i 1989 (tabell 5.7).

Fremskrittspartiets framgang har først og fremst funnet sted blant de protesterende ikke-avholdsfolk, der de har økt sin tilslutning fra 7 til 25 prosent. Høyres tilbakegang er for øvrig større blant ikke-avholdsfolk enn blant avholdsfolk. Kristelig Folkeparti går noe tilbake i avholdsgruppene, men holder stillingen ellers. Hovedmotsetningen når det gjelder personlig avholdsstandpunkt går fortsatt mellom Kristelig Folkeparti på den ene siden og Høyre og Fremskrittspartiet på den andre. Blant aktive avholdsfolk får KrF innpå halvparten av stemmene, og blant protesterende ikke-avholdsfolk får høyrepartiene mer enn halvparten av stemmene.

## Målsak og parti

Målsaken er den tredje av motkulturene. Andelen nynorskfolk holdt seg på 17-18 prosent til ut i 1970-årene. I 1977 var imidlertid andelen sunket til 11 prosent, og den har holdt seg på dette nivået helt fram til 1989 slik vi ser av tabell 5.8.

Tabell 5.8. Målsak 1985 og 1989

|  | I alt | Ny-norsk, aktiv | Ny-norsk, passiv | Bok-mål, passiv | Bok-mål, aktiv | N |
|---|---|---|---|---|---|---|
| 1985 | 100 | 5 | 5 | 54 | 36 | 2 154 |
| 1989 | 100 | 6 | 5 | 50 | 39 | 2 162 |

I tabell 5.9 ser vi at Kristelig Folkeparti holder stillingen som det største partiet blant aktive nynorskfolk. Samlet har mellompartiene over halvparten av stemmene i denne gruppen.

Utslagene varierer ellers en del, men det er bemerkelsesverdig at Høyre går tilbake med hele 17 prosent blant passive nynorskfolk. Dette kan tyde på at Høyre er i ferd med å miste grepet på de grupper som tidligere har

Tabell 5.9. Stemmegivning etter målsak 1985 og 1989

| Parti | Nynorsk, aktiv 1985 | Nynorsk, aktiv 1989 | Nynorsk, passiv 1985 | Nynorsk, passiv 1989 | Bokmål, passiv 1985 | Bokmål, passiv 1989 | Bokmål, aktiv 1985 | Bokmål, aktiv 1989 |
|---|---|---|---|---|---|---|---|---|
| I alt ........ | 100 | 100 | 100 | 100 | 100 | 100 | 100 | 100 |
| FMS ....... | 3 | 4 | 0 | 1 | 0 | 0 | 1 | 2 |
| SV ......... | 8 | 12 | 0 | 5 | 6 | 12 | 7 | 13 |
| A .......... | 21 | 15 | 25 | 32 | 44 | 40 | 34 | 28 |
| V .......... | 11 | 10 | 0 | 3 | 4 | 3 | 4 | 6 |
| KrF ....... | 25 | 24 | 23 | 17 | 8 | 8 | 8 | 7 |
| SP ......... | 12 | 17 | 22 | 18 | 7 | 6 | 4 | 3 |
| H .......... | 19 | 11 | 30 | 13 | 28 | 19 | 36 | 29 |
| FrP ........ | 1 | 5 | 1 | 10 | 4 | 12 | 5 | 11 |
| Andre ...... | 0 | 3 | 0 | 1 | 1 | 1 | 1 | 1 |
| N .......... | 100 | 109 | 93 | 94 | 972 | 894 | 659 | 725 |

fått betegnelsen "bunads-Høyre". I den samme gruppen øker for øvrig sosialistpartiene sin tilslutning med 13 prosent. Fremskrittspartiet har styrket sin stilling med 9 prosent i den samme gruppen. Det kan derfor virke som om passive nynorskfolk har skiftet parti i større grad enn de andre gruppene har gjort.

Samlet sett har det i 1980-årene skjedd forbløffende små endringer når det gjelder engasjement til fordel for motkulturene. Det var først og fremst i 1970-årene at motkulturene gikk tilbake. Siden har det i betydelig grad skjedd en "konsolidering" av motkulturene. Ut fra forventninger om at det skjer en stadig bevegelse i retning av mer "moderne" orienteringer, og en stadig svekkelse av tradisjonelle synspunkter og verdier, er dette overraskende. Utslagene er noe større når vi ser på sammenhengen mellom motkultur og partivalg, men i hovedsak bekrefter denne analysen et velkjent mønster. Dette innebærer at det fortsatt finnes grunnlag i befolkningen både for interesseorganisasjoner og partier som på en spesiell måte knytter an til denne type kulturelle orienteringer.

### Sektortilknytning - en ny skillelinje?

Etter hvert som sammenhengen mellom stemmegivning og sosial bakgrunn er blitt svekket, har det vært lansert flere forslag om nye strukturelle motsetninger som kan erstatte eller supplere de tradisjonelle konfliktene. Skillet mellom offentlig og privat sektor har spesielt blitt framhevet som en mulig ny strukturell skillelinje. En viktig forutsetning for dette er den sterke vekst i offentlig sektor i etterkrigstiden. Offentlig sektor skiller seg dessuten fra privat sektor ved at den sysselsetter flere kvinner enn menn, flere funksjonærer på lavere nivå og mellomnivå enn arbeidere og høyere

funksjonærer, flere som er organisert i yrkessammenslutninger og flere med høyere utdannelse (Lafferty 1988: 146; Aardal & Valen 1989: 254-256). I den grad skillet mellom offentlig og privat sektor knyttes til forskjeller i lønns- og arbeidsforhold, vil det være rimelig å betrakte dette som en arbeidsmarkedskonflikt. Sektor vil i tilfelle supplere de tradisjonelle interessemotsetningene som i stor grad har gått mellom arbeidsgiver og arbeidstaker. Spørsmålet om offentlig sektor som grunnlag for en ny "klasse" har imidlertid vært reist fra en rekke forskjellige perspektiver. Enkelte har for eksempel lagt spesiell vekt på forskjeller i verdipreferanser mellom ansatte i offentlig og privat sektor.[12] For Norges vedkommende er det særlig William Lafferty og Oddbjørn Knutsen som har understreket betydningen av skillet mellom offentlig og privat sektor (Lafferty & Knutsen 1984; Lafferty 1988; Knutsen 1985; 1986a; 1986b). Knutsen (1986a: 280-281) hevder i den forbindelse at:

"Det er den offentlige sektoren som er den strukturelle basisen for den nye klasse, og de post-industrielle strukturelle konfliktlinjene vil i stor grad være knyttet til offentlig versus privat sektoridentitet".

Forskjeller i stemmegivningen mellom ansatte i offentlig og privat sektor, har lenge fanget oppmerksomheten til valgforskere. Med data helt tilbake til stortingsvalget i 1957 er det vist at "det er en bemerkelsesverdig forskjell i politisk orientering mellom private og offentlige funksjonærer. Arbeiderpartiet og andre sosialistiske partier får konsekvent sterkere tilslutning blant de offentlige, mens Høyre står overlegent sterkest blant de private" (Valen 1981: 107-108). Også ved senere valg er skillet mellom offentlige og private funksjonærer trukket fram (Valen & Aardal 1983:

---

[12] Se Knutsen (1986a) for en oversikt over en del sentrale teoretiske bidrag i denne forbindelse.

113; Aardal & Valen 1989: 193-218). Ser vi imidlertid den politiske utvikling over tid, er det *ikke* noe entydig empirisk belegg for å påstå at sektor er i ferd med å etablere seg som en dominerende strukturell skillelinje i det norske politiske systemet. Med utgangspunkt i valgundersøkelsen i 1985 konkluderte vi med at selv om:

"offentlig ansatte er mest tilbøyelige til å stemme sosialistisk, mens privat ansatte har en forkjærlighet for partiene på høyresiden, er forskjellene ikke store... Materialet viser altså at det foreligger en tendens i forventet retning, men tendensen er så svak at den knapt kan betraktes som en selvstendig skillelinje" (Aardal & Valen 1989: 208).

Knutsens tidligere analyser bygger hovedsakelig på demokratiundersøkelsen fra 1981. Med data fra 1987 hevder imidlertid Hoel & Knutsen (1989) fortsatt at sektor er en viktig strukturell skillelinje ikke bare i Norge, men i alle de skandinaviske land. De data som framlegges gir likevel ikke et overbevisende belegg for betydningen av skillet mellom offentlig og privat sektor.[13] I Hoel & Knutsens analyse synes for øvrig sektor å spille større rolle både i Sverige og Danmark enn i Norge. Nyere velgerundersøkelser i begge disse landene tyder imidlertid *ikke* på at sektor spiller en avgjørende rolle for stemmegivningen (jfr. Oskarson 1990: 216- 240; Goul Andersen 1989:189-193). Goul Andersen, som tidligere har lagt betydelig vekt på skillet mellom offentlig og privat ansatte (1984b:

105-131), understreker ut fra nyere data at selv om man finner *forskjeller* i stemmegivning mellom offentlig og privat sektor, er det lite grunnlag for å hevde at vi her står overfor en ny grunnleggende *skillelinje* (Goul Andersen 1989: 176-207).[14]

Når det gjelder spørsmålet om eventuelle nye skillelinjer, reiser dette flere problemer for den empiriske analysen. Dels vil det være nødvendig å inkludere flere av de aktuelle bakgrunnsvariable i en multivariat analyse, og dels vil det være nødvendig å kunne skille de ulike partiene fra hverandre. Det er i den forbindelse framholdt at "fokuseringen på skillet mellom borgerlige og sosialistiske partier som er gjort i den norske litteraturen, er ( ) lite treffende for den norske situasjonen" (Knutsen 1986b: 28). Som en oppsummering av vår analyse av sammenhengen mellom stemmegivning og sosial bakgrunn har vi derfor valgt å foreta separate multivariate analyser av oppslutning om Sosialistisk Venstreparti, Arbeiderpartiet, Venstre, Kristelig Folkeparti, Senterpartiet, Høyre og Fremskrittspartiet. Analysene bygger på samme modell, det vil si at de samme uavhengige variable blir brukt for alle partier. Mens vi tidligere i kapitlet har begrenset skillet mellom offentlig og privat sektor til funksjonærgruppen, vil vi i den multivariate analysen analysere sektor generelt og inkluderer sektortilknytning som en separat variabel uavhengig av yrke. For funksjonærene vil vi i stedet for sektortilknytning skille mellom lavere og høyere plassering i stillingshierarkiet.

---

[13] Hoel & Knutsen viser at sektor spiller en betydelig mindre rolle enn yrke når vi holder oss til de bivariate sammenhengene (tabell 4), og sektor er ikke utslagsgivende i det hele tatt når vi holder oss til den multivariate analysen (tabell 5). Det er heller ingen forskjell mellom før- og etterkrigsgenerasjonen når det gjelder betydningen av sektor for Norges vedkommende (tabell 6), noe man kunne forvente hvis sektor var i ferd med å etablere seg som en ny strukturell skillelinje.

[14] "Dermed er der ikke mange byggeklodser tilbage at bygge en forestilling om en ny grunnlæggende konfliktlinje mellom den offentlige og den private sektor op af" (Goul Andersen 1989:193).

---

Tabell 5.10. Multivariat logit-analyse av sosial struktur og partivalg. 1989 (N=1464)

| Variabel | SV | A | V | KrF | SP | H | FrP |
|---|---|---|---|---|---|---|---|
| Kjønn . . . . . | -0,54* | 0,15 | 0,16 | 0,21 | -0,01 | -0,25 | 0,55* |
| Generasjon . . | 0,66* | -0,31* | -0,03 | -0,29 | -0,50 | -0,05 | 0,28 |
| Utdanning . . | -0,57* | 1,14* | -0,87* | 0,14 | -0,01 | -0,82* | 0,09 |
| Inntekt . . . . | 0,36 | -0,09 | -0,46 | 0,01 | -0,22 | -0,39* | 0,48* |
| Lavere funksj. | 0,03 | -0,52* | 0,12 | 0,38 | -0,05 | 0,75* | -0,19 |
| Høyere funksj. | 0,15 | -1,06* | 0,11 | 0,67 | -0,06 | 1,04* | -0,01 |
| Selvstendig . . | -0,17 | -0,75* | 0,43 | 0,68 | -0,24 | 1,02* | -0,39 |
| Bonde/fisker . | 0,07 | -1,00* | -0,22 | -0,24 | 2,39* | -0,54 | -0,40 |
| Sektor . . . . . | 0,86* | 0,27* | -0,10 | -0,01 | -0,32* | -0,49* | -0,78* |
| Målsak . . . . | -0,32 | -0,58* | 0,96* | 1,29* | 1,43* | -0,92* | -0,57* |
| Avholdssak . . | -0,61 | -0,15 | -1,31 | 2,13* | -0,31 | -1,07* | -0,75* |
| Religion . . . | -0,50 | -1,25* | -0,01 | 2,45* | -0,44 | -0,50 | 0,12 |

*Koeffisienten er signifikant på 0,05 prosentnivå.

## Sosial struktur og partivalg: en multivariat analyse

Et viktig poeng med en multivariat analyse er å studere den relative betydning av en enkelt variabel når vi samtidig kontrollerer for alle de andre variablene som inngår. Analysen er gjennomført som en logit-analyse der vi har dikotomisert den avhengige variabel.[15] Verdien 1 indikerer at man har stemt på vedkommende parti, og verdien 0 at man ikke har stemt på dette partiet. De som ikke stemte ved valget er holdt utenfor. Logit-analysen gjør det i motsetning til vanlig regresjonsanalyse mulig også å analysere de mindre partiene på denne måten. Tabell 5.10 viser resultatet. Vi skal ikke kommentere analysen i detalj, men peke på enkelte hovedmønstre.[16]

[15] Logit-analyse er i motsetning til regresjonsanalyse tilpasset kategoriske variabler på nominal- og ordinalnivå. Skjeve fordelinger på den avhengige variabel skaper heller ikke problemer, slik det gjør i regresjonsanalyse. Dette gjør det mulig å studere partiene enkeltvis slik det er framstilt i tabell 5.10. Logit-modellen er basert på tabellanalyse og forholdet mellom frekvensene på den avhengige variabel er uttrykt som en logaritmisk funksjon. Koeffisientene kan gjennom enkle matematiske prosedyrer omgjøres til såkalte odds eller odds ratio. I tabell 5.10 er koeffisienten som viser effekten av sektortilknytning på oppslutning om Sosialistisk Venstreparti 0,86. Antilogaritmen av denne koeffisienten er 2,4. Dette er en odds ratio, og kan tolkes som at sjansen for å stemme SV er over dobbelt så stor i offentlig sektor som i privat, når vi kontrollerer for de øvrige forklaringsvariabler i modellen.

[16] Kjønn er kodet 1 for menn og 0 for kvinner. Generasjon (alder) er kodet 1 for de som er født i 1945 eller senere og 0 for de som er født før 1945. Utdanning er kodet 1 for grunnskole eller gymnasnivå I og 0 for høyere utdanning enn dette. Inntekt er kodet 1 for lav inntekt og 0 for resten. Ubesvart på spørsmålet om inntekt er holdt utenfor. I 1989 er grensen for lav inntekt inntil 149 000 kroner. Yrke er dummykodet med kategoriene arbeider, lavere funksjonær, høyere funksjonær, selvstendig næringsdrivende og bonde/fisker. Arbeider er her referansekategori. Koeffisientene for de øvrige yrkesgruppene angir derfor avviket fra arbeidernes stemmegivning på vedkommende parti. De som ikke kan plasseres i noen av disse yrkesgruppene, er holdt utenfor analysen. Sektor er kodet 1 for offentlig og 0 for privat. Folk i mellomgruppen (stort sett organisasjoner) er kodet som private. Målsak er kodet 1 for aktive eller passive nynorskfolk og 0 for resten. Avholdssak er kodet 1 for aktive eller passive avholdsfolk og 0 for resten. Religion er kodet 1 for medlem av religiøs forening eller organisasjon og 0 for resten.

# Yrke

I norsk politikk er det tre økonomiske interessegrupper som har spilt en sentral rolle. Rokkan/Valens økonomiske trekantmodell illustrerer motsetningene mellom "arbeid", "kapital" og "primærnæring".[17]

Dette mønsteret avspeiles også i tabell 5.10. Yrkestilknytning har bare betydning for oppslutningen om Arbeiderpartiet, Høyre og Senterpartiet.[18] Det er interessant at yrke fortsatt spiller en viktig rolle for de tre partiene, selv når vi kontrollerer for en rekke andre bakgrunnsvariable, inkludert kjønn og generasjon. Vi ser videre at alle de øvrige yrkesgrupper avviker fra arbeiderne når det gjelder oppslutning om Arbeiderpartiet. Det vil si at arbeidere fortsatt utgjør ryggraden i partiet. For Høyre er mønsteret nærmest speilvendt. Både funksjonærer og selvstendig næringsdrivende slutter i betydelig større grad enn arbeidere opp om Høyre. For Senterpartiet er det ikke uventet bønder og fiskere som er helt avgjørende for partiets oppslutning.

## Sektor

Men det kanskje mest interessante spørsmålet gjelder skillet mellom offentlig og privat sektor. Figur 5.2 viste at sosialistpartienes oppslutning økte sterkt blant offentlige funksjonærer i 1989 sammenlignet med foregående valg. Tabell 5.10 viser at betydningen av sektortilknytning varierer sterkt mellom de ulike partiene. Utslaget er størst for Sosialistisk Venstreparti. Offentlig ansatte slutter i betydelig større grad enn privat ansatte opp om SV. Dette er konsistent med forventninger knyttet til "den nye klassen" (Knutsen 1986b). Men sektor er også statistisk utsagnskraftig for Arbeiderpartiet. Arbeiderpartiets sterke oppslutning blant industriarbeidere, som i overveiende grad er sysselsatt i privat sektor, er for øvrig med på å svekke betydningen av sektor for Arbeiderpartiets vedkommende. I Sverige fikk til sammenligning sosialdemokratene større oppslutning i privat sektor enn i offentlig sektor ved riksdagsvalget i 1988 (Oskarson 1990: 234- 235). På høyrefløyen går utslagene for sektor i stikk motsatt retning. Både for Høyre og Fremskrittspartiet er oppslutningen klart større i privat enn i offentlig sektor. Konklusjonen er derfor at sektorskillet har betydning for oppslutningen om disse partiene i 1989, selv når vi tar hensyn til en rekke andre bakgrunnsforhold. Men dette synes i betydelig grad å gjenspeile spesielle forhold ved valget i 1989. Mønsteret varierer en god del over tid. Tilsvarende multivariate analyser er gjennomført både for valgene i 1981 og i 1985. Tabellene er gjengitt i Appendiks C (jfr. tabell C.3 og C.4). Verken i 1981 eller 1985 var sektor statistisk utsagnskraftig for oppslutning om Sosialistisk Venstreparti. Heller ikke var det signifikante utslag for oppslutning om Fremskrittspartiet i 1985. På den annen side var sektor utsagnskraftig både for oppslutning om Arbeiderpartiet og Høyre, men da med motsatt fortegn. Det vil si at offentlig ansatte i større grad sluttet opp om Arbeiderpartiet, mens private i større grad sluttet opp om Høyre. Men ettersom "offentlig sektor-klassen" særlig er blitt trukket inn for å forklare opp-

---

[17] I arbeidsmarkedet står "arbeid" mot "kapital". I varemarkedet står primærnæringene, det vil si produsenter av nødvendige levnedsmidler som kjøtt, fisk og grønnsaker, mot konsumenter av disse produktene. I hovedsak faller dette skillet langs motsetning mellom by- og bygdenæringer (jfr. Valen & Rokkan 1974).

[18] Dette er for øvrig sjekket ved å teste modeller med og uten yrke mot hverandre. Det er bare for de nevnte tre partiene at en modell som inkluderer yrke er statistisk "bedre" enn en modell som ikke inkluderer yrke.

slutningen om *nyere* politiske grupperinger og retninger, kan det være interessant å undersøke om sektortilknytning spiller noen rolle for oppslutning om Sosialistisk Venstreparti vis-a-vis Arbeiderpartiet. Vi har derfor gjennomført en tilsvarende multivariat analyse der vi bare ser på oppslutning om disse to partiene separat.[19] Vi tar ikke plass til disse tabellene her, men det viser seg at verken i 1981, 1985 eller 1989 har sektor betydning for det å stemme på Sosialistisk Venstreparti framfor Arbeiderpartiet. Dette svekker hypotesen om at sektor utgjør en ny "post-industriell" strukturell skillelinje (jfr. Knutsen 1986a). Selv om sektortilknytning i 1989 spiller en viktigere rolle for stemmegivning enn tidligere, viser tabell 5.10 at flere andre bakgrunnsfaktorer spiller en like stor eller større rolle enn sektor.

I neste avsnitt skal vi se nærmere på betydningen av kjønn, generasjon og utdanning.

### Kjønn, generasjon og utdanning

Den sterke polariseringen mellom menns og kvinners stemmegivning holder stand selv når vi kontrollerer for andre bakgrunnsforhold. Sosialistisk Venstreparti står sterkere blant kvinner, mens Fremskrittspartiet slår best an blant menn. For Fremskrittspartiets vedkommende var kjønn også utsagnskraftig ved valget i 1985, men derimot ikke i 1981 (jfr. tabell C.3 og C.4). Kvinneovervekten i favør av SV var ikke sterk nok til at kjønn slo ut verken i 1981 eller i 1985. Kjønn spilte faktisk en større rolle for oppslutningen om Arbeiderpartiet enn SV i 1985, noe vi for øvrig har analysert nærmere i en tidligere publikasjon (Aardal & Valen 1989: 250-275). Når det gjelder sammenhengen mellom generasjon,

utdanning og stemmegivning, demonstrerer tabell 5.10 at det finnes helt forskjellige mønstre for nærtliggende partier. Dette gjelder ikke minst for Sosialistisk Venstreparti og Arbeiderpartiet. Mens førstnevnte parti rekrutterer mest fra unge og folk med høy utdanning, er situasjonen stikk motsatt for Arbeiderpartiet. Ved siden av SV er det Høyre og Venstre som har størst appell blant de høyest utdannede. For SVs vedkommende er faktisk utslagene for utdanning noe varierende over tid.[20] Interessant nok spiller utdanning ingen rolle for oppslutning om Fremskrittspartiet. De to høyrepartiene har svært ulik profil når det gjelder kjønn og utdanning. Mens kjønn ikke slår ut i noen av de tre valgene for Høyres vedkommende, står FrP betydelig sterkere blant menn enn i andre velgergrupper.[21]

### Motkultur

Mønsteret er meget oversiktlig når det gjelder motkulturene. For Kristelig Folkepartis vedkommende er det først og fremst disse spørsmålene som har betydning for velgeroppslutningen. På alle de tre motkulturvariablene er det sterke utslag for KrF. For Senterpartiet er det først og fremst målsaken som har betydning. Den klareste motpart til Kristelig Folkeparti på "bykultur"-siden er som før regjeringspartneren Høyre. Arbeiderpartiet har imidlertid også større appell på bykultursiden enn på motkultursiden. For Fremskrittspartiet slår både avholdssak og målsak ut i negativ retning i 1989.

Som en foreløpig oppsummering viser analysen at sosiale strukturforhold spiller en høyst varierende rolle for oppslutningen om de en-

---

[19] Den avhengige variabel er kodet 1 for oppslutning om SV og 0 for Arbeiderpartiet. Andre partier og ikke-stemt er holdt utenfor.

[20] Verken i 1981 eller 1985 er utdanning statistisk utsagnskraftig for oppslutning om SV kontra andre partier.

[21] I 1981 var riktignok ikke kjønn utsagnskraftig.

---

kelte partier. Hovedmønsteret er at utslagene er sterkest for de partier som har sitt utspring i økonomiske motsetninger, nemlig Arbeiderpartiet, Høyre og Senterpartiet. Den langsiktige tendens er likevel at plassering i sosial og økonomisk struktur betyr stadig mindre for folks stemmegivning. [22]

Spørsmålet er så i hvilken grad disse resultatene er begrenset til den yrkesinndeling som er benyttet i denne og tidligere analyser. Dette er tema for de neste avsnitt.

### Ny yrkesstruktur — nye atferdsmønstre?

Den tradisjonelle inndelingen av yrkesgrupper i arbeidere, funksjonærer osv., har vist seg å avdekke klare forskjeller i partivalget. Det viser samtlige rapporter fra valgforskningsprogrammet, også denne rapporten (jfr. tabell 5.1). Men dette faktum behøver ikke bety at en slik kategorisering er gitt en gang for alle. For det første er grensedragningen mellom enkelte yrkeskategorier såpass flytende at man generelt bør stille seg åpen overfor alternative definisjoner av hvor spesielle yrker plasseres. Forskjellen mellom det å bli definert som arbeider eller lavere funksjonær kan f.eks. være problematisk. I visse tilfeller må man benytte skjønn. For det andre har yrkesstrukturen i hele etterkrigstiden vært under kontinuerlig endring. Velferdsstatens vekst med økt sysselsetting innenfor offentlig sektor har ført til framvekst av nye profesjoner og forandringer innenfor enkelte yrkesgrupper. Resultatet er en mer differensiert yrkessammensetting som kan være et grunnlag for tilsvarende differensierte politiske krav og

interesser. Vi stiller derfor spørsmålet om de opprinnelige - og ikke minst vidtfavnende - samlekategoriene har like stor relevans ved overgangen til 1990-tallet. Kan andre yrkesinndelinger avdekke nye politiske og sosiale motsetninger i det norske samfunnet?

### Alternativ nyansering av yrkesstrukturen

I forbindelse med prosjektet "Demokrati i Norge" laget William Lafferty og Oddbjørn Knutsen sin egen yrkesklassifisering. Formålet var å konstruere hovedgrupper hvor yrkets statusbetydning og sosialiseringseffekt ble spesielt understreket (Lafferty og Knutsen 1982; Knutsen 1985). Den teoretiske begrunnelsen baserte seg på at det er disse faktorene som vil være interessante ved studier av politisk atferd, og de bør derfor være rettesnor for kategoriseringen. Den tekniske basis som Lafferty og Knutsen benyttet var "Nordisk Yrkesklassifisering" (NYK). I utgangspunktet skal hver eneste yrkesgruppe, uansett størrelse, ha sin spesifiserte kode i NYK, noe som gjør denne meget detaljert og anvendbar. Problemet med NYK er imidlertid at klassifiseringen i liten grad er koblet til komponenter som lagdeling og sosialisering. Yrke defineres ut fra nærings- og arbeidstekniske kriterier, et opplegg som i prinsippet gjør den mindre relevant utfra den nevnte teoretiske synsvinkelen. Lafferty og Knutsen mener dette er en innvending som gjør bruken av NYK noe usikker, og tvilstilfeller er heller ikke til å unngå. [23] Etter et meget grundig forarbeid hvor hver eneste yrkesgruppe er vurdert opp mot de standarder forfatterne setter, lanseres en alternativ yrkesklassifisering

---

[22] I tidligere regresjonsanalyser har vi operert med forklart varians ($R^2$) som et mål på den totale sammenheng. Logit-analysen har ikke et tilsvarende mål som $R^2$, og for sammenligningens skyld har vi derfor gjennomført en multippel regresjonsanalyse med de samme uavhengige variabler som inngår i tabell 5.10. Analysen er foretatt for to forskjellige avhengige variabler. Først sosialistisk kontra borgerlig stemmegivning og dernest oppslutning om høyrepartiene kontra andre partier. I begge tilfeller ble analysene gjennomført for valgene i 1981, 1985 og 1989. Den forklarte varians for oppslutning om sosialistpartiene kontra borgerlige partier var henholdsvis 16,2, 17,2 og 11,8 prosent. For oppslutning om høyrepartiene var de tilsvarende tall 15,4, 14,6 og 9,9 prosent.

[23] Etter en gjennomgang av samtlige yrkeskategorier kan vi imidlertid slå fast at tvilstilfellene er såpass få i vårt materiale at dette ikke har betydning for de konklusjoner som trekkes .

---

(Lafferty & Knutsen 1982). I det følgende avsnitt vil vi dra veksler på dette opplegget for å se om det kan gi utvidet informasjon omkring yrkesposisjon og partivalg.

Den nye inndelingen medfører to viktige forskjeller i forhold til valgprosjektets tidligere kategorisering (foruten inneværende kapittel, se Valen 1981: kap.6; Valen & Aardal 1983: kap.5). For det første splittes den store gruppen "arbeidere" i to ved at "håndverkere" skilles ut som egen gruppe. Dette innebærer grovt sett en rendyrking av industriarbeidere på den ene side og tradisjonsrike, faglærte arbeidere på den annen side. Skillet antyder en nivåforskjell både sosialt og arbeidsmessig. Industriarbeidere plasseres vanligvis lavere enn håndverkerne på rangstigen. "Funksjonærgruppen" blir spesielt berørt ved at den splittes opp i tre kategorier. Foruten sektortilknytning (jfr. tabell 5.1), er det nivåplassering i yrkeshierarkiet som har vært kriterium for å skille funksjonærgrupper fra hverandre. Den tradisjonelle tilnærmingen plasserer disse gruppene enten på høyt eller lavt nivå i hierarkiet. Men det kan oppfattes som en overforenkling å dele den tallmessig største yrkesgruppen i to grove samlekategorier. Problemet skyldes bl.a. at funksjonærer er en yrkesgruppe i stadig vekst. Dette illustreres spesielt av utviklingen innenfor den tjenesteytende næring, som primært er funksjonærgruppenes domene.[24] Gruppen bør således betraktes som mer heterogen ikke minst med hensyn til nettopp *nivåene*, og dette forholdet bør utnyttes i klassifiseringen.[25] Lafferty og Knutsens alternativ er å lansere kategorien "*mellomfunksjo-*

*nærer"* for å markere et skille både oppad og nedad. Gruppene avgrenses fra hverandre ved kriterier som baserer seg på forskjeller i administrativt ansvar, selvstendighet i arbeidssituasjonen og faglig trening.[26]

En slik tilnærming støttes ved å se hva som er gjort i andre land. Svenske valgundersøkelser har gjennomgående benyttet en inndeling der arbeidergruppen splittes i to og funksjonærgruppen i tre (Oscarsson 1990; s. 225). I Danmark har bl.a. Jørgen Goul Andersen (1988) problematisert forholdet mellom yrke og partivalg i forbindelse med en studie av Folketingsvalget i 1987. Hans poeng er at de tradisjonelle inndelinger av yrkesgruppene kan tilsløre politiske forskjeller mer enn de avdekker. Empirisk foretar Goul Andersen en meget detaljert (og original) analyse av sammenhengen mellom yrke og partivalg, der bl.a. faktorer som sektorplassering og fagforeningsmedlemskap synes å spille en viktig rolle. Den mest heterogene yrkesgruppe er nettopp funksjonærene, der forskjeller i utdanningsnivå, arbeidsfunksjoner og sektortilknytning er spesielt avgjørende (Goul Andersen 1988:188).

## Yrke og partivalg – to separate analyser

Problemstillingen som er reist tar utgangspunkt i de strukturelle endringene på arbeidsmarkedet. Men et interessant moment blir likevel hvorvidt den "gamle" yrkesinndelingen fortsatt kan gi et dekkende bilde av den betydning yrke har for partivalg. Selv om man

---

[24] Mens under 40 % av den yrkesaktive befolkning var sysselsatt i tjenesteytende næring i 1950, er prosenten økt til over 60 i 1980-årene (Aardal & Valen 1989:198ff).
[25] En annen indikasjon er at funksjonærer utgjorde 28 % av utvalget ved valgundersøkelsen i 1965, mens de i 1989 hadde økt til 39 %.
[26] Lafferty og Knutsen har noen illustrerende eksemplarer som viser at tredelingen synes hensiktsmessig. En typisk lav funksjonær vil være butikkekspeditør eller kontorsekretær. Typiske mellomfunksjonærer er lærere og sykepleiere, mens høyere funksjonærer kan være "frie" yrker, samt øverste ledelse innenfor både privat og offentlig sektor (Lafferty og Knutsen 1982). Det vil neppe være diskusjon om at lærere og sykepleiere har klart andre kjennetegn ved sin jobbsituasjon enn de andre eksemplene.

---

finner forskjeller ved å studere undergrupper, er spørsmålet likevel om hovedmønstrene avviker fra hverandre. Selv om en justert yrkesinndeling virker fornuftig isolert sett, behøver dette ikke bety at tolkningen av norsk velgeratferd blir særlig annerledes.

I det følgende avsnitt presenterer vi partivalget etter to ulike yrkesinndelinger. I tabell 5.11 ser vi på stemmegivning blant arbeidere, lavere og høyere funksjonærer, det vil si etter valgprosjektets tradisjonelle inndeling. I tabell 5.12 presenteres våre nye inndelinger. For begge tabellers vedkommende har vi foretatt samme omkoding også for valgundersøkelsen i 1985, slik at vi har et sammenligningsgrunnlag å forholde oss til. Innledningsvis skal det bemerkets at gruppene "selvstendige", "bønder/fiskere" og "studenter/skoleelever" i hovedsak er identiske med den opprinnelige kategoriseringen, framstilt i tabell 5.1. Derfor vises og kommenteres ikke disse sammenhengene i noen av de to tabellene.[27] For ordens skyld skal det bemerkes at "arbeidere" i tabellene 5.1 og 5.11 er identiske, mens arbeidere i tabell 5.12 har en mer avgrenset definisjon. Tabellene inneholder for øvrig mye

informasjon, og vi skal prøve systematisk å analysere hovedtrekkene som gjør seg gjeldende. Først kommenteres kort tabellen som framstiller valgprosjektets tradisjonelle yrkesinndeling.

Mens tabell 5.1 benyttet offentlig eller privat ansettelse som kriterium for å skille funksjonærgrupper fra hverandre, viser tabell 5.11 like klart at lagdelingen eller yrkeshierarkiet også har relevans. Men det er i hovedsak bare blant Arbeiderpartiet og Høyres velgere vi finner utslag av betydning. Yrkestilhørigheten har vært en av de viktigste faktorer som skiller de to partienes velgergrupper fra hverandre (Valen 1981, kap. 6). Hierarkiets betydning har i den forbindelse vært svært avgjørende, der nivåplasseringen er ment å indikere sosial status gjennom f.eks. utdannings- og inntektsnivå. Tabell 5.11 viser et kjent mønster, nemlig at Arbeiderpartiet står klart sterkere blant lavere enn blant høyere funksjonærer, mens Høyre opplever den stikk motsatte tendensen. I tillegg er det verdt å legge merke til at tilbakegangen i forhold til stortingsvalget i 1985 er størst i de gruppene der de to partiene står sterkest.

Tabell 5.11. Yrke og partivalg 1985 og 1989. Valgprosjektets opprinnelige kategorisering for arbeidere, lavere og høyere funksjonærer

| | Arbeidere | | Lavere funksjonærer | | Høyere funksjonærer | |
|---|---|---|---|---|---|---|
| | 1985 | 1989 | 1985 | 1989 | 1985 | 1989 |
| I alt ......... | 100 | 100 | 100 | 100 | 100 | 100 |
| SV ......... | 5 | 11 | 8 | 15 | 4 | 14 |
| A ........... | 58 | 47 | 34 | 30 | 18 | 19 |
| V ........... | 3 | 3 | 5 | 5 | 3 | 5 |
| KrF ......... | 8 | 8 | 10 | 9 | 9 | 10 |
| SP .......... | 3 | 4 | 5 | 4 | 6 | 4 |
| H ........... | 18 | 12 | 34 | 26 | 54 | 35 |
| FrP ......... | 4 | 14 | 3 | 9 | 6 | 11 |
| Andre ....... | 1 | 1 | 1 | 2 | 0 | 1 |
| N ........... | 594 | 578 | 553 | 549 | 161 | 193 |

[27] Små avvik kan for øvrig avleses fra den opprinnelige klassifiseringen. Disse skyldes i hovedsak unøyaktigheter ved kodingen av intervjumaterialet. Flere delspørsmål må besvares av intervjuobjektet for at korrekt yrkesplassering kan gjøres. Er svaret på f.eks. sektortilhørighet av en eller annen grunn ikke merket av, blir klassifiseringen problematisk. Ved bruk av NYK vil denne type usikkerhet ikke forekomme.

Endring og kontinuitet

Kristelig Folkeparti, Senterpartiet og Venstre har en oppslutning innenfor alle yrkesgruppene i tabell 5.11 som ikke avviker spesielt mye fra de respektive partienes totale velgerandel. Stabilitet preger samtidig bildet i den aktuelle fireårsperiode. For Sosialistisk Venstreparti og Fremskrittspartiet har nivåforskjellene ingen betydning i 1989. Partienes framgang har ført til en jevn oppslutning innenfor funksjonærgruppen som helhet, når vi bare tar hensyn til denne faktoren. Tabell 5.11 viser totalt sett at disse to partiene har en relativt jevn oppslutning og jevn framgang innenfor alle de tre yrkesgruppene. Den umiddelbare tolkning er at de to partienes velgere i mindre grad kan klassifiseres ut fra sosial plassering når yrke blir brukt som kriterium.[28]

I tabell 5.12 vurderer vi disse tendensene i forhold til den alternative yrkesstrukturen. I denne analysen kommenteres resultatene noe mer i detalj.

## Arbeidere og håndverkere

Det umiddelbare inntrykk er at nyanseringen mellom arbeideryrkene har svært liten betydning. For de fire største partiene er det ingen nevneverdige forskjeller, kanskje med unntak av Høyre som står noe sterkere blant håndverkerne enn blant de "rene" arbeiderne. Her kan det tenkes at de antatte statusforskjellene har en viss effekt.

Imidlertid blir bildet mer interessant hvis vi ser på utviklingen i den aktuelle fireårsperiode. Tidsserien forteller oss om todelingen i det minste kan være interessant for å forklare endringer for de enkelte partiene. Tendensen i materialet er iøynefallende. Arbeiderpartiet har en markert tilbakegang blant arbeiderne (15 prosent), men holder stillingen blant håndverkerne. Arbeiderpartiets tap kan således primært knyttes til industriarbeiderne, partiets tradisjonelt sterkeste velgerbasis. At det største tapet kommer innenfor denne yrkesgrup-

Tabell 5.12. Yrke og partivalg 1985 og 1989. Yrkesinndeling basert på Nordisk Yrkesklassifisering (NYK), tresifret kode

| | Arbeidere | | Håndverkere | | Lavere funksjonærer | | Mell. funksjonærer | | Høyere funksjonærer | |
|---|---|---|---|---|---|---|---|---|---|---|
| | 1985 | 1989 | 1985 | 1989 | 1985 | 1989 | 1985 | 1989 | 1985 | 1989 |
| I alt ......... | 100 | 100 | 100 | 100 | 100 | 100 | 100 | 100 | 100 | 100 |
| SV .......... | 6 | 9 | 7 | 10 | 5 | 13 | 10 | 18 | 5 | 15 |
| A ........... | 63 | 48 | 50 | 49 | 48 | 40 | 27 | 26 | 17 | 18 |
| V .......... | 1 | 2 | 2 | 3 | 3 | 3 | 10 | 6 | 5 | 7 |
| KrF ......... | 6 | 8 | 10 | 4 | 11 | 8 | 11 | 11 | 9 | 10 |
| SP .......... | 2 | 5 | 4 | 1 | 5 | 5 | 5 | 3 | 4 | 4 |
| H .......... | 18 | 11 | 21 | 15 | 26 | 19 | 32 | 28 | 54 | 34 |
| FrP ......... | 3 | 16 | 6 | 16 | 2 | 12 | 3 | 7 | 6 | 12 |
| Andre ....... | 1 | 1 | 0 | 2 | 0 | 0 | 2 | 1 | 0 | 0 |
| N .......... | 325 | 300 | 158 | 155 | 355 | 340 | 303 | 323 | 248 | 221 |

---

[28] Dette viste også den multivariate analysen i tabell 5.10.

pen er noe oppsiktsvekkende. I hvilken grad problemene på arbeidsmarkedet har spilt en rolle for den sittende regjering skal ikke diskuteres her, men en analyse av arbeidsledighetens betydning for partivalget basert på valgprosjektets tallmateriale, viser at Arbeiderpartiet i 1989 trolig for første gang i sin historie ikke var overrepresentert blant personer med ledighetserfaring (Bjørklund 1990).

Vi merker oss i samme forbindelse at de to vinnerne av valget, Sosialistisk Venstreparti og Fremskrittspartiet, har en relativt jevn oppslutning og en jevn framgang innenfor begge gruppene. Tilveksten har ingen sosiale skjevheter på dette nivået.

## Funksjonærer

Funksjonærene berøres som nevnt mest av den nye inndelingen, og er derfor spesielt interessante. Tabell 5.12 gir grunnlag for å konkludere med at forskjellene i stemmegivning blant *tre* funksjonærkategorier klart nyanserer bildet av de politiske og sosiale motsetninger innenfor gruppen.

Det er to hovedtendenser som er verdt å kommentere nærmere. På den ene side har vi Arbeiderpartiet og Høyre. Som vist i tabell 5.11 betyr plasseringen i yrkeshierarkiet mye for begge partier. Tredelingen av funksjonærgruppen endrer ikke på dette bildet. Tvert imot viser oppsplittingen av yrkesgruppen at hierarkiets betydning for stemmegivningen forsterkes. I og med innføringen av en mellomkategori, rendyrkes de lavere og høyere nivåene. Konsekvensen blir større motsetninger innenfor yrkesguppen som helhet.

Mens den tradisjonelle inndelingen (tabell 5.11) viser en prosentforskjell på 11 for Arbeiderpartiets vedkommende i 1989, øker denne til hele 22 (40 prosent oppslutning blant de lavere, og 18 prosent blant de høyere funksjonærene) når mellomkategorien benyttes. For Høyre er bildet omtrent det samme, men retningen som nevnt den motsatte. Her øker prosentforskjellen mellom lavere og høyere funksjonærer fra 9 til 15 (henholdsvis 19 prosent og 34 prosent). Vi noterer oss ellers Høyres voldsomme tilbakegang blant høyere funksjonærer (uansett definisjon) i fireårsperioden. Partiet har mellom de to valgene tapt mellom en tredjedel og halvparten av sin velgerandel i denne gruppen.

Oppsplittingen av funksjonærgruppen synes dermed ytterligere å understreke den sosiale motsetningen som baserer seg på plassering i yrkeshierarkiet.[29] Politisk blir følgene en sterkere *polarisering* mellom velgergruppene.[30]

Dernest viser studier av Sosialistisk Venstreparti og Fremskrittspartiet, valgets klare vinnere, et annet og noe mer komplisert mønster. Den "gamle" yrkesklassifiseringen viste at de to partiene faktisk stod like sterkt blant lavere og høyere funksjonærer. Oppslutningen er med andre ord lite berørt av på hvilket nivå i strukturen arbeidet blir utført. Den nye inndelingen gir også støtte til en slik framstilling, men vi får et atskillig mer nyansert bilde (jfr. tabell 5.12). Fortsatt er oppslutningen omtrent lik for de lavere og høyere funksjonærene. Her er bildet stabilt. Derimot viser mellomgruppen et avvikende mønster. SV har størst oppslutning i denne gruppen (18 prosent) mens Fremskrittspartiet står klart sva-

---

[29] Som nevnt har svenske valgundersøkelser benyttet et tilsvarende antall kategorier. Ser vi på hva tredelingen av funksjonærgruppen innebærer for de respektive søsterpartiene til Arbeiderpartiet og Høyre, henholdsvis Socialdemokratene og Moderata Samlingspartiet, finner vi at resultatet er temmelig likt mht. hierarkiets betydning. I 1988 er forskjellen for Soc.dem. på 20 prosent avvik i oppslutning mellom "lägre"og "högre tjenestemän" mens den for Moderaterna er på 12 prosent (Oscarsson 1990:225).

[30] En inndeling i sosialistisk versus borgerlig stemmegivning viser den samme tendens. Inkluderingen av de andre mindre partiene i de respektive blokkene bidrar dermed i liten grad til å utligne forskjellene.

Endring og kontinuitet

kest med kun 7 prosent oppslutning. Det bemerkelsesverdige er at de to partiene fortsatt står omtrent like sterkt blant de høyere og lavere funksjonærene (oppslutningen varierer mellom 12 og 15 prosent). Det er innføringen av mellomfunksjonærene som fører til et stort avvik mellom de ellers to jevnstore og sosialt sett relativt like partiene.

Hvordan kan dette resultat forklares? Spørsmålet krever at vi må gå mer detaljert til verks og spørre: Hvem er det som utgjør gruppen "mellomfunksjonærer" ? Har denne gruppen noen spesielle kjennetegn i forhold til de to andre kategoriene ? En mulig forklaring kan ligge i det faktum at mellomfunksjonærene har et stort innslag av personer tilknyttet offentlig sektor og som har høy utdanning. Dette kan i seg selv være forklaring god nok, siden det dreier seg om individuelle kjennetegn som slår spesielt godt ut for Sosialistisk Venstrepartis vedkommende. En nærmere studie av de enkelte profesjoner som inngår i gruppen mellomfunksjonærer gir mer informasjon. Poenget er at helse-, sosial- og utdanningsvesenet sysselsetter en dominerende andel av mellomfunksjonærene. Dette forhold antyder at yrkestilknytningen har koblinger direkte til velferdsstatens kanskje mest omfattende og problemfylte områder, noe som skaper grunnlag for spesielle politiske preferanser og prioriteringer. Stridsspørsmål som berører velferdsstatens utbygging og finansiering har i løpet av 1980-årene kommet mer i velgernes fokus (Valen & Aardal 1983; Aardal & Valen 1989), og har skapt politiske motsetninger hvor nettopp SV og Fremskrittspartiet har framstått som motpoler. Våre tall antyder dermed at hierarkiet ikke spiller noen rolle for stemmegivning på de to partiene, men at kategoriseringen understreker betydningen av arbeidssituasjonen eller arbeidsoppgavene hos den enkelte. Hvis så er tilfellet, har funksjonærkategoriene totalt ulike konsekvenser for oppslutningen om Arbeiderpartiet og Høy-

re på den ene side, og for Fremskrittspartiet og Sosialistisk Venstreparti på den annen side. Innføringen av mellomfunksjonærer synes å gi viktig informasjon som først og fremst skiller de to sistnevnte partiene fra hverandre.

Den generelle konklusjon må være at plassering i yrkeshierarkiet fortsatt betyr mye for partivalget. Mer spesielt kan vi si at tredelingen av nivåene avdekker klarere forskjeller mellom partiene.

### Sektor og yrkeshierarki

Sektortilhørighetens betydning har vært gjenstand for spesiell oppmerksomhet tidligere i kapitlet. Vi vil også i dette avsnittet trekke inn forholdet mellom privat og offentlig ansatte med henblikk på den nyere yrkesklassifiseringen. Her begrenser vi oss imidlertid til funksjonærgruppene alene, og til siste stortingsvalg (se tabell 5.13). Det sentrale spørsmål må være om sektortilknytningen løser opp eller forsterker hierarkiets betydning for velgernes partivalg?

Vi velger igjen å konsentrere oss om de fire største partiene, da det er her de mest interessante resultater avdekkes. Hovedmønsteret er kjent nok, de sosialistiske partiene har en klar overvekt av offentlig ansatte, mens privat ansatte har en langt sterkere posisjon innenfor høyrepartiene (jfr. tabell 5.1). Men igjen er det viktige nyanser som bør kommenteres nærmere. For Høyre og Arbeiderpartiet viser tabellen at sektortilhørigheten ikke reduserer hierarkiets dominerende betydning. Tvert imot går det tydelig fram at de to variablene har selvstendig effekt på stemmegivningen. Kontroll for sektor bidrar til at avvikene i oppslutning bare blir enda større enn det tabell 5.12 viste. Dessuten framstår de to partiene igjen som speilbilder av hverandre. Der hvor Arbeiderpartiet står sterkest, står Høyre svakest - og omvendt. For Arbeiderpartiet er

Tabell 5.13. Funksjonærenes partivalg etter sektortilknytning 1989. Yrkesinndeling basert på Nordisk Yrkes-klassifisering (NYK), tresifret kode[1]

|  | Lavere funksjonærer | | Mellomfunksjonærer | | Høyere funksjonærer | |
|---|---|---|---|---|---|---|
|  | Off. | Privat | Off. | Privat | Off. | Privat |
| I alt ...... | 100 | 100 | 100 | 100 | 100 | 100 |
| SV ...... | 14 | 11 | 23 | 10 | 24 | 9 |
| A ....... | 48 | 33 | 25 | 27 | 21 | 16 |
| V ....... | 3 | 3 | 6 | 5 | 6 | 7 |
| KrF ...... | 8 | 9 | 11 | 10 | 12 | 9 |
| SP ...... | 3 | 7 | 2 | 4 | 3 | 5 |
| H ....... | 16 | 21 | 24 | 35 | 27 | 39 |
| FrP ...... | 8 | 16 | 5 | 9 | 6 | 15 |
| Andre ..... | 0 | 0 | 4 | 0 | 1 | 0 |
| N ....... | 174 | 162 | 214 | 109 | 78 | 140 |

[1] Vi gjør oppmerksom på at de ulike gruppene i tabell 5.13 tallmessig er såpass små at forskjellene mellom partiene innenfor hver kategori må være relativt store for at sammenhengene kan oppfattes som statistisk utsagnskraftige. Dette gjelder spesielt gruppen høyere offentlige funksjonærer der N= kun 78.

dette typisk nok lavere offentlige funksjonærer hvor oppslutningen ligger på nesten 50 prosent (tallet for Høyre er kun 16 prosent), og for Høyre er det - like typisk - høyere private funksjonærer der 4 av 10 stemmer på partiet (Arbeiderpartiet har her en oppslutning på bare 16 prosent). Mønstrene er usedvanlig entydige. Det er kun blant Arbeiderpartiets mellomfunksjonærer det er en jevn oppslutning fra både privat og offentlig ansatte. Når det gjelder våre to største partier, er dermed konklusjonen at kombinasjonen av sektor og arbeidshierarki markerer meget sterkt forskjeller i oppslutning innenfor yrkesgrupper.

Også for Sosialistisk Venstreparti og Fremskrittspartiet får sektortilknytningen konsekvenser på hvert nivå. Som forventet er tendensen at Sosialistisk Venstreparti står sterkest innenfor offentlig sektor, mens Fremskrittspartiet har en tilsvarende posisjon blant privat ansatte. Likevel er det ikke påfallende store forskjeller mellom partiene innenfor de respektive gruppene. Blant lavere funksjonæ-rer - uansett sektor - samt privat ansatte mellomfunksjonærer og høyere funksjonærer er ikke velgeroppslutningen så veldig ulik. Det er kun innenfor gruppene mellomfunksjonærer og høyere funksjonærer i offentlig sektor det avdekkes betydelige forskjeller. Mens Sosialistisk Venstreparti har en andel på 25 prosent av disse velgerne, framstår Fremskrittspartiet som et småparti mer på linje med Venstre og Senterpartiet. Dette gir oss viktig informasjon. Skillet som ble avdekket mellom de to partiene i tabell 5.12 når det gjaldt mellomfunksjonærenes stemmegivning, skyldes dermed ene og alene de offentlig ansatte. Et slikt funn gir støtte til våre tidligere antakelser om at denne gruppen kan ha visse særpreg som knytter dem spesielt til velferdsstatens problemområder. For høyere offentlige funksjonærer tilslører tydeligvis det relativt ensartede bilde vi fikk presentert i samme tabell, derimot store forskjeller innenfor begge sektorene. Dette må sies å være et mer forventet resultat.

Sammenligner vi i tillegg disse mønstrene med tabell 5.1, som kun skiller funksjonærene ut fra sektor og ikke nivå, ser vi at førstnevnte faktor skiller de to partiene klart fra hverandre. Tabell 5.13 avdekker imidlertid mer kompliserte atferdsmønstre, noe som indikerer at funksjonærgruppen trolig står i en særstilling når ytterpartiene Sosialistisk Venstreparti og Fremskrittspartiet underkastes en mer detaljert analyse. Mest interessant er igjen bekreftelsen på at mellomfunksjonærene synes å være en viktig kategori for disse partiene.

## Multivariat analyse

Vi velger å teste også denne yrkesinndelingen i en multivariat sammenheng. Framgangsmåten og modellen er identisk med tabell 5.10, slik at de to analysene bør sees i lys av hverandre. Her konsentrerer vi oss kun om stortingsvalget i 1989.

Hovedinntrykket er at bildet stort sett forblir uendret, men et par viktige resultater skal kommenteres nærmere. Tabell 5.10 viste at Arbeiderpartiet, Høyre og til dels Senterpartiet, var de eneste partier hvor yrke relativt sett hadde stor effekt. Dette mønsteret endres ikke ved at yrke kategoriseres på en annen måte. Logit-modellene viser at betydningen av yrkeshierarkiet fortsatt holder stand, til tross for kontroll av andre sentrale forklaringsvariabler. Mellomfunksjonær slår således signifikant ut både for Høyre og Arbeiderpartiet, men som ventet med motsatt fortegn. For mellompartiene viser tabell 5.14 små forskjeller.

For Sosialistisk Venstreparti og Fremskrittspartiet viser tabellen nok en gang et mer komplisert mønster. Tabell 5.10 viste klart at yrke har liten relevans når det gjelder å forklare oppslutningen om de to partiene i en større kontekst. Vi hadde kanskje forventet at tre funksjonærgrupper ville ha endret dette bildet noe siden de bivariate sammenhengene var såpass entydige.

Tabell 5.14. Multivariat logit-analyse av sosial struktur og partivalg. 1989. Ny yrkesinndeling ( N=1 466)[1]

| Variabel | SV | A | V | KrF | SP | H | FrP |
|---|---|---|---|---|---|---|---|
| Kjønn . . . . . . . | -0,61* | 0,16 | 0,13 | 0,27 | -0,12 | -0,25 | 0,59* |
| Generasjon . . | 0,64* | -0,27* | 0,00 | -0,27 | -0,41 | -0,13 | 0,29* |
| Utdanning . . . | -0,44* | 1,10* | -0,81* | 0,11 | -0,12 | -0,81* | -0,00 |
| Inntekt . . . . . . | 0,45* | -0,08 | -0,55 | -0,05 | -0,19 | -0,41* | 0,36 |
| Lavere funksj. | -0,09 | -0,29 | 0,27 | -0,01 | 0,07 | 0,66* | -0,05 |
| Håndverkere . | -0,07 | -0,22 | 0,34 | -0,59 | -1,29* | 0,22 | -0,16 |
| Mellomfunksj. | 0,15 | -0,54* | 0,38 | 0,39 | -0,60 | 0,87* | -0,58 |
| Høyere funksj. | 0,12 | -0,99* | 0,72 | 0,57 | -0,13 | 1,08* | -0,31 |
| Selvstendig . . | -0,20 | -0,70* | 0,69 | 0,55 | -0,28 | 1,14* | -0,62 |
| Bonde/fisker . | -0,22 | -0,93* | 0,27 | 0,33 | 2,14* | -0,97 | -0,63 |
| Sektor . . . . . . | 0,76* | 0,38* | 0,08 | 0,00 | -0,30 | -0,53* | -0,79* |
| Målsak . . . . . . | -0,25 | -0,50* | 0,89* | 1,09* | 1,17* | -0,70* | -0,59 |
| Avholdssak . . | -0,97* | -0,16 | -1,31 | 2,09* | -0,25 | -0,67* | -0,56* |
| Religion . . . . . | -0,42 | -1,02* | -0,11 | 2,22* | -0,38 | -0,52 | 0,02 |

[1] Koeffisienter merket med * er signifikante på 0,05 prosentnivå.

Tabell 5.14 viser imidlertid at dette ikke er tilfelle. Noe bemerkelsesverdig er det at de to partienes ulike oppslutning blant mellomfunksjonærene ikke registreres i en multivariat sammenheng. For Sosialistisk Venstrepartis vedkommende er det igjen utdanning og sektortilknytning som slår ut (jfr. tabell 5.10). Trolig er det disse faktorene som forklarer den varierende oppslutning partiet har innenfor funksjonærgruppen som helhet - uansett kategorisering.[31] For Fremskrittspartiet er de viktigste variablene kjønn, generasjon og sektor. En skjematisk framstilling viser dermed at yngre menn, ansatt i privat sektor, er partiets fremste velgergruppe - uansett plass i stillingshierarkiet. For både Sosialistisk Venstreparti og Fremskrittspartiet er konklusjonen fortsatt at yrke, uansett inndeling, ikke forklarer de to partienes oppslutning.[32]

## Oppsummering og konklusjon

Analysen kan kort oppsummeres slik:

(1)Sammenhengen mellom stemmegivning og sosial bakgrunn er svakere i 1989 enn ved tidligere valg. På dette punkt bekrefter vår analyse langtidstendensene. Men plassering i yrkesstrukturen har likevel betydning for partivalget.

(2)Motkulturene er fortsatt levende, og det har skjedd små endringer i oppslutningen om målsak, avholdssak og religiøs aktivitet på 1980-tallet. Kristelig Folkeparti har overtatt Venstres rolle som det dominerende parti på motkultursiden.

(3)Det synes å være et hovedmønster ved valget i 1989 at flere partier har gått mest tilbake i de gruppene der de tradisjonelt har hatt det sterkeste feste. Dette gjelder både Arbeiderpartiet, Høyre, Senterpartiet og Kristelig Folkeparti.

(4)Sosialistisk Venstreparti og Fremskrittspartiet er i mindre grad enn de øvrige partier koblet til de tradisjonelle strukturelle skillelinjene. Kjønn, alder og sektortilknytning spiller derimot større rolle for disse to partiene.

(5)Betydningen av skillet mellom offentlig og privat sektor for stemmegivningen varierer sterkt over tid. Dette gjelder ikke minst for Sosialistisk Venstreparti som stod spesielt sterkt i offentlig sektor ved valget i 1989. Sektor synes dessuten å spille en større rolle for oppslutning om sosialistpartiene kontra høyrepartiene, enn for oppslutning om gamle kontra nye partier.

(6)Oppsplitting av gruppen arbeidere endrer i beskjeden grad det tradisjonelle mønsteret. Derimot bidrar tredelingen av funksjonærgruppen til et mer nyansert bilde. For det første blir yrkeshierarkiets betydning for stemmegivning på Arbeiderpartiet og Høyre ytterligere understreket. For det andre fører innføringen av en mellomkategori til et klarere bilde når det gjelder oppslutningen om Sosialistisk Venstreparti og Fremskrittspartiet.

Når det gjelder sammenhengen mellom stemmegivning og sosial bakgrunn, er utslagene spesielt sterke for Arbeiderpartiet, Høyre og Senterpartiet. Dette er for øvrig partier som på

---

[31] Dette bekreftes når vi tester modellen uten yrke mot en modell som også inkluderer yrke.

[32] Dette har vi blant annet testet ved en blokkvis logit-analyse der vi kun tok med yrke, sektor og utdanning som forklaringsvariable.

Endring og kontinuitet

en spesiell måte springer ut av økonomiske motsetninger knyttet til arbeids- og varemarkedet. Når vi så viser at yrke fortsatt spiller en viktig rolle for oppslutning om disse partiene, er det verdt å merke seg at de nevnte partier samlet over 60 prosent av stemmene ved siste valg.

Spørsmålet om sektor utgjør en ny strukturell skillelinje har stått sentralt i den faglige debatt i de senere år. Selv om valget i 1989 medførte en betydelig politisk polarisering blant ansatte i offentlig sektor, synes det likevel fortsatt å være uavklart om sektor har etablert seg som en dominerende og ikke minst stabil konfliktlinje.

Et annet sentralt spørsmål i denne analysen har vært i hvilken grad alternative yrkesinndelinger fører til andre resultater enn det man kommer fram til med de tradisjonelle yrkesinndelingene. Alternative yrkesinndelinger er interessante når det gjelder å fange opp nye sosiale og politiske motsetninger. Poenget er imidlertid at de ulike kategoriseringer teoretisk sett må være meningsfylte, og knyttet til den aktuelle problemstilling. Men den nye inndelingen fører ikke til grunnleggende endringer når det gjelder hovedmønsteret for sammenhengen mellom sosial struktur og parti.

# 6. Partienes velgerprofiler

## Innledning

Som vi har vist i de foregående kapitler definerer de strukturelle skillelinjene i varierende grad velgernes preferanser og partienes særpreg. Enkelte bakgrunnsvariable er av mindre interesse for noen partier og helt avgjørende for andre partier. I dette kapitlet skal vi se nærmere på *sammensetningen* av de ulike partienes velgergrupper. Vi studerer altså *ikke* som tidligere partienes oppslutning i de enkelte velgergrupper, men retter oppmerksomheten mot hvor stor andel ulike befolkningsgrupper utgjør av det enkelte partis samlede velgerskare. I stedet for å studere hvordan oppslutning om partiene varierer f.eks. etter velgernes utdanningsnivå, "snur" vi nå prosentueringsretningen og ser hvor stor andel av vedkommende partis velgere som har universitetsutdanning, hvor mange som bare har grunnskole osv. På denne måten kan vi få et enda bedre bilde av de enkelte partiers særpreg. Det er imidlertid på sin plass med en del forbehold i denne forbindelse. For det første er prosentueringsbasisen relativt liten for enkelte partier. Det innebærer at endringer som omfatter få personer kan få store prosentvise utslag. Feilmarginen vil også være større i slike tilfeller. Et annet problem gjelder endringer i sammensetningen av utvalget fra en undersøkelse til en annen. Visse endringer er naturlige i og med at størrelsen på vedkommende gruppe faktisk har endret seg i befolkningen. Andre endringer kan derimot

føres tilbake til mer tilfeldige utslag i utvalgets sammensetning.[1] I valgundersøkelsen i 1989 er det f.eks. en mindre andel som er bosatt i Oslofjordområdet enn det var i 1985. På den annen side inneholder utvalget en større andel fra de indre Østlandsområdene. Slike endringer slår sterkere ut når vi ser på partienes velgersammensetning, enn når vi ser på den relative oppslutning i ulike grupper i utvalget. Som nevnt i kapittel 5 er det spesielt vanskelig å foreta direkte sammenligninger over tid for inntekt.[2]

Vi skal nå skissere de enkelte partiers velgerprofiler ut fra sentrale bakgrunnsvariabler. I hovedsak baserer vi oss på Rokkan og Valens strukturelle konfliktmodell (jfr. kapittel 5). Vi viser partienes sammensetning både ved valget i 1985 og 1989. I tillegg viser vi hvordan hvert parti avviker fra den gjennomsnittlige fordelingen for befolkningen (utvalget) som helhet i 1989. For å kunne vise de langsiktige endringer i partienes velgerprofiler, har vi dessuten inkludert fordelingene ved valget i 1965.[3] På denne måten får vi både med de langsiktige og de kortsiktige endringene. Av plasshensyn kommenterer vi ikke tabellene i detalj, men gir i stedet en kort oppsummering for hvert parti.[4] Ettersom partiets velgere utgjør prosentueringsbasis i tabellene, summeres prosentallene til 100 for hver enkelt variabel. La oss begynne med Sosialistisk Venstreparti.

---

[1] Det kan f.eks. være at frafallsprosenten varierer fra den ene del av landet til den andre, og fra den ene undersøkelsen til den andre.
[2] Dette har dels å gjøre med endringer i inntektsnivået i befolkningen, og dels med endringer i de opplysninger som er tilgjengelige fra den enkelte undersøkelse.
[3] I 1965 viser vi fordelingen for Sosialistisk Folkeparti. For Fremskrittspartiet, som først ble etablert i 1973 (ALP), viser vi bare fordelingene for 1985 og 1989.
[4] Vi har dels basert våre karakteristikker på den gruppen som utgjør den største andelen av vedkommende partis velgerskare, og dels har vi sett på de grupper der partiet avviker mest fra gjennomsnittet for befolkningen.

---

Tabell 6.1. Sosialistisk Venstrepartis velgerprofil 1965-1989. Prosent

| | 1965 (N=70) | 1985 (N=106) | 1989 (N=223) | Avvik fra gj.snitt 1989 |
|---|---|---|---|---|
| Yrke: | | | | |
| Arbeider . . . . . . . . . . . . . . . . . . | 64 | 30 | 29 | -3 |
| Off. funksjonær . . . . . . . . . . . . . | 9 | 26 | 35 | +14 |
| Privat funksjonær . . . . . . . . . . . | 20 | 21 | 15 | -4 |
| Selvstendig . . . . . . . . . . . . . . . . | 3 | 7 | 5 | -3 |
| Bonde/fisker . . . . . . . . . . . . . . | 3 | 2 | 3 | -4 |
| Student/elev . . . . . . . . . . . . . . . | 1 | 7 | 7 | +1 |
| Annet . . . . . . . . . . . . . . . . . . . . | 0 | 7 | 6 | -1 |
| Utdanning: | | | | |
| Grunnskole . . . . . . . . . . . . . . . . | 46 | 23 | 14 | -10 |
| Gymnas I . . . . . . . . . . . . . . . . . . | 25 | 24 | 27 | -5 |
| Gymnas II . . . . . . . . . . . . . . . . . | 26 | 23 | 27 | +3 |
| Universitet/høgskole . . . . . . . . . . | 3 | 30 | 32 | +12 |
| Inntekt: | | | | |
| Lav . . . . . . . . . . . . . . . . . . . . . . | 38 | 39 | 31 | -1 |
| Middels . . . . . . . . . . . . . . . . . . | 42 | 43 | 43 | +1 |
| Høy . . . . . . . . . . . . . . . . . . . . . . | 20 | 18 | 26 | 0 |
| Kjønn: | | | | |
| Kvinne . . . . . . . . . . . . . . . . . . . | 31 | 50 | 57 | +7 |
| Mann . . . . . . . . . . . . . . . . . . . . | 69 | 50 | 43 | -7 |
| Alder: | | | | |
| -30 år . . . . . . . . . . . . . . . . . . . . | 29 | 39 | 36 | +10 |
| 31-50 år . . . . . . . . . . . . . . . . . . | 47 | 41 | 48 | +8 |
| 51- år . . . . . . . . . . . . . . . . . . . . | 24 | 20 | 16 | -18 |
| Avhold: | | | | |
| Aktiv avhold . . . . . . . . . . . . . . . | 7 | 5 | 5 | -6 |
| Passiv avhold . . . . . . . . . . . . . . | 4 | 2 | 1 | -2 |
| Passiv ikke-avhold . . . . . . . . . . . | 56 | 64 | 76 | +13 |
| Protesterende ikke-avhold . . . . . . | 33 | 29 | 18 | -5 |
| Målsak: | | | | |
| Aktiv nynorsk . . . . . . . . . . . . . . | 1 | 7 | 6 | 0 |
| Passiv nynorsk . . . . . . . . . . . . . . | 6 | 0 | 2 | -3 |
| Passiv bokmål . . . . . . . . . . . . . . | 79 | 52 | 49 | 0 |
| Aktiv bokmål . . . . . . . . . . . . . . . | 14 | 41 | 43 | +3 |
| Religion: | | | | |
| Medlem . . . . . . . . . . . . . . . . . . . | 1 | 4 | 6 | -4 |
| Middels aktivitet . . . . . . . . . . . . . | 9 | 15 | 10 | -9 |
| Lav aktivitet . . . . . . . . . . . . . . . | 21 | 9 | 9 | -3 |
| Passiv . . . . . . . . . . . . . . . . . . . . | 69 | 72 | 75 | +16 |
| Region: | | | | |
| Oslofjord . . . . . . . . . . . . . . . . . . | 50 | 35 | 27 | -2 |
| Indre Østland . . . . . . . . . . . . . . . | 14 | 12 | 20 | +2 |
| Sørlandet . . . . . . . . . . . . . . . . . . | 3 | 1 | 0 | -4 |
| Vestlandet . . . . . . . . . . . . . . . . . | 11 | 22 | 25 | -2 |
| Trøndelag . . . . . . . . . . . . . . . . . | 10 | 17 | 11 | +1 |
| Nord-Norge . . . . . . . . . . . . . . . . | 12 | 13 | 17 | +5 |
| By/land: | | | | |
| Tettbygd . . . . . . . . . . . . . . . . . . | 74 | 42 | 45 | 0 |
| Spredtbygd . . . . . . . . . . . . . . . . | 26 | 58 | 55 | 0 |

Endring og kontinuitet

| | 1965 (N=680) | 1985 (N=704) | 1989 (N=616) | Avvik fra gj.snitt 1989 |
|---|---|---|---|---|
| **Yrke:** | | | | |
| Arbeider..................... | 64 | 49 | 45 | +13 |
| Off. funksjonær .............. | 10 | 16 | 19 | -2 |
| Privat funksjonær ........... | 11 | 15 | 14 | -5 |
| Selvstendig ................. | 4 | 6 | 7 | -1 |
| Bonde/fisker ............... | 9 | 2 | 5 | -2 |
| Student/elev................. | 0 | 2 | 4 | -2 |
| Annet...................... | 2 | 10 | 6 | -1 |
| **Utdanning:** | | | | |
| Grunnskole ................ | 56 | 43 | 37 | +13 |
| Gymnas I ................... | 25 | 32 | 37 | +5 |
| Gymnas II .................. | 16 | 19 | 18 | -6 |
| Universitet/høgskole .......... | 3 | 36 | 8 | -12 |
| **Inntekt:** | | | | |
| Lav....................... | 48 | 47 | 34 | +2 |
| Middels .................... | 40 | 37 | 45 | +3 |
| Høy ....................... | 12 | 16 | 21 | -5 |
| **Kjønn:** | | | | |
| Kvinne .................... | 49 | 51 | 51 | +1 |
| Mann ..................... | 51 | 49 | 49 | -1 |
| **Alder:** | | | | |
| -30 år ..................... | 16 | 22 | 19 | -7 |
| 31-50 år ................... | 47 | 35 | 42 | +2 |
| 51- år ..................... | 37 | 43 | 39 | +5 |
| **Avhold:** | | | | |
| Aktiv avhold ............... | 16 | 8 | 9 | -2 |
| Passiv avhold .............. | 5 | 4 | 3 | 0 |
| Passiv ikke-avhold .......... | 66 | 70 | 71 | +8 |
| Protesterende ikke-avhold ...... | 13 | 18 | 17 | -6 |
| **Målsak:** | | | | |
| Aktiv nynorsk ............... | 4 | 3 | 2 | -4 |
| Passiv nynorsk .............. | 10 | 4 | 5 | 0 |
| Passiv bokmål .............. | 67 | 61 | 59 | +10 |
| Aktiv bokmål ............... | 19 | 32 | 34 | -6 |
| **Religion:** | | | | |
| Medlem ................... | 5 | 3 | 4 | -6 |
| Middels aktivitet ............. | 22 | 29 | 21 | +2 |
| Lav aktivitet ............... | 29 | 13 | 16 | +4 |
| Passiv .................... | 44 | 55 | 59 | 0 |
| **Region:** | | | | |
| Oslofjord .................. | 42 | 33 | 28 | -1 |
| Indre Østland ............... | 10 | 20 | 23 | +5 |
| Sørlandet .................. | 3 | 2 | 2 | -2 |
| Vestlandet ................. | 21 | 21 | 22 | -5 |
| Trøndelag ................. | 11 | 12 | 11 | +1 |
| Nord-Norge ................ | 13 | 12 | 14 | +2 |
| **By/land:** | | | | |
| Tettbygd .................. | 54 | 40 | 42 | -3 |
| Spredtbygd ................ | 46 | 60 | 58 | +3 |

## Sosialistisk Venstreparti

Den typiske SV-velger er offentlig funksjonær, har universitets- eller høgskoleutdanning, middels inntekt, er kvinne, mellom 31 og 50 år, lite engasjert i avholdssak, målsak og religion og bosatt i Oslofjordområdet eller på Vestlandet. Sammenlignet med 1985 er Sosialistisk Venstreparti i *større* grad enn før et parti for offentlige funksjonærer. Kvinneprofilen er også mer uttalt. SV er dessuten i noe mindre grad et utpreget ungdomsparti. SVs velgerskare avviker mest fra gjennomsnittet når det gjelder andelen som er religiøs passive og andelen som er offentlige funksjonærer. SVs velgerskare avviker ikke fra befolkningen som helhet når det gjelder bosted i by eller på landsbygda.

Den langsiktige endringen er imidlertid mer uttalt enn den kortsiktige. SVs velgere ved de senere valgene står i klar kontrast til Sosialistisk Folkepartis velgere i 1965. Den gang var partiet i betydelig større grad et parti av arbeidere, folk med lav utdanning, menn, folk bosatt i Oslofjordområdet og i tettbygde strøk.

## Arbeiderpartiet

Den typiske Arbeiderpartivelger er arbeider, har lavere utdanning, middels til lav inntekt, over 30 år, er lite engasjert i motkulturene og er bosatt i Østlandsområdet. Arbeiderpartiet er med andre ord fortsatt et parti for lavstatusgruppene. De største avvikene fra gjennomsnittet gjelder nettopp andelen av velgerne som er arbeidere og som kun har grunnskoleutdanning. Det er imidlertid verdt å merke seg at arbeiderandelen avviker mindre fra snittet i 1989 enn i 1985.

I et langtidsperspektiv avspeiler partiets velgerskare viktige sider ved den generelle samfunnsendring i perioden. Det dreier seg blant annet om en utjevning av klasseforskjeller, en økning av antallet funksjonærer og en eksplosiv økning av utdanningsnivået. Mens arbeiderne utgjorde 64 prosent av Arbeiderpartivelgerne i 1965, er andelen bare 45 prosent ved siste valg. Funksjonærgruppenes andel er samtidig steget fra 21 til 33 prosent. Et lignende fenomen kan vi avlese for utdanning og inntekt. Selv om andelen som kun har grunnskole fortsatt er større i Arbeiderpartiet enn i andre partier, er likevel denne andelen sunket fra 56 prosent i 1965 til 37 prosent i 1989. Arbeiderpartiet har i motsetning til tidligere et flertall av sine velgere på landsbygda.

## Venstre

Den typiske Venstrevelger er offentlig funksjonær, har høyere utdanning, høyere inntekt, er mann, mellom 31 og 50 år, og bosatt på Vestlandet. Venstrevelgerne er lite engasjert i avholdssak og religiøs aktivitet, men målsaken spiller fortsatt en rolle. Venstre avviker mest fra gjennomsnittet når det gjelder andelen bosatt på Vestlandet og som har universitets- eller høgskoleutdanning. I forhold til 1985 er imidlertid andelen offentlige funksjonærer gått betydelig ned for Venstres vedkommende. Det samme gjelder andelen med universitets- eller høgskoleutdanning. Venstres kjønnsprofil er interessant, ikke minst sammenlignet med Sosialistisk Venstreparti. Mens SV har et flertall av kvinnelige velgere, er det motsatte tilfelle i Venstre. Venstre har videre et større innslag av eldre velgere enn i 1985.[5]

---

[5] Arbeiderandelen var 13 prosent over gjennomsnittet i 1989 og 17 prosent i 1985. I 1965 var derimot arbeiderandelen 21 prosent over gjennomsnittet.

Tabell 6.3. Venstres velgerprofil 1965-1989. Prosent

| | 1965 (N=162) | 1985 (N=68) | 1989 (N=78) | Avvik fra gj.snitt 1989 |
|---|---|---|---|---|
| Yrke: | | | | |
| Arbeider.................... | 31 | 24 | 23 | -9 |
| Off. funksjonær .............. | 18 | 37 | 26 | +5 |
| Privat funksjonær ............ | 18 | 13 | 19 | 0 |
| Selvstendig ................. | 15 | 6 | 10 | +2 |
| Bonde/fisker ................ | 15 | 1 | 4 | -3 |
| Student/elev ................. | 3 | 13 | 10 | +4 |
| Annet ...................... | 0 | 6 | 8 | +1 |
| Utdanning: | | | | |
| Grunnskole ................. | 32 | 10 | 10 | -14 |
| Gymnas I ................... | 25 | 19 | 19 | -13 |
| Gymnas II .................. | 36 | 24 | 34 | +10 |
| Universitet/høgskole .......... | 7 | 47 | 37 | +17 |
| Inntekt: | | | | |
| Lav........................ | 43 | 34 | 24 | -8 |
| Middels .................... | 37 | 38 | 37 | -5 |
| Høy ....................... | 20 | 28 | 39 | +13 |
| Kjønn: | | | | |
| Kvinne ..................... | 53 | 46 | 41 | -9 |
| Mann ...................... | 47 | 54 | 59 | +9 |
| Alder: | | | | |
| -30 år ..................... | 16 | 37 | 32 | +6 |
| 31-50 år ................... | 45 | 53 | 45 | +5 |
| 51- år ..................... | 39 | 10 | 23 | -11 |
| Avhold: | | | | |
| Aktiv avhold ................ | 35 | 10 | 8 | -3 |
| Passiv avhold ............... | 4 | 3 | 2 | -1 |
| Passiv ikke-avhold ........... | 43 | 55 | 68 | +5 |
| Protesterende ikke-avhold ..... | 18 | 32 | 22 | -1 |
| Målsak: | | | | |
| Aktiv nynorsk ............... | 19 | 16 | 14 | +8 |
| Passiv nynorsk .............. | 13 | 0 | 4 | -1 |
| Passiv bokmål .............. | 42 | 50 | 31 | -18 |
| Aktiv bokmål ............... | 26 | 34 | 51 | +11 |
| Religion: | | | | |
| Medlem .................... | 14 | 10 | 9 | -1 |
| Middels aktivitet ............. | 27 | 10 | 15 | -4 |
| Lav aktivitet ................ | 21 | 21 | 9 | -3 |
| Passiv..................... | 38 | 59 | 67 | +8 |
| Region: | | | | |
| Oslofjord ................... | 24 | 30 | 23 | -6 |
| Indre Østland ............... | 3 | 4 | 3 | -9 |
| Sørlandet .................. | 8 | 6 | 6 | +2 |
| Vestlandet ................. | 49 | 47 | 45 | +18 |
| Trøndelag ................. | 8 | 7 | 9 | -1 |
| Nord-Norge ............... | 8 | 6 | 8 | -4 |
| By/land: | | | | |
| Tettbygd ................. | 51 | 53 | 50 | -5 |
| Spredtbygd ............... | 49 | 47 | 50 | +5 |

Endring og kontinuitet

I et langtidsperspektiv er det verdt å merke seg at det er lite igjen av det gamle motkulturpartiet Venstre. Bare mellom 10 og 24 prosent av Venstrevelgerne har tilknytning til motkulturene. Kontrasten er stor når vi sammenligner med 1965. Den gang var mellom 30 og 40 prosent engasjert i avholdssak, målsak eller religiøs virksomhet.

## Kristelig Folkeparti

Kristelig Folkepartis profil med hensyn til velgernes yrke og utdanningsbakgrunn ligger nærmere gjennomsnittet av befolkningen enn noen andre partier.[6] Men vi ser også hvordan sammensetningen av partiets velgerskare endrer seg i takt med økende velstand og utdanningsnivå. Den typiske KrF-velger er arbeider eller funksjonær[7], har utdanning på lavere gymnasnivå eller universitetsnivå, har lav inntekt, er kvinne, over 50 år, har et aktivt avholdsstandpunkt, er mer engasjert i målsaken enn gjennomsnittet, er medlem av religiøse foreninger, og bosatt på Vestlandet eller Sørlandet. Det er karakteristisk for partiet at de største avvikene fra gjennomsnittet av befolkningen nettopp gjelder avholdssak og religion. Det er ingen andre partier som avviker så mye fra gjennomsnittet på noen bakgrunnsvariabler som KrF-velgerne gjør i disse spørsmålene. Selv om det fortsatt er flest kvinner blant partiets velgere, er kvinnenes overvekt betydelig mindre enn i 1985. Det er også interessant at Kristelig Folkeparti har en like stor andel av sine velgere med grunnskole som med universitets- eller høgskoleutdanning. Andelen avholdsfolk er stadig synkende, mens andelen passive ikke-avholdsfolk øker. Mens 12 prosent av KrF-velgerne var passive *ikke-avholdsfolk* i 1965, var denne andelen økt til 36 prosent i 1989. Samtidig sank andelen

som var aktive avholdsfolk fra 84 til 56 prosent. Det er ikke overraskende at nesten 80 prosent av KrF-velgeren enten er medlemmer av religiøse foreninger eller har middels grad av religiøs aktivitet. Andelen helt passive har imidlertid økt fra 2 til 14 prosent i perioden 1965 til 1989. Den allmenne sekulariseringen har tydeligvis også gjort seg gjeldende blant Kristelig Folkepartis velgere.

## Senterpartiet

Den typiske Senterpartivelger er tilknyttet primærnæringene, har utdanning på lavere gymnasnivå, middels inntekt, er over 50 år, passiv ikke-avholdsmann (-kvinne), mer engasjert i målsaken enn gjennomsnittet, er middels religiøst engasjert, og bor i spredtbygde strøk. SP-velgerne er fortrinnsvis bosatt på Vestlandet eller i Trøndelag. Sistnevnte region er en spesielt viktig velgerbase for Senterpartiet, noe vi ser av avviket fra gjennomsnittet. Oslofjordområdet er derimot sterkt underrepresentert. Senterpartivelgerne avviker mest fra snittet når det gjelder andelen bønder/fiskere. Balansen mellom kvinner og menn er jevnere enn før. Velgerskaren er også noe yngre enn i 1985.

Da Bondepartiet i 1959 skiftet navn til Senterpartiet, skjedde dette ikke minst ut fra ønsket om å få bedre innpass i byene. Tabell 6.5 viser at partiet i liten grad har lyktes på dette området. Fortsatt bor nesten 80 prosent av SP-velgerne på landsbygda. I forhold til partiets velgerskare i 1965, er det særlig innslaget av bønder/fiskere som har endret seg. Mens denne gruppen utgjorde nesten 70 prosent av SP-velgerne i 1965, varierer andelen mellom 30 og 40 prosent på 1980-tallet.[8]

---

[6] Vi har målt dette ved å summere tallverdiene for avviket fra gjennomsnittet for yrke og utdanning.

[7] Selv om arbeiderne utgjør den største yrkesgruppen blant KrF-velgerne, ser vi likevel at andelen arbeidervelgere ligger noe under gjennomsnittet.

[8] Variasjonene mellom 1985 og 1989 kan være noen tilfeldige utslag. Som nevnt i kapittel 5 sank oppslutningen om Senterpartiet blant bønder og fiskere i 1989 sammenlignet med 1985. I 1965 var Senterpartiets andel av stemmene blant bønder og fiskere hele 51 prosent høyere enn gjennomsnittet.

---

| | 1965 (N=91) | 1985 (N=180) | 1989 (N=163) | Avvik fra gj.snitt 1989 |
|---|---|---|---|---|
| **Yrke:** | | | | |
| Arbeider ..................... | 41 | 27 | 27 | -5 |
| Off. funksjonær ............. | 16 | 21 | 24 | +3 |
| Privat funksjonær ............ | 12 | 17 | 20 | +1 |
| Selvstendig ................. | 8 | 9 | 9 | +1 |
| Bonde/fisker ................ | 21 | 8 | 9 | +2 |
| Student/elev ................ | 1 | 2 | 2 | -4 |
| Annet ...................... | 1 | 16 | 9 | +2 |
| **Utdanning:** | | | | |
| Grunnskole ................. | 36 | 26 | 25 | +1 |
| Gymnas I .................. | 33 | 37 | 35 | +3 |
| Gymnas II ................. | 19 | 18 | 15 | -9 |
| Universitet/høgskole .......... | 12 | 19 | 25 | +5 |
| **Inntekt:** | | | | |
| Lav ....................... | 67 | 43 | 41 | +9 |
| Middels .................... | 26 | 39 | 42 | 0 |
| Høy ....................... | 7 | 18 | 17 | -9 |
| **Kjønn:** | | | | |
| Kvinne .................... | 58 | 63 | 56 | +6 |
| Mann...................... | 42 | 37 | 44 | -6 |
| **Alder:** | | | | |
| -30 år ..................... | 16 | 16 | 14 | -12 |
| 31-50 år ................... | 19 | 31 | 30 | -10 |
| 51- år ..................... | 65 | 53 | 56 | +22 |
| **Avhold:** | | | | |
| Aktiv avhold ............... | 84 | 58 | 56 | +45 |
| Passiv avhold .............. | 3 | 9 | 6 | +3 |
| Passiv ikke-avhold .......... | 12 | 31 | 36 | -27 |
| Protesterende ikke-avhold ..... | 1 | 2 | 2 | -21 |
| **Målsak:** | | | | |
| Aktiv nynorsk .............. | 16 | 14 | 16 | +10 |
| Passiv nynorsk ............. | 25 | 12 | 10 | +5 |
| Passiv bokmål ............. | 30 | 44 | 45 | -4 |
| Aktiv bokmål .............. | 29 | 30 | 29 | -11 |
| **Religion:** | | | | |
| Medlem.................... | 63 | 55 | 52 | +42 |
| Middels aktivitet ............ | 26 | 29 | 27 | +8 |
| Lav aktivitet ............... | 9 | 10 | 7 | -5 |
| Passiv .................... | 2 | 6 | 14 | -45 |
| **Region:** | | | | |
| Oslofjord.................. | 22 | 22 | 16 | -13 |
| Indre Østland ............. | 8 | 8 | 15 | -3 |
| Sørlandet.................. | 3 | 11 | 12 | +8 |
| Vestlandet................. | 53 | 45 | 41 | +14 |
| Trøndelag ................. | 13 | 6 | 10 | 0 |
| Nord-Norge ............... | 1 | 8 | 6 | -6 |
| **By/land:** | | | | |
| Tettbygd .................. | 51 | 37 | 40 | -5 |
| Spredtbygd ................ | 49 | 63 | 60 | +5 |

Tabell 6.5. Senterpartiets velgerprofil 1965-1989. Prosent

| | 1965 (N=190) | 1985 (N=129) | 1989 (N=111) | Avvik fra gj.snitt 1989 |
|---|---|---|---|---|
| **Yrke:** | | | | |
| Arbeider ..................... | 13 | 12 | 22 | -10 |
| Off. funksjonær .............. | 7 | 11 | 6 | -15 |
| Privat funksjonær ........... | 5 | 17 | 17 | -2 |
| Selvstendig ................. | 4 | 12 | 4 | -4 |
| Bonde/fisker ................ | 69 | 33 | 41 | +34 |
| Student/elev ................ | 1 | 1 | 3 | -3 |
| Annet ...................... | 1 | 14 | 7 | 0 |
| **Utdanning:** | | | | |
| Grunnskole ................. | 41 | 30 | 25 | +1 |
| Gymnas I ................... | 36 | 32 | 41 | +9 |
| Gymnas II .................. | 20 | 23 | 27 | +3 |
| Universitet/høgskole .......... | 3 | 15 | 7 | -13 |
| **Inntekt:** | | | | |
| Lav ........................ | 64 | 49 | 33 | +1 |
| Middels .................... | 26 | 35 | 49 | +7 |
| Høy ....................... | 10 | 16 | 18 | -8 |
| **Kjønn:** | | | | |
| Kvinne ..................... | 45 | 40 | 51 | +1 |
| Mann ...................... | 55 | 60 | 49 | -1 |
| **Alder:** | | | | |
| -30 år ...................... | 18 | 14 | 19 | -7 |
| 31-50 år .................... | 38 | 38 | 38 | -2 |
| 51- år ...................... | 44 | 48 | 43 | +9 |
| **Avhold:** | | | | |
| Aktiv avhold ................ | 25 | 16 | 15 | +4 |
| Passiv avhold ............... | 6 | 6 | 4 | +1 |
| Passiv ikke-avhold .......... | 57 | 61 | 71 | +8 |
| Protesterende ikke-avhold ...... | 12 | 17 | 10 | -13 |
| **Målsak:** | | | | |
| Aktiv nynorsk .............. | 14 | 9 | 17 | +11 |
| Passiv nynorsk .............. | 13 | 16 | 15 | +10 |
| Passiv bokmål .............. | 50 | 52 | 45 | -4 |
| Aktiv bokmål ............... | 23 | 23 | 23 | -17 |
| **Religion:** | | | | |
| Medlem ................... | 13 | 6 | 7 | -3 |
| Middels aktivitet ............ | 29 | 33 | 31 | +12 |
| Lav aktivitet .............. | 29 | 13 | 20 | +8 |
| Passiv ..................... | 29 | 48 | 42 | -17 |
| **Region:** | | | | |
| Oslofjord .................. | 34 | 25 | 13 | -16 |
| Indre Østland ............... | 5 | 17 | 16 | -2 |
| Sørlandet .................. | 4 | 7 | 5 | +1 |
| Vestlandet ................. | 28 | 29 | 33 | +6 |
| Trøndelag ................. | 11 | 12 | 18 | +8 |
| Nord-Norge ................ | 18 | 10 | 15 | +3 |
| **By/land:** | | | | |
| Tettbygd .................. | 19 | 11 | 22 | -23 |
| Spredtbygd ................ | 81 | 89 | 78 | +23 |

Endring og kontinuitet

## Høyre

Den typiske Høyrevelger er privat funksjonær, har høyere utdanning, høyere inntekt, sterkt engasjert på bykultursiden, bosatt i Oslofjordområdet, og i tettbygde strøk. I forhold til 1985 har en større andel av Høyrevelgerne høyere utdanning og høyere inntekt. Høyre er videre det parti som avviker *minst* fra befolkningen når det gjelder alderssammensetningen. Balansen mellom kvinner og menn er også jevnere enn i 1985. Høyrevelgerne bor i større grad i tettbygde enn i spredtbygde strøk.

I et langtidsperspektiv er det påfallende hvor lik Høyres velgerskare er over tid. Både når det gjelder utdanning og inntekt representerer velgerne fortsatt et øvre sosialt sjikt. Høystatuspreget er likevel mindre utpreget i dag enn i 1965.[9] Dominansen fra det sentrale Østlandsområdet og tettbygde strøk er også noe mindre enn før. Partiets velgere er dessuten yngre enn på 1960-tallet.

### Fremskrittspartiet

Den typiske FrP-velger er arbeider eller privat funksjonær, har middels utdanning, lavere eller middels inntekt, er mann, under 30 år, protesterende ikke-avholdsmann (-kvinne), bokmålstilhenger, passiv i religiøs sammenheng og bosatt i Oslofjordområdet. Det er fortsatt en liten andel av Fremskrittspartiets velgere som har universitets- eller høgskoleutdanning. Partiet har også en forholdsvis liten andel som er offentlige funksjonærer. Fremskrittspartiets bykulturprofil er svært lik Høyres. Partiets velgere har svært liten tilknytning til målsak, mens det har skjedd en viss utjevning når det gjelder religiøst engasjement der FrP-velgerne ligger på samme nivå som Ar-

beiderpartiet, Venstre og Høyre. Det største avviket fra befolkningen som helhet gjelder imidlertid protesten mot avholdssaken. Forholdet mellom kvinner og menn er noe jevnere enn før, men det er ikke store endringer.[10] Selv om over 40 prosent av velgerne er under 30 år, er det en større andel av eldre FrP-velgere i 1989 enn i 1985. Velgerskaren er i mindre grad enn før dominert av Oslofjordområdet. Forholdet mellom tettbygde og spredtbygde strøk har jevnet seg ut for FrP-velgernes vedkommende. Mens det i 1985 var en klar overvekt som bodde i bystrøk, er det nå noen flere som bor på landsbygda. Sammenlignet med Høyres velgere representerer imidlertid Fremskrittspartiet et bredere snitt av befolkningen. Dette gjelder både yrkestilknytning, utdanningsnivå og inntekt. Innslaget av arbeidere ligger dessuten nærmere Arbeiderpartiet enn noen andre partier.

### Oppsummering og konklusjon

Denne oversikten over partienes velgerprofiler avspeiler både langsiktige og kortsiktige endringer. Når det gjelder kulturmotsetningene, finner vi fortsatt et hovedskille mellom bykultur og motkultur, representert ved henholdsvis Høyre (og Fremskrittspartiet) og mellompartiene. Venstres historiske rolle som motkulturparti er imidlertid over. Kristelig Folkeparti har overtatt som det ledende parti for motkulturene. I de senere tiår har det skjedd betydelige samfunnsmessige forandringer som også gir seg utslag på velgerplan. Spørsmålet om hvilket parti som ligger nærmest gjennomsnittet av befolkningen kan egentlig ikke besvares uten vesentlige presiseringer. Holder vi oss til kjennetegn som yrke, utdanning og inntekt, er totalbildet at Kristelig Folkeparti avviker *minst* fra gjennomsnittet. Dette er for øvrig det samme re-

---

[9] Sammenligner vi fordelingen av Høyres velgere i 1965 med gjennomsnittet den gang, var avviket -29 prosent for arbeidere, +16 prosent for private funksjonærer og +14 prosent for selvstendig næringsdrivende.
[10] Når vi ser på andelen kvinner og menn i partiet, må vi ta hensyn til kjønnsbalansen i utvalgene. I 1985 var det 48 prosent kvinner og 52 prosent menn i utvalget. I 1989 var imidlertid fordelingen 50-50.

---

Tabell 6.6. Høyres velgerprofil 1965-1989. Prosent

| | 1965 (N=278) | 1985 (N=561) | 1989 (N=404) | Avvik fra gj.snitt 1989 |
|---|---|---|---|---|
| **Yrke:** | | | | |
| Arbeider .................. | 13 | 20 | 17 | -15 |
| Off. funksjonær ............ | 19 | 16 | 23 | +2 |
| Privat funksjonær ........... | 31 | 32 | 29 | +10 |
| Selvstendig ................ | 23 | 16 | 12 | +4 |
| Bonde/fisker ............... | 11 | 3 | 3 | -4 |
| Student/elev ............... | 2 | 4 | 7 | +1 |
| Annet .................... | 1 | 9 | 9 | +2 |
| **Utdanning:** | | | | |
| Grunnskole ................ | 15 | 15 | 12 | -12 |
| Gymnas I ................. | 23 | 32 | 25 | -7 |
| Gymnas II ................ | 38 | 28 | 30 | +6 |
| Universitet/høgskole ......... | 24 | 25 | 33 | +13 |
| **Inntekt:** | | | | |
| Lav ..................... | 26 | 28 | 22 | -10 |
| Middels .................. | 29 | 36 | 38 | -4 |
| Høy ..................... | 45 | 36 | 40 | +14 |
| **Kjønn:** | | | | |
| Kvinne .................. | 53 | 44 | 49 | -1 |
| Mann .................... | 47 | 56 | 51 | +1 |
| **Alder:** | | | | |
| -30 år ................... | 20 | 29 | 31 | +5 |
| 31-50 år ................. | 41 | 42 | 39 | -1 |
| 51- år ................... | 39 | 29 | 30 | -4 |
| **Avhold:** | | | | |
| Aktiv avhold .............. | 9 | 4 | 4 | -7 |
| Passiv avhold ............. | 5 | 3 | 3 | 0 |
| Passiv ikke-avhold .......... | 43 | 57 | 61 | -2 |
| Protesterende ikke-avhold ..... | 43 | 36 | 32 | +9 |
| **Målsak:** | | | | |
| Aktiv nynorsk ............. | 4 | 4 | 3 | -3 |
| Passiv nynorsk ............. | 4 | 5 | 3 | -2 |
| Passiv bokmål ............. | 40 | 48 | 42 | -7 |
| Aktiv bokmål ............. | 52 | 43 | 52 | +12 |
| **Religion:** | | | | |
| Medlem .................. | 8 | 4 | 7 | -3 |
| Middels aktivitet ........... | 16 | 17 | 17 | -2 |
| Lav aktivitet .............. | 22 | 13 | 12 | 0 |
| Passiv ................... | 54 | 66 | 64 | +5 |
| **Region:** | | | | |
| Oslofjord ................. | 59 | 43 | 38 | +9 |
| Indre Østland ............. | 4 | 10 | 15 | -3 |
| Sørlandet ................. | 1 | 5 | 5 | +1 |
| Vestlandet ................ | 22 | 28 | 25 | -2 |
| Trøndelag ................ | 6 | 7 | 8 | -2 |
| Nord-Norge .............. | 8 | 7 | 9 | -3 |
| **By/land:** | | | | |
| Tettbygd ................. | 65 | 46 | 54 | +9 |
| Spredtbygd ............... | 35 | 54 | 46 | -9 |

Endring og kontinuitet

Tabell 6.7. Fremskrittspartiets velgerprofil 1985-1989. Prosent

| | 1985 (N=66) | 1989 (N=206) | Avvik fra gj.snitt 1989 |
|---|---|---|---|
| **Yrke:** | | | |
| Arbeider | 35 | 39 | +7 |
| Off. funksjonær | 9 | 9 | -12 |
| Privat funksjonær | 26 | 24 | +5 |
| Selvstendig | 9 | 9 | +1 |
| Bonde/fisker | 0 | 5 | -2 |
| Student/elev | 4 | 8 | +2 |
| Annet | 17 | 6 | -1 |
| **Utdanning:** | | | |
| Grunnskole | 23 | 20 | -4 |
| Gymnas I | 32 | 38 | +6 |
| Gymnas II | 33 | 30 | +6 |
| Universitet/høgskole | 12 | 12 | -8 |
| **Inntekt:** | | | |
| Lav | 47 | 38 | +6 |
| Middels | 25 | 44 | +2 |
| Høy | 28 | 18 | -8 |
| **Kjønn:** | | | |
| Kvinne | 33 | 37 | -13 |
| Mann | 67 | 63 | +13 |
| **Alder:** | | | |
| -30 år | 48 | 42 | +16 |
| 31-50 år | 35 | 30 | -10 |
| 51- år | 17 | 28 | -6 |
| **Avhold:** | | | |
| Aktiv avhold | 0 | 5 | -6 |
| Passiv avhold | 3 | 2 | -1 |
| Passiv ikke-avhold | 49 | 42 | -21 |
| Protesterende ikke-avhold | 48 | 51 | +28 |
| **Målsak:** | | | |
| Aktiv nynorsk | 1 | 2 | -4 |
| Passiv nynorsk | 1 | 4 | -1 |
| Passiv bokmål | 52 | 53 | +4 |
| Aktiv bokmål | 46 | 41 | +1 |
| **Religion:** | | | |
| Medlem | 4 | 8 | -2 |
| Middels aktivitet | 6 | 14 | -5 |
| Lav aktivitet | 14 | 13 | +1 |
| Passiv | 76 | 65 | +6 |
| **Region:** | | | |
| Oslofjord | 47 | 37 | +8 |
| Indre Østland | 11 | 17 | -1 |
| Sørlandet | 6 | 8 | +4 |
| Vestlandet | 23 | 29 | +2 |
| Trøndelag | 9 | 4 | -6 |
| Nord-Norge | 4 | 5 | -7 |
| **By/land:** | | | |
| Tettbygd | 53 | 48 | +3 |
| Spredtbygd | 47 | 52 | -3 |

Endring og kontinuitet

sultat som i den aller første norske valgundersøkelsen fra 1957 (Valen & Katz 1964: 184). På den annen side avviker KrF-velgerne mer enn noen andre velgergrupper når det gjelder religiøs tilknytning og avholdssak. Det samme gjelder aldersfordelingen. Høyre ligger nærmest gjennomsnittet når det gjelder aldersprofil, religiøst engasjement og kjønnsbalanse, men partiet har ikke lyktes i å etablere seg som et folkeparti med en bred sosial sammensetning. Av partiene på høyresiden har Fremskrittspartiet en betydelig større bredde blant sine velgere, med et viktig unntak for partiets svært skjeve kjønnsprofil. Den brede velgerappellen gjenspeiler på mange måter Fremskrittspartiets utspring i det sosiale og geografiske sentrum av systemet.

De langsiktige endringene består blant annet i at enkelte befolkningsgrupper i dag utgjør en mindre andel av velgerskaren enn før. Dette fører igjen til at de samme gruppene også utgjør en mindre andel av vedkommende partis velgere, selv om de i stor grad fortsatt slutter opp om partiet. Dette gjør seg ikke minst gjeldende for arbeidere og folk i primærnæringene i forhold til henholdsvis Arbeiderpartiet og Senterpartiet. Det er også et generelt trekk at gruppen av funksjonærer utgjør en stadig større andel av partienes velgergrunnlag. Selv om det skjer endringer i partienes velgerprofiler fra valg til valg, er det likevel påfallende å registrere en betydelig grad av kontinutitet i de mønstre som avdekkes. Naturlig nok finner vi de største endringene for partier som enten er i sterk fram- eller tilbakegang. Variasjonene mellom de ulike velgerflokker viser imidlertid at norsk politikk fortsatt er preget av de mange og kryssende skillelinjer.

# 7. På terskelen til 1990-årene

Stortingsvalget i 1989 markerte avslutningen på et turbulent og begivenhetsrikt tiår. 1980-årene ble innledet i høyrebølgens tegn. Fra og med 1981 var det borgerlig flertall på Stortinget, og Høyre var det dominerende borgerlige parti. Mot slutten av tiåret fikk Fremskrittspartiet sterk framgang, mens Høyre tapte terreng. Høyrebølgen var kommet inn i en ny fase: forkjemperne for nyliberalistiske ideer hadde overtatt det politiske initiativ. Samtidig skjedde det en polarisering på venstrefløyen. Sosialistisk Venstreparti fikk betydelig framgang på bekostning av det mer moderate Arbeiderpartiet. Framgang for ytterpartiene og tilbakegang for de to store partiene var den dominerende tendens ved stortingsvalget i 1989.

I denne boken er det gjort et forsøk på å analysere endringsprosessene ved valget. Noen sentrale funn fra analysen vil bli diskutert på de etterfølgende sider. To spørsmål vil stå i forgrunnen: I hvilken grad kan valgresultatet forklares i lys av langsiktige endringsprosesser? Og i hvilken grad ligger forklaringen i forhold som springer ut av den spesielle situasjon ved slutten av 1980-årene? Helt til slutt skal vi ganske kort komme inn på konsekvensene av stortingsvalget i 1989. Hvordan og i hvilken grad setter valget rammen for den politiske utvikling i 1990-årene?

## Valgresultatet

Sammenlignet med foregående stortingsvalg viste valgresultatet i 1989 uvanlig store endringer i fordelingen av de avgitte stemmer. Tendensen falt sammen med rekordhøye individuelle skiftninger på velgerplan. Nær 40 prosent av velgerne skiftet standpunkt fra 1985 til 1989, dels i form av skiftninger fram og tilbake mellom partiene, dels ut og inn av hjemmesitternes rekker. Skiftningene forklarer imidlertid bare en del av valgresultatet. Høyres tilbakegang skyldes i hovedsak store overganger til andre partier, framfor alt til Fremskrittspartiet. Men Arbeiderpartiets nettotap på skiftningene var av beskjedent omfang. Partiets store tilbakegang må hovedsakelig tilskrives sviktende oppslutning blant førstegangsvelgerne og naturlig frafall blant eldre velgere. Valgets to seierherrer, Fremskrittspartiet og Sosialistisk Venstreparti, profitterte både på skiftninger i velgerskaren og på økende oppslutning blant de unge.

Det meste av tendensene ved stortingsvalget i 1989 var synlige allerede ved kommune- og fylkestingsvalget to år tidligere. Således inntraff Fremskrittspartiets store gjennombrudd nettopp ved sistnevnte valg. Partiets framgang i stemmetall fra 1987 til 1989 var på bare en prosentenhet. Men bak dette ganske stabile stemmetall skjuler det seg enorme individuelle skiftninger. Over halvparten av partiets velgere fra 1987 foretrakk andre partier i 1989. Tapet ble oppveid dels av overganger fra andre partier, dels av tilstrømmingen av førstegangsvelgere i 1989. Materialet viser at Fremskrittspartiet inntar en sentral plass i den pågående endringsprosess i velgerskaren.

### Endringer i langtidsperspektiv

De store skiftninger ved stortingsvalget i 1989 kom ikke som en nyhet. I 1950- og 1960-årene var velgerstabiliteten høyere i Norge enn i de fleste andre land. Men siden begynnelsen av 1970-årene har betydelige skiftninger funnet sted. Fra 1969 til 1973 skiftet omtrent hver tredje velger standpunkt, og antallet av skiftninger holdt seg på omtrent samme nivå ved de etterfølgende valg inntil 1985. Det sterke utslaget i 1989 er således en videreføring av en tendens som har vært synlig gjennom to tiår. Utgangspunktet for tendensen falt sammen i tid med EF-striden fra 1970-72, og det er nærliggende å se en sammenheng mellom disse begivenhetene (Valen 1981). Det er ikke tvil om at den opprivende EF-striden ødela vel etablerte politiske lojalitetsbånd hos en betydelig del av velgerskaren. Indirekte må derfor EF-saken ha stimulert til økende endringer ved valgene. Men virkningene av EF-saken er antakelig blitt overvurdert. Internasjonal forskning har demonstrert at økende bevegelighet (volatilitet) i velgerskaren er en tendens som satte inn omkring 1970 i praktisk talt alle land, skjønt styrken i tendensen har variert fra land til land.

Vi har diskutert denne tendensen i en tidligere publikasjon (Aardal & Valen 1989) og sett den i sammenheng med generelle økonomiske og sosiale endringsprosesser. Utviklingen siden 1945 har vært preget av urbanisering, økende velstand og en eksplosjonsartet stigning i utdanningsnivået. Men framfor alt har det skjedd store endringer i yrkesstrukturen, med nedgang i sysselsettingen i primærnæringene og sekundærnæringene og en tilsvarende økning i tertiærsektoren. Den voksende middelklasse, tilknyttet administrasjon, undervisning og en mangfoldighet av nye serviceyrker er et produkt av det post-industrielle samfunn. Den nye middelklassen mangler forankring i det tradisjonelle konfliktmønster som sprang ut av industrialiseringsprosessen tidlig i dette hundreåret. Som følge av de sosiale endringene er medborgernes livsvilkår blitt totalt forandret - særlig hvis man ser på utviklingen fra den ene generasjon til den neste. Samtidig har det vært sterk økning i sosial og geografisk mobilitet. Individenes bånd til det sosiale strukturmønster er blitt atskillig løsere.

De politiske konsekvenser av den sosiale utvikling kom for alvor til syne omkring 1970. Ikke bare økte velgernes tilbøyelighet til å skifte parti. Sammenhengen mellom stemmegivning og sosial bakgrunn ble svakere. På dette tidspunkt hadde det skjedd en viktig endring i velgerskarens sammensetning. Den generasjon som var født og oppvokst etter 2. verdenskrig, var kommet i stemmerettsalder og utgjorde fra nå av et stadig økende innslag i velgerskaren. Etterkrigsgenerasjonen var blitt berørt av samfunnsendringene på en helt annen måte enn tidligere generasjoner, i form av yrkesvalg, stigende levestandard og utdanningstilbud. Det siste er kanskje det mest fundamentale. De nye tendenser ved valgurnene kom langt sterkere til uttrykk hos etterkrigsgenerasjonen enn hos eldre velgere.

Skillet manifesterte seg ikke minst i førstegangsvelgernes preferanser. I samsvar med en lang tradisjon var førstegangsvelgerne mest tilbøyelige til å stemme på partiene til venstre i systemet. I 1970-årene kom det et omslag. De unge svingte over til partiene på høyresiden. Det gjaldt særlig de unge menn. Kvinnene har derimot beveget seg i motsatt retning. Utviklingen skapte gradvis et gap i det politiske atferdsmønsteret mellom kvinner og menn. Høyrebølgen var i hovedsak de unge menns bevegelse.

De beskrevne langtidstendenser som har utviklet seg over de siste to-tre tiårene, kom også klart til uttrykk ved stortingsvalget i 1989. Nettopp orienteringen blant unge velgere bør bemerkes: de gikk fortrinnsvis til partiene på høyresiden samt til Sosialistisk Venstreparti. Det skjedde samtidig en klar polarisering etter kjønn. Fremskrittspartiet fikk uforholdsmessig stor tilslutning blant unge menn, mens unge kvinner var tilbøyelige til å foretrekke Sosialistisk Venstreparti.

Sammenlignet med foregående stortingsvalg viste sammenhengen mellom stemmegivning og sosial struktur fortsatt avtakende tendens. Det gjelder både oppslutningen om de sosialistiske partiene og partiene på høyresiden. Nevnte sammenheng er klart svakere for etterkrigsgenerasjonen enn for eldre velgere. Men til tross for nedgangen, viser materialet at sosiale strukturforhold stadig har betydning for velgeratferden. De økonomiske motsetningene uttrykt ved yrkesbakgrunn forklarer fortsatt en betydelig del av oppslutningen om Arbeiderpartiet, Høyre og Senterpartiet. Kristelig Folkeparti er den fremste eksponent for motkulturene, mens Høyre og Fremskrittspartiet artikulerer bykultursiden. De regionale motsetninger har fortsatt sin gyldighet til tross for visse endringer.

Sosialistisk Venstreparti og Fremskrittspartiet er i mindre grad enn de øvrige partiene koblet til de tradisjonelle strukturelle skillelinjene. Kjønn, alder og sektortilknytning spiller imidlertid en forholdsvis stor rolle for disse partiene. Den politiske betydningen av skillet mellom offentlig og privat sektor, som har vært observert siden 1950-årene, varierer over tid. Ved valget i 1989 var oppslutningen om Sosialistisk Venstreparti bemerkelsesverdig stor innenfor offentlig sektor. Det er likevel uavklart om skillet mellom offentlig og privat sektor kan betraktes som en selvstendig strukturell skillelinje.

Langsiktige utviklingstendenser må antas å skape gradvise endringer i styrkeforholdet mellom partiene uansett hvilke saker som står på den politiske dagsorden. Men endringene fra valg til valg skjer ofte rykkvis. Det er for eksempel vanskelig å forklare Fremskrittspartiets store framgang i løpet av en fireårsperiode utelukkende som et resultat av økonomiske og sosiale endringsprosesser. Utslagene er av en slik karakter av de også må forklares i lys av aktuelle begivenheter.

**Den aktuelle situasjon**

Situasjonen foran valget i 1989 var preget av parlamentarisk ustabilitet og mangel på klare alternativer. Situasjonen hadde sin bakgrunn i valgresultatet i 1985, som ikke skapte grunnlag for en regjering basert på et flertall i Stortinget. Fremskrittspartiet i vippeposisjon ble et destabiliserende element i den etterfølgende periode. Svak regjeringsmakt samt det økonomiske tilbakeslaget i 1986 skapte frustrasjon og svekket tillit til politikere og partier. Den nye situasjon ble sementert i kommune- og fylkestingsvalget i 1987, som førte til oppsiktsvekkende framgang for Fremskrittspartiet.

Valgresultatet i 1987 og tallrike meningsmålinger i de etterfølgende to år gav klare signaler om utsiktene foran stortingsvalget i 1989. Sannsynligheten for et sosialistisk flertall var særdeles liten, og mulighetene for et flertall for de borgerlige koalisjonspartiene var enda mindre. Det var overveiende sannsynlig at Fremskrittspartiet fortsatt ville bli stående i vippeposisjon mellom de to blokkene, bare med den forskjell at partiets representasjon og dermed innflytelse ville bli langt større etter valget i 1989. Koalisjonspartiene stilte seg avvisende til tanken om å samarbeide med Fremskrittspartiet. Velgerne kunne derfor ikke håpe på en parlamentarisk avklaring ved valget.

I en tid med vanskelige problemer, ikke minst en stigende arbeidsledighet, bidrog usikkerhet omkring den framtidige politikk til å skape frustrasjon og pessimisme blant velgerne. Ifølge vår undersøkelse oppfattet velgerne tre sett av stridsspørsmål som spesielt viktige: velferdsproblemer, natur og miljø, samt arbeidsledighet. De nevnte temaer stod også sentralt i valgkampen. Spørsmålet om hvordan disse og andre temaer har påvirket velgernes preferanser, ligger utenfor rammen av denne analysen. Det kan være nok å minne om at valgundersøkelser både i Norge og i andre land har demonstrert at politiske stridsspørsmål har fått økende betydning for valg av parti i senere år. Ett tema bør imidlertid berøres på dette tidspunkt: protestelementet. Kommune- og fylkestingsvalget i 1987 ble et utpreget protestvalg. Protesten kom til uttrykk dels i form av sterk oppslutning om det populistiske Fremskrittspartiet, dels i form av rekordlav valgdeltagelse. Protesten knyttet seg særlig til sviktende tillit til politikere og partier samt til innvandringspolitikken. Ved stortingsvalget to år senere var mangelen på tillit fortsatt et hett tema. Derimot var innvandringen kommet i bakgrunnen. Den økologiske analysen (kap. 4) kan imidlertid tyde på at arbeidsledigheten og fiskerikrisen skapte grobunn for protest i 1989. Ved stortingsvalget i 1985 hadde Arbeiderpartiet, som den gang var det ledende opposisjonsparti, markert framgang i strøk med stor arbeidsledighet og sosiale problemer. I 1989 gikk partiet sterkest tilbake i kommuner karakterisert ved slike problemer. På dette tidspunkt satt Arbeiderpartiet med regjeringsmakten.

Fremskrittspartiet gikk mest fram i kommuner med arbeidsledighet, særlig i den nordligste landsdel. En mulig forklaring er at velgerne i områder med store økonomiske og sosiale problemer foretrakk Fremskrittspartiet fordi de var frustrerte og hadde tapt tilliten til de etablerte partiene.

## Polariseringen

Spørsmålet om hvorfor fløypartiene gikk så sterkt fram i 1989, vil bli et sentralt tema i framtidige analyser. Det vil bli aktuelt å undersøke polariseringen i forhold til politiske stridsspørsmål. Betydningen av protestholdninger vil også bli koblet inn i analysen. Men en nærliggende forklaring bør nevnes som en hypotese: Framgangen for Sosialistisk Venstreparti og Fremskrittspartiet skyldes en protestreaksjon på fløyene i systemet fordi de to store partiene har beveget seg for langt inn mot det politiske sentrum. Selve etableringen av Fremskrittspartiet (opprinnelig Anders Langes Parti) kan sees i et slikt perspektiv. Under Borten-koalisjonen (1965-71) var det sterk vekst i så vel skatter som offentlige utgifter. Det samme hendte i Danmark i 1960-årene. I begge land oppstod det protestpartier som rettet seg nettopp mot skattenivået og offentlig virksomhet. Det var høyresidens reaksjon mot den kostbare velferdspolitikken. I Sverige oppstod det ikke noe tilsvarende protestparti, men der hadde de borgerlige partier sitt alibi i orden. De hadde ikke vært innom regjeringskontorene i de eksplosive 1960-årene. Enhver koalisjon må nødvendigvis føre en politikk som er et kompromiss mellom de deltagende partiers programmer. Selv om Høyre var det dominerende parti i Willoch-koalisjonen i 1980-årene, måtte regjeringens politikk få et visst sentrumspreg. Nok en gang ble høyrefløyen frustrert. Det samme skjedde med motsatt fortegn da Arbeiderpartiet overtok regjeringen i 1986. For å holde seg ved makten trengte regjeringen parlamentarisk støtte fra partiene i sentrum. Denne gangen var det venstrefløyen som protesterte mot "sentrumspolitikken".

Til tross for at partiene i sentrum gikk gradvis tilbake ved valgene i 1970- og 1980-årene fikk de betydelig gjennomslag for sin politikk. De store partiene nærmet seg sentrum. Det førte til framgang for fløypartiene ved slutten av 1980-årene.

## Utsikt for 1990-årene

Den foregående analyse dreier seg om norske forhold. Men de fleste tendenser som vi opplever her, går igjen i varierende form over store deler av verden. Selv om vi i denne rapporten ikke har analysert opinionen, skal vi ganske kort diskutere noen generelle trekk i den politiske utvikling. Et dominerende trekk ved begynnelsen av 1990-årene er nyliberalismens sterke stilling. Det er ikke bare et spørsmål om framgang ved valgene for nyliberalistiske partier. Minst like viktig er det at nyliberalistiske ideer har sterkt gjennomslag i politisk og ideologisk debatt. Krav om fri konkurranse, privatisering og reduksjon av skatter og offentlige utgifter er kommet på dagsorden over hele verden. Disse ideene slår ut i praktisk talt alle partier. Borgerlige partier har svingt i høyreretning. Sosialdemokratene er ideologisk på vikende front. I mange land, f.eks. Spania, Australia og New Zealand, har de lagt seg på en politikk som for få år siden ville blitt betegnet "ren høyrepolitikk". Samtidig opplever kommunismen et sammenbrudd. Nylig avholdte valg i tidligere kommuniststater i Øst-Europa viser enorm oppslutning om partiene på høyresiden. Det er åpnet for markedskreftenes frie spill.

De nye ideer virker som en sterk utfordring i Norge og andre skandinaviske land som fører en velferdspolitikk basert på sosialdemokratisk tankegods. Men omstillingen er i full

gang. Ordet "sosialisme" ble knapt nevnt i valgkampen i 1989, verken av Arbeiderpartiet eller Sosialistisk Venstreparti. Kravene om avskaffelse av den private eiendomsrett er forstummet. I offentlig ordskifte møter man stadig henvisninger til "ideologisk krise", og da er det som oftest partiene på venstresiden som omtales. Deres ideologiske dilemma bunner delvis i de pågående sosiale og økonomiske strukturendringene, som i betydelig grad har omdefinert deres velgerunderlag. Ettersom den tradisjonelle arbeiderklasse avtar i antall, må både sosialdemokratene og partier av andre sosialistiske avskygninger vende seg til den voksende middelklassen for å opprettholde og eventuelt øke sin stemmestyrke ved valgene. Den tradisjonelle arbeiderklasseappell er blitt avleggs. Men like viktig er det at økonomiske og sosiale rammebetingelser for politiske avgjørelser er blitt vesentlig endret i senere år. Internasjonaliseringen av kapital, arbeidskraft, markeder og teknologi setter grenser for nasjonal reformpolitikk. Det kan være delte meninger om hvor stor vekt man skal legge på næringslivets konkurranseevne, men det er et hensyn ingen partier kan se bort fra.

Ved de siste to stortingsvalgene har velferdspolitikken stått på dagsordenen. Det gjelder dels misbruk av velferdsordningene, dels velferdssamfunnets begrensninger. Det er et stort gap mellom på den ene siden krav og forventninger om bevilgninger til ymse offentlige oppgaver som helsestell, eldreomsorg, barnehager og skolevesen, og på den andre siden tilgjengelige ressurser. I denne situasjonen, som på ingen måte er spesiell for Norge, er kravet om nye sosiale reformer stort sett stilt i bero. Sosialdemokratiske partier er opptatt av å bevare velferdsstaten, det vil si å beskytte det bestående. Kanskje står vi her ved en forklaring på den politiske nyorientering hos ungdommen. Tradisjonelt har de unge søkt til reformpartiene på venstresiden. I dag er det partiene på høyresiden som er mest populære. Det ser ut til at Fremskrittspartiet har fått en slags "radikal" profil som følge av sin opposisjon til de etablerte partiene.

Velferdsstaten og dens begrensninger er et tema som ikke bare berører partiene på venstresiden. Den moderne velferdsstat er i store trekk utviklet i enighet mellom de gamle partiene. Tidligere forskning tyder også på at det hersker bred enighet i befolkningen om de kollektive prinsipper som systemet bygger på (Kuhnle 1983; Aardal & Valen 1989). Men spørsmålet er hvor langt denne enigheten vil rekke i en konfrontasjon med liberalistiske ideer, som prioriterer enkeltindividets interesser og legger hovedvekten på den enkeltes ansvar for egen skjebne. Videre er det et spørsmål i hvilken grad folk er villige til å betale omkostningene ved velferdssystemet i form av skatter og avgifter.[1] Under alle omstendigheter må man forvente at problemer knyttet til velferdssystemet vil stå i fokus i årene framover, og det vil skape spenninger innenfor partiene så vel som i forholdet mellom partiene. På den ene siden står hensyn til forpliktelser inngått gjennom tidligere vedtak, på den andre siden kommer vurderinger av økonomiske omkostninger samt mer eller mindre ideologisk motiverte krav om privatisering av velferden. Betenkelighetene ved velferdspolitikken har hittil vært størst på høyresiden av systemet (Aardal & Valen 1989: 54-76), der også skiftningene blant velgerne forekommer mest hyppig.

Ved begynnelsen av 1990-årene er norsk politikk preget av uro og mangel på stabilitet. Velgernes sviktende tillit til partier og politikere er blitt et gjennomgangstema i den politiske debatt. Proteststemninger har gitt betydelige utslag ved valgene i slutten 1980-årene. Men protesten har ingen klar retning, bortsett fra at den er et uttrykk for frustrasjon over økonomisk stagnasjon og, ikke minst,

svake og ustabile regjeringer. Stemningen gir grobunn for populistiske utspill som kommer mest hyppig fra ytterpartiene på høyre og venstre fløy.

Spørsmålet er: hvor lenge vil denne situasjonen vare? Vi er henvist til spekulasjon. Utviklingen er betinget av den framtidige politiske dagsorden, som ingen kjenner. Men de tre temaer som stod i forgrunnen under valget i 1989, velferdspolitikken, natur og miljø, samt arbeidsledigheten, vil trolig forbli aktuelle langt utover i 1990-årene. Norges forhold til De europeiske fellesskap kommer sannsynligvis til å bli et dominerende stridsspørsmål framover mot hundreårsskiftet. På bakgrunn av erfaringer fra Norge og andre land må vi også anta at forholdet til innvandrerne kan bli et hett tema. Det samme gjelder den økende kriminalitet. Hvordan disse og andre spørsmål vil bli løst og hvordan de vil slå ut i forholdet mellom partiene er stort sett et åpent spørsmål. Men de gir muligheter for populistiske manipuleringer. For så vidt kan 1990-årene bli et særdeles vanskelig tiår i norsk politikk.

Men det behøver ikke å gå slik. Sett i et historisk perspektiv har det forekommet flere skiftninger mellom urolige og stabile forhold i det politiske system. Den største omstrukturering av partisystemet inntraff ved begynnelsen av dette hundreåret. Arbeiderpartiet, som inntil denne tid hadde vært nærmest en politisk sekt, fikk sterkt økende tilslutning ved valgene, mens de to gamle partiene, Venstre og Høyre, ble splittet og endret karakter. Dette skjedde blant annet som en følge av industrialiseringen som for alvor satte inn ved hundreårsskiftet (Rokkan 1967; Valen & Rokkan 1974; Valen 1981). Mens partidannelsene i forrige hundreår i store trekk hadde vært basert på geografiske og kulturelle motsetninger, kom nye økonomiske motsetninger til å spille en dominerende rolle i det 20. hundreår.

---

[1] Dette spørsmålet vil bli tatt opp i en separat analyse fra valgundersøkelsene i nær framtid.

Etter et par urolige tiår fikk partisystemet sin endelige form i 1920-årene. Som Lipset og Rokkan (1967) har påpekt, er partisystemene i den vestlige verden basert på underliggende konfliktmønstre som fikk sin utforming i industrialismens gjennombruddsår. Den forholdsvis store partipolitiske stabilitet i etterkrigstiden fram til utgangen av 1960-årene kan forklares som et uttrykk for god tilpasning mellom partier og eksisterende sosiale og kulturelle motsetninger. Men nettopp i denne perioden satte det inn store sosiale og økonomiske strukturendringer, som gradvis skapte ubalanse i systemet. Den enorme veksten i tertiærsektoren samt utdanningseksplosjonen brøt ned gamle lojalitetsbånd og skapte en ny middelklasse uten fast politisk forankring. Den foreliggende uro i velgerskaren har sin bakgrunn i at partisystemet er kommet mer eller mindre i utakt med de konfliktlinjer som hittil har definert partienes velgerunderlag.

Det store spørsmål er om systemet vil stabilisere seg, eller finne fram til en ny balanse i løpet av 1990-årene. I denne forbindelse er det spesiell grunn til å følge utviklingen i Fremskrittspartiet, som i dag spiller en nøkkelrolle. Partiet avspeiler en merkelig dualisme: På den ene siden er det et høyrepopulistisk parti, som har samlet opp i seg og videreformidlet en stor del av de voksende protestholdninger i opinionen. På den andre siden artikulerer partiet en utpreget liberalistisk ideologi. I så måte er det Norges svar på den tendens som internasjonalt går under betegnelsen "New Right". Partiets ideologiske appell er betydelig, ikke minst blant ungdommen. På grunn av sin karakter som protestparti er Fremskrittspartiet foreløpig ikke akseptabelt som koalisjonspartner for de andre borgerlige partiene. Ut fra ønsket om å bli "stuerent" og "ansvarlig" har partiet i senere tid søkt å bli kvitt sin populistiske image. Det tar naturligvis tid. Hvis partiet lykkes i å etablere seg som et rent liberalistisk parti, er forutsetningene til stede for mer stabile regjeringsforhold. Da kan vi komme tilbake til situasjonen før 1985 med konkurranse mellom et sosialistisk og et borgerlig flertallsalternativ. Helt uproblematisk er det likevel ikke. For det vil stadig være store innbyrdes avstander mellom de borgerlige partiene. Størst er avstanden mellom Fremskrittspartiet og mellompartiene. Men ytre press og konkurranseforholdet til partiene på venstresiden vil antakelig tvinge fram en eller annen form for et felles borgerlig regjeringsalternativ.

Et interessant spørsmål blir i så fall hvilke konsekvenser en slik "normalisering" vil få på velgerplan. Fremskrittspartiet vil antakelig tape det meste av sine mer flyktige protestvelgere, men vil til gjengjeld stabilisere seg og antakelig øke sin tilslutning på høyrefløyen. Det betyr ikke nødvendigvis at partiet står foran en rik vekstperiode, ettersom høyrefløyen i systemet nyter begrenset tilslutning (Aardal & Valen 1989: 29-35). Men framgang for Fremskrittspartiet innebærer tilbakegang for Høyre. For å demme opp mot et voksende Fremskrittsparti vil Høyre antakelig bli nødt til å markere en klarere høyreprofil enn det har i dag. Men partiet har et begrenset slingringsmonn: Hvis det går for langt i høyreretning, blir avstanden til mellompartiene for stor, og det kan få to viktige konsekvenser. For det første kan det vanskeliggjøre koalisjonssamarbeidet. For det andre kan det føre til tap av velgere på partiets venstrefløy. De kan dels gå til mellompartiene, dels til Arbeiderpartiet.

Partiene i sentrum som står i betryggende avstand til Fremskrittspartiet, risikerer ikke et nevneverdig tap av velgere dersom sistnevnte parti skulle få framgang. Den økonomiske og sosiale utvikling har tært på velgerunderlaget til sentrumspartiene. En annen kilde til deres tilbakegang i senere år er at de to store partiene har nærmet seg det politiske sentrum. Hvis polariseringen ved valget i 1989 fører til at de to store skjerper sine fløyprofiler, er forutsetningen til stede for en viss framgang for partiene i sentrum.

Også på venstrefløyen kan det komme til å skje interessante ting. På samme måte som Høyre har Arbeiderpartiet et brysomt fløyparti å ta hensyn til. Partiet kan bli nødt til å markere en klarere venstreprofil, men det blir ingen lett oppgave i dagens situasjon. Tradisjonell sosialistisk ideologi gir neppe brukbar oppskrift på en mer radikal politikk. Spørsmålet er derfor hvordan spesielle stridsspørsmål vil slå ut i forholdet mellom de to partiene på venstresiden. Det finns mange muligheter. Avspenningen mellom øst og vest var antakelig en forutsetning for Sosialistisk Venstrepartis valgseier i 1989. En eventuell tilspissing mellom maktblokkene vil virke begrensende på partiets valgsjanser. Spørsmål vedrørende natur og miljø gav SV uttelling ved valget i 1989, men temaet kan komme til å gi overraskende utslag ved framtidige valg. Miljøvernspørsmål henger som kjent intimt

sammen med spørsmål om vekst, energiutvikling og - ikke minst - sysselsetting. Hvordan de enkelte partier vil stille seg til problemkomplekset i årene framover, og hvordan velgerne vil reagere er et åpent spørsmål. Det samme gjelder Norges forhold til Europa. Her står vi ved det mest interessante tema i aktuell norsk politikk. Frontlinjene fra 1972 kan identifiseres i opinionen. Det har til dels skjedd endringer i lederskapet, men det er tydelig at organiseringen av en ny strid er i emning. Partene er på vei tilbake til skyttergravene. Det vil likevel være forhastet å påstå at situasjonen er fastlåst. Som følge av både utenrikspolitiske og innenrikspolitiske begivenheter må Norges forhold til EF i dag fortone seg annerledes enn i 1972. Spørsmålet er hvordan dynamikken i den politiske utvikling kommer til å prege opinionen utover i 1990-årene. EF-striden hadde en eksplosjonsartet virkning på det politiske system i 1970-årene. Det spennende spørsmål er om vi vil oppleve en dramatisk reprise i 1990-årene?

Professor Henry Valen,
forsker Bernt Aardal,
INSTITUTT FOR SAMFUNNSFORSKNING
og STATISTISK SENTRALBYRÅ

UNDERGITT TAUSHETSPLIKT

**VALGUNDERSØKELSEN 1989**

| | | | |
|---|---|---|---|
| Prosjekt nr. | 3 0 8 | 1- 3 |
| Kommune nr. | | 4- 7 |
| Utvalgsomr. nr. | | 8-10 |
| IO nr. | | 11-13 |
| Fødselsår | | 14-15 |
| IO's kjønn (1=M, 2=K) | | 16 |

---

**TELEFONOPPLYSNING**

17

1 ☐ IO kan nåes på telefon: _____ / _____
Retn.nr.     Lokalnr.

2 ☐ IO nåes ikke på telefon (0180 kontaktet)

3 ☐ Vet ikke, finner ikke ut

Intervjuer nr. ☐☐☐☐ 18-21

Intervjuerens navn

---

**\*A. BOSTEDSSTRØK (IO'S FASTE BOLIGADRESSE):**

22

1 ☐ Spredtbygd strøk
Tettbygd strøk med:
2 ☐ ˙ 200 - 1 999 bosatte
3 ☐ 2 000 - 19 999 "
4 ☐ 20 000 - 99 999 "
5 ☐ 100 000 eller flere bosatte

**\*B. DERSOM IO ER KONTAKTET PÅ ANNEN ADRESSE ENN
I IO-LISTE**

23

1 ☐ IO er kontaktet på midlertidig adresse
2 ☐ IO er kontaktet på ny fast adresse

\*Adressen: _____

Kommunen: _____
Kommune nr: ☐☐☐☐ 24-27

---

**C. KONTAKT OG FORSØK PÅ KONTAKT MED IO:**

28

☐ Ganger kontaktet/forsøkt kontakt over telefon

29

☐ Ganger oppsøkt på adresse

Dato for første kontaktforsøk:
30-33
☐☐☐☐
Dag   Mnd.

**\*D. KRYSS AV FOR DET SOM PASSER:**

Arbeid med tildelte IO:
-------------------------
34
1 ☐ Utført av lokal intervjuer ————————— E
2 ☐ Utført av intervjuer ved kontoret ——————— E

Oppfølging av frafall:
35
1 ☐ Utført lokalt       36-39
2 ☐ Utført av kontoret ┘→ av ☐☐☐☐ —→ F
                          Intervjuernr.

---

**E. RESULTAT AV ARBEID MED TILDELTE IO:**

40
1 ☐ Telefonintervju ┐
2 ☐ Besøksintervju   ├→ G
3 ☐ Frafall/avgang ——→ REGISTRER PÅ NESTE SIDE

**F. RESULTAT AV OPPFØLGINGSARBEID:**

41
1 ☐ Telefonintervju ┐
2 ☐ Besøksintervju   ├→ G
3 ☐ Fortsatt frafall ——→ REGISTRER PÅ NESTE SIDE

---

**G. REGISTRERING VED OPPNÅDD INTERVJU**

Dato intervjuet ble foretatt ☐☐☐☐ 42-45
Dag   Mnd.

Ble det avtalt tid for intervjuet på forhånd?
46
1 ☐ Ja, over telefon
2 ☐ Ja, ved besøk på adresse
3 ☐ Nei, avtalte ikke tid på forhånd

Time   Min.
Intervjuet startet kl. ☐☐☐☐ 47-50

og varte til kl. ☐☐☐☐ 51-54

dvs. i alt ☐☐☐ 55-57
Minutter

---

RA-8143   8.89. 4 000

REGISTRERING AV FRAFALL/AVGANG:

Dato for registrering av frafall/avgang [ | | | ] 58-61
                                          Dag   Mnd.

Hvem har gitt opplysningene til registrering av frafalls-/avgangsgrunn?

            62
    1 [  ]   IO SELV
    2 [  ]   IO'S EKTEFELLE/SAMBOER
    3 [  ]   IO'S SØNN/DATTER
    4 [  ]   IO'S FAR/MOR
    5 [  ]   ANDRE: _____
    6 [  ]   INGEN

GRUNNER TIL FRAFALL/AVGANG (VED OPPFØLGING KORRIGERES FOR NY FRAFALLSGRUNN)

              63-64
           00 [  ]  IO nekter
           02 [  ]  Andre nekter for IO
           10 [  ]  IO er kortvarig syk
           11 [  ]  IO er langvarig syk
           20 [  ]  Sykdom/dødsfall i IO's familie
FRAFALL    30 [  ]  IO er bortreist, på ferie o.l.
           31 [  ]  IO er borte på arbeid, forretningsreise o.l.
           32 [  ]  IO er borte på skole, studieopphold o.l.
           33 [  ]  IO er ikke å treffe
           40 [  ]  IO's bolig/adresse ikke funnet
           70 [  ]  Annet, spesifiser: _____

           80 [  ]  IO er død
           90 [  ]  IO er flyttet til utlandet (fast)
AVGANG     94 [  ]  IO er forpleid i institusjon
           95 [  ]  Annet, spesifiser: _____

FOR        60 [  ]  Mangler opplysninger fra intervjuer
KONTORET   65 [  ]  Kostnader, mangler intervjuere o.l.

VED OPPFØLGING:

Registreringsdato: [ | | | ] 65-68
                    Dag   Mnd.

            69
    1 [  ]   Ikke oppnådd kontakt med IC
    2 [  ]   Kontakt med IO, fortsatt frafall (MED SAMME GRUNN SOM TIDLIGERE)
                                                          70-71
    3 [  ]   Kontakt med IO, fortsatt frafall (MED NY FRAFALLSGRUNN):  [ | ] ÅRSAKSKODE

INNLEDNING.

Denne landsomfattende undersøkelsen i forbindelse med Stortingsvalget 1989 utføres av professor Henry Valen og forsker Bernt Aardal, Institutt for samfunnsforskning og Statistisk sentralbyrå. Jeg håper du har fått brev om dette fra Valen, Aardal og Statistisk sentralbyrå. (LEVER EVENTUELT UT KOPI AV IO-BREVET.) Jeg vil minne om at opplysningene selvsagt vil bli behandlet fortrolig og bare brukt til utarbeiding av statistikk.

Det er viktig at alle som er med i undersøkelsen får de samme spørsmålene, stilt på samme måte og i den rekkefølgen de står i skjemaet. Jeg håper du vil svare så godt du kan, selv om det skulle komme et spørsmål som passer dårlig for deg.

Vi skal begynne med et spørsmål om oppvekststed.

---

*SPM. 1. Hvilket fylke vokste du opp i?

72-73

| 01 | | ØSTFOLD |
| 02 | | AKERSHUS |
| 03 | | OSLO |
| 04 | | HEDMARK |
| 05 | | OPPLAND |
| 06 | | BUSKERUD |
| 07 | | VESTFOLD |
| 08 | | TELEMARK |
| 09 | | AUST-AGDER |
| 10 | | VEST-AGDER |
| 11 | | ROGALAND |
| 12 | | HORDALAND |
| 14 | | SOGN OG FJORDANE |
| 15 | | MØRE OG ROMSDAL |
| 16 | | SØR-TRØNDELAG |
| 17 | | NORD-TRØNDELAG |
| 18 | | NORDLAND |
| 19 | | TROMS |
| 20 | | FINNMARK |
| 88 | | PASSER IKKE, OPPVOKST I UTLANDET |

SPM. 2. Nå skal vi se på en del politiske saker. Vil du si at du i alminnelighet er:

74

| 1 | | meget politisk interessert? |
| 2 | | ganske interessert? |
| 3 | | lite interessert? |
| 4 | | overhodet ikke interessert? |
| 8 | | VET IKKE |

SPM. 3. Hva er du mest opptatt av: <u>Utenrikspolitiske spørsmål, det som skjer i kommunen</u>, eller <u>norsk innenrikspolitikk</u>?

75

| 1 | | UTENRIKSPOLITIKK |
| 2 | | NORSK INNENRIKSPOLITIKK |
| 3 | | DET SOM SKJER I KOMMUNEN |
| 4 | | UTENRIKSPOLITIKK OG NORSK INNENRIKSPOLITIKK STILT LIKT |
| 5 | | NORSK INNENRIKSPOLITIKK OG DET SOM SKJER I KOMMUNEN STILT LIKT |
| 6 | | UTENRIKSPOLITIKK OG DET SOM SKJER I KOMMUNEN STILT LIKT |
| 7 | | LIKE INTERESSERT I ALLE TRE TEMAENE |
| 8 | | VET IKKE, KAN IKKE SI |

---

Endring og kontinuitet

*SPM. 4. La oss se tilbake på valget nå i høst. Kan du nevne en eller to saker som var spesielt viktige for din stemmegivning?

|  |  | FØRSTE SAK | ANDRE SAK |
|---|---|---|---|
|  |  | 76-77 | 78-79 |
| ØKONOMI | PRISSTIGNING.................................... | 01 ☐ | 01 ☐ |
|  | SYSSELSETTING.................................. | 02 ☐ | 02 ☐ |
|  | SKATT.......................................... | 03 ☐ | 03 ☐ |
|  | SOSIAL UTJEVNING/FORDELING..................... | 04 ☐ | 04 ☐ |
|  | OMFANGET AV OFFENTLIG SEKTOR................... | 05 ☐ | 05 ☐ |
|  | INDUSTRI/NÆRINGSPOLITIKK....................... | 06 ☐ | 06 ☐ |
|  | RENTEPOLITIKK.................................. | 07 ☐ | 07 ☐ |
|  | (ANDRE) ØKONOMISKE SPØRSMÅL.................... | 08 ☐ | 08 ☐ |
| HELSE/ SOSIAL | ELDREOMSORG.................................... | 09 ☐ | 09 ☐ |
|  | HELSEVESENET................................... | 10 ☐ | 10 ☐ |
|  | BARNEHAGER..................................... | 11 ☐ | 11 ☐ |
|  | MISBRUK AV TRYGDER............................. | 12 ☐ | 12 ☐ |
|  | (ANDRE) HELSE/SOSIALE SPØRSMÅL................. | 13 ☐ | 13 ☐ |
| MORAL/ LIVSSYN | ABORTSAK....................................... | 14 ☐ | 14 ☐ |
|  | FAMILIEPOLITIKK................................ | 15 ☐ | 15 ☐ |
|  | (ANDRE) MORALSKE/RELIGIØSE SPØRSMÅL............ | 16 ☐ | 16 ☐ |
| UTENRIKS/ FORSVAR | ATOMVÅPEN/NEDRUSTNING/NATO..................... | 17 ☐ | 17 ☐ |
|  | (ANDRE) FORSVARS- OG SIKKERHETSPOLITISKE SPØRSMÅL | 18 ☐ | 18 ☐ |
|  | NORSK EF-MEDLEMSKAP............................ | 19 ☐ | 19 ☐ |
|  | SKOLE- OG UTDANNINGSSPØRSMÅL................... | 20 ☐ | 20 ☐ |
|  | "LOV OG ORDEN" (KRIMINALPOLITIKK).............. | 21 ☐ | 21 ☐ |
|  | DESENTRALISERING/STØTTE TIL UTKANT-NORGE....... | 22 ☐ | 22 ☐ |
|  | MILJØVERN...................................... | 23 ☐ | 23 ☐ |
|  | LIKESTILLING MELLOM KVINNER OG MENN............ | 24 ☐ | 24 ☐ |
|  | INNVANDRINGS-/FLYKTNINGEPOLITIKKEN............. | 25 ☐ | 25 ☐ |
|  | ANDRE SPØRSMÅL ................................ SPESIFISER: _____ | 26 ☐ | 26 ☐ |
|  | INGEN SAKER SPESIELT VIKTIGE................... | 50 ☐ | |
|  | VET IKKE/KAN IKKE SI........................... | 80 ☐ | |
|  | KUN EN SAK NEVNT............................... | | 70 ☐ |

*SPM. 5. Nå vil vi gjerne høre ditt syn på en del spørsmål som det hersker delte meninger om blant folk.

Først er det spørsmålet om Norge fortsatt bør være medlem av NATO (Atlanterhavspakten) eller om medlemsskapet bør avvikles. Er dette et spørsmål du har en mening om?

80
1 ☐ JA ⟶ 6
2 ☐ NEI ⟶ 7

*SPM. 6. Noen er av den oppfatning at vi fortsatt bør holde fast ved NATO-alliansen, mens andre mener at vårt medlemsskap bør avvikles, hva er din mening?

81
1 ☐ HOLDER FAST VED NATO
2 ☐ VIL UT AV NATO
8 ☐ VET IKKE

SPM. 7. Noen mener at Norges hjelp til fattige land, de såkalte utviklingslandene, bør skjæres ned, mens andre mener at den bør opprettholdes som nå eller eventuelt økes. Hvordan ser du på det, mener du at norsk u-hjelp bør skjæres ned, at den bør opprettholdes som nå, eller mener du at den bør økes?

```
        82
  1    ┌──┐   BØR SKJÆRES NED
  2    │  │   OPPRETTHOLDES SOM NÅ
  3    │  │   BØR HELLER ØKES
  7    │  │   ANDRE SVAR
  8    └──┘   VET IKKE
```

SPM. 8. Nå kommer det noen spørsmål om supermaktene. Hvis du skulle si din mening om USA og Sovjetunionen, hvilket av utsagnene på dette kortet synes du passer best på de to statene? Nevn tallet foran det utsagnet som passer best.

┌─────────────────────────────────────────┐
│ **VED BESØKSINTERVJU: VIS KORT 1**       │
│ **VED TELEFONINTERVJU: LES KORT 1**      │
└─────────────────────────────────────────┘

1. Fører en politikk som stadig truer verdensfreden.

2. Bruker ofte militærmakt for å løse sine konflikter med andre stater.

3. Bruker iblant militærmakt for å løse sine konflikter med andre stater.

4. Forsøker å bevare freden i verden - hvis det blir krig, så skyldes det andre stater.

SPM. 8a) Vi begynner med Sovjet. Hvilket utsagn synes du passer best på Sovjet?

```
                          83
   NOTER TALLET  ──────►  ┌──┐
                          └──┘

                     8    ┌──┐  VET IKKE/VIL IKKE SVARE
                          └──┘
```

SPM. 8b) Når det gjelder USA, hvilket utsagn synes du passer best?

```
                          84
   NOTER TALLET  ──────►  ┌──┐
                          └──┘

                     8    ┌──┐  VET IKKE/VIL IKKE SVARE
                          └──┘
```

SPM. 9. Så har vi et par spørsmål om våre trygder. Noen mener at vi etter hvert har fått mer enn nok av trygder, og at vi bør søke å begrense dem i fremtiden, mens andre hevder at vi bør opprettholde våre trygdeordninger, og om nødvendig bygge dem videre ut. Hva er din mening. Synes du at det i framtiden bør bli mindre av trygder, bør de opprettholdes som de er nå, eller bør de bygges videre ut?

DERSOM DET ER TVIL OM HVOR SVARET SKAL KRYSSES AV, KRYSS AV FOR "ANDRE SVAR"

```
        85
  1    ┌──┐   BØR BLI MINDRE
  2    │  │   OPPRETTHOLDES SOM DE ER NÅ
  3    │  │   BYGGES VIDERE UT
  7    │  │   ANDRE SVAR
  8    └──┘   VET IKKE
```

SPM. 10. Mener du at våre trygder misbrukes i stor grad, at de misbrukes en del, eller at de misbrukes svært lite?

```
        86
    1  ▢   MISBRUKES I STOR GRAD
    2  ▢   MISBRUKES EN DEL
    3  ▢   MISBRUKES SVÆRT LITE
    8  ▢   VET IKKE
```

SPM. 11. Så er det diskusjonen om adgang til abort. Vi har samlet noen av de standpunktene som blir hevdet i denne debatten. Hvilken av disse uttalelsene stemmer best med din egen mening?

**VED BESØKSINTERVJU: VIS KORT 2**
**VED TELEFONINTERVJU: LES KORT 2**

```
        87
    1  ▢   Abort bør aldri tillates.
    2  ▢   Abort bør tillates bare hvis kvinnens liv eller helse er i fare.
    3  ▢   Abort bør også tillates hvis kvinnen på grunn av personlige
            forhold har meget vanskelig for å ta seg av et barn.
    4  ▢   Selvbestemt abort. Den enkelte kvinne må selv få bestemme om hun
            vil føde sitt barn.
    8  ▢   VET IKKE/VIL IKKE SVARE
```

SPM. 12. Vi kommer nå til en del meninger som folk gjerne gir uttrykk for. Vil du for hvert utsagn jeg leser opp si om du er: helt enig, nokså enig, nokså uenig eller helt uenig i dette?

| | HELT ENIG | NOKSÅ ENIG | BÅDE-OG | NOKSÅ UENIG | HELT UENIG | VET IKKE VIL IKKE SVARE | |
|---|---|---|---|---|---|---|---|
| | 1 | 2 | 3 | 4 | 5 | 8 | |
| A. Folk som meg kan nok stemme, men noe annet kan vi ikke gjøre for å innvirke på politikken. Er du helt enig, nokså enig, nokså uenig eller helt uenig? ...... | ▢ | ▢ | ▢ | ▢ | ▢ | ▢ | 88 |
| B. Den viktigste hensikt med et fengsels-opphold bør være å føre straffedømte tilbake til samfunnet ................... | ▢ | ▢ | ▢ | ▢ | ▢ | ▢ | 89 |
| C. For å trygge økonomisk vekst trenger vi fortsatt industriutbygging, selv om dette skulle komme i strid med naturverninteressene ................... | ▢ | ▢ | ▢ | ▢ | ▢ | ▢ | 90 |
| D. De som sitter på Stortinget og bestemmer tar ikke mye hensyn til det vanlige folk tror og mener........................... | ▢ | ▢ | ▢ | ▢ | ▢ | ▢ | 91 |
| E. Her i Norge er vi kommet så langt i å redusere økonomiske forskjeller som det er ønskelig å gå ...................... | ▢ | ▢ | ▢ | ▢ | ▢ | ▢ | 92 |
| F. Innvandring utgjør en alvorlig trussel mot vår nasjonale egenart ................ | ▢ | ▢ | ▢ | ▢ | ▢ | ▢ | 93 |
| G. Det som hender i politikken har sjelden noen større betydning for meg ........... | ▢ | ▢ | ▢ | ▢ | ▢ | ▢ | 94 |
| H. Bare med en sterk organisasjon i ryggen kan man oppnå noe i dagens samfunn ....... | ▢ | ▢ | ▢ | ▢ | ▢ | ▢ | 95 |
| I. Partiene er bare interessert i folks stemmer, ikke i deres meninger .......... | ▢ | ▢ | ▢ | ▢ | ▢ | ▢ | 96 |

SPM. 13.  Vi er interessert i hvordan folk har det økonomisk nå om dagen. Vil du si at du og din
          husstand har det økonomisk bedre eller dårligere enn for et år siden?

```
       97
  1  ┌─────┐   BEDRE ──────────► 14
  3  ├─────┤   SAMME ──────────► 16
  5  ├─────┤   DÅRLIGERE ──────► 15
  8  └─────┘   VET IKKE ───────► 16
```

SPM. 14.  Er det mye bedre eller litt bedre?

```
       98
  1  ┌─────┐   MYE BEDRE  ┐
  2  └─────┘   LITT BEDRE ┘────► 16
```

SPM. 15.  Er det mye dårligere eller litt dårligere?

```
       99
  1  ┌─────┐   MYE DÅRLIGERE
  2  └─────┘   LITT DÅRLIGERE
```

SPM. 16.  La oss så snakke om den økonomiske situasjonen for hele landet. Vil du si at landets
          økonomi i løpet av det siste året er blitt bedre, har holdt seg på samme nivå, eller
          er blitt dårligere?

```
      100
  1  ┌─────┐   BLITT BEDRE ──────────────► 17
  3  ├─────┤   HOLDT SEG PÅ SAMME NIVÅ ──► 19
  5  ├─────┤   BLITT DÅRLIGERE ──────────► 18
  8  └─────┘   VET IKKE ──────────────────► 19
```

SPM. 17.  Vil du si mye bedre eller litt bedre?

```
      101
  1  ┌─────┐   MYE BEDRE ────────────────► 19
  2  └─────┘   LITT BEDRE ───────────────► 19
```

SPM. 18.  Vi du si mye dårligere eller litt dårligere?

```
      102
  1  ┌─────┐   MYE DÅRLIGERE
  2  └─────┘   LITT DÅRLIGERE
```

SPM. 19.  La oss tenke framover de nærmeste årene. Tror du at din økonomiske situasjon vil
          være omtrent som nå, vil den bli bedre enn nå, eller frykter du at den vil bli
          verre enn nå?

```
      103
  1  ┌─────┐   BEDRE ENN NÅ
  3  ├─────┤   OMTRENT SOM NÅ
  5  ├─────┤   VERRE ENN NÅ
  8  └─────┘   VET IKKE
```

SPM. 20.  Har du selv eller noen i din husstand vært arbeidsledige eller hatt store vansker
med å skaffe jobb i løpet av de fire siste årene?

104

1  ☐  JA, ARBEIDSLEDIG (SELV ELLER ANDRE I HUSSTANDEN)
2  ☐  VISSE VANSKER MED Å SKAFFE JOBB
3  ☐  NEI, INGEN VANSKER MED JOBB
4  ☐  INGEN SYSSELSATTE I HUSSTANDEN (PENSJONIST, TRYGDET) ──────→ 22
8  ☐  VET IKKE, KAN IKKE SI


SPM. 21.  Frykter du eller frykter du ikke at du selv eller noen i din husstand skal bli rammet
av arbeidsledighet i de nærmeste årene framover?

105

1  ☐  FRYKTER ARBEIDSLEDIGHET
2  ☐  KANSKJE EN VISS MULIGHET FOR ARBEIDSLEDIGHET
3  ☐  FRYKTER IKKE ARBEIDSLEDIGHET
8  ☐  VET IKKE


SPM. 22.  Når du ser tilbake på valget nå i høst, vil du si at du <u>personlig</u> brydde deg meget om
hvilket parti eller hvilke partier som vant eller tapte ved valget, brydde du deg en
del om det eller spilte det liten rolle for deg personlig?

106

1  ☐  BRYDDE SEG MEGET OM DET
3  ☐  BRYDDE SEG EN DEL OM DET
5  ☐  DET SPILTE LITEN ROLLE
8  ☐  VET IKKE/VIL IKKE SVARE


SPM. 23.  Vi har hatt en Arbeiderpartiregjering de siste par årene. La oss se litt nærmere på den
politikk som har vært ført på et par områder i denne tiden.

Vi har hatt en del <u>arbeidsledighet</u>.  Hva tror du dette skyldes mest, <u>regjeringens politikk</u>
eller <u>andre årsaker</u>?

107

1  ☐  REGJERINGENS POLITIKK
3  ☐  REGJERINGENS POLITIKK OG ANDRE ÅRSAKER LIKE VIKTIG  ──→  24
7  ☐  ANDRE ÅRSAKER
8  ☐  VET IKKE ───────────────────────────────────  25


SPM. 24.  La oss tenke oss at vi hadde hatt en borgerlig regjering i disse årene, tror du da at
arbeidsledigheten ville ha vært:

108

1  ☐  Større enn nå?
3  ☐  Omtrent som nå?
5  ☐  Mindre enn nå?
8  ☐  VET IKKE, KAN IKKE SI

SPM. 25. Prisstigningen er lavere enn før. Hva tror du dette skyldes mest, regjeringens politikk
eller andre årsaker?

```
        109
1       ┌───┐   REGJERINGENS POLITIKK                                    ┐
3       │   │   REGJERINGENS POLITIKK OG ANDRE ÅRSAKER LIKE VIKTIG      ├──► 26
7       │   │   ANDRE ÅRSAKER                                           ┘
8       └───┘   VET IKKE ─────────────────────────────────────────────────► 27
```

SPM. 26. La oss anta at vi hadde hatt en borgerlig regjering, tror du at prisene ville ha vært...

```
        110
1       ┌───┐   lavere enn nå?
3       │   │   omtrent som nå?
5       │   │   høyere enn nå?
8       └───┘   VET IKKE
```

SPM. 27. Nå vil vi gjerne vite litt om ditt forhold til partiene. Vi minner igjen om at alle
disse opplysningene blir behandlet strengt fortrolig.

Mange føler seg som tilhengere av et bestemt parti, mens andre føler seg mer ubundet
av partiene. Vil du si at du i alminnelighet tenker på deg selv som en høyremann
(-kvinne), en arbeiderpartimann (-kvinne), SV-mann (-kvinne) osv., eller føler du
deg ikke knyttet til noen av partiene?

```
    ↓11-112
00      ┌───┐   RØD VALGALLIANSE (RV/AKP (M-L))              ┐
01      │   │   NORGES KOMMUNISTISKE PARTI (NKP)             │
02      │   │   SOSIALISTISK VENSTREPARTI (SV)               │
03      │   │   DET NORSKE ARBEIDERPARTI (DNA)               │
04      │   │   VENSTRE (V)                                  │
05      │   │   KRISTELIG FOLKEPARTI (KRF)                   │
06      │   │   SENTERPARTIET (SP)                           ├──► 28
08      │   │   HØYRE (H)                                    │
09      │   │   FREMSKRITTSPARTIET (FRP)                     │
10      │   │   ANDRE PARTIER NEVNT                          ┘
50      │   │   IKKE KNYTTET TIL NOEN AV PARTIENE           ┐
11      └───┘   VET IKKE/VIL IKKE SVARE                     ┘──► 29
```

SPM. 28. Betrakter du deg som sterkt overbevist tilhenger av ditt parti, eller er du
ikke særlig sterkt overbevist?

```
        113
1       ┌───┐   STERKT OVERBEVIST
2       └───┘   IKKE SÆRLIG OVERBEVIST
```

SPM. 29. Er du for tiden betalende medlem av noe parti?

```
        114
1       ┌───┐   JA ─────────────────► 30
5       │   │   NEI ────────────────► 31
8       └───┘   VET IKKE, VIL IKKE SI ──► 32
```

SPM. 30. Hvilket parti er det?

115-116

00 ☐ RØD VALGALLIANSE (RV/AKP (M-L))
01 ☐ NORGES KOMMUNISTISKE PARTI (NKP)
02 ☐ SOSIALISTISK VENSTREPARTI (SV)
03 ☐ DET NORSKE ARBEIDERPARTI (DNA)
04 ☐ VENSTRE (V)
05 ☐ KRISTELIG FOLKEPARTI (KRF)
06 ☐ SENTERPARTIET (SP)  ⟶ 32
08 ☐ HØYRE (H)
09 ☐ FREMSKRITTSPARTIET (FRP)
10 ☐ ANDRE PARTIER NEVNT
11 ☐ VET IKKE/VIL IKKE SVARE

SPM. 31. Kunne du tenke deg å bli medlem av noe parti?

117

1 ☐ JA
2 ☐ NEI
8 ☐ VET IKKE, VIL IKKE SI

SPM. 32. Vi har noen flere utsagn om politikk. Vi bruker de samme svaralternativer som tidligere: Helt enig, nokså enig, nokså uenig og helt uenig. Vil du være så vennlig å si hvilket svar du gir for hvert utsagn jeg leser opp?

| | HELT ENIG | NOKSÅ ENIG | BÅDE/ OG | NOKSÅ UENIG | HELT UENIG | VET IKKE/ VIL IKKE SVARE | |
|---|---|---|---|---|---|---|---|
| | 1 | 2 | 3 | 4 | 5 | 8 | |
| A. For å oppmuntre innsatsviljen til den enkelte, bør vi godta større lønnsforskjeller enn i dag .......... | ☐ | ☐ | ☐ | ☐ | ☐ | ☐ | 118 |
| B. I dårlige tider bør vi først og fremst sørge for arbeid til nordmenn | ☐ | ☐ | ☐ | ☐ | ☐ | ☐ | 119 |
| C. Vi bør satse på et samfunn med høy økonomisk vekst og høy produktivitet | ☐ | ☐ | ☐ | ☐ | ☐ | ☐ | 120 |
| D. Vi bør øke den økonomiske støtten til innvandrerne slik at de kan bevare sin egen kultur .............. | ☐ | ☐ | ☐ | ☐ | ☐ | ☐ | 121 |
| E. Vi bør satse mer på renseanlegg for utslipp fra private husholdninger, industri og jordbruk, selv om dette fører til økte skatter og avgifter .. | ☐ | ☐ | ☐ | ☐ | ☐ | ☐ | 122 |
| F. Det er viktigere å bygge ut offentlige tjenester enn å sette ned skatten | ☐ | ☐ | ☐ | ☐ | ☐ | ☐ | 123 |
| G. De store organisasjonene i arbeids- og næringslivet har fått altfor stor makt i samfunnet ................ | ☐ | ☐ | ☐ | ☐ | ☐ | ☐ | 124 |
| H. Samfunnet bør styres etter de samme retningslinjer som private bedrifter | ☐ | ☐ | ☐ | ☐ | ☐ | ☐ | 125 |
| I. Tempoet i utbyggingen av vassdrag bør økes ........................... | ☐ | ☐ | ☐ | ☐ | ☐ | ☐ | 126 |

SPM. 33. La oss tenke oss at det skulle holdes ny folkeavstemning om EF-medlemskap imorgen, ville du da stemme <u>for</u> eller <u>mot</u> ?

127

1 [ ] VILLE STEMME FOR (JA)
5 [ ] VILLE STEMME MOT (NEI)
6 [ ] VILLE IKKE STEMME
8 [ ] VET IKKE, VIL IKKE SI

SPM. 34. Hvor stor tror du faren er for at Norge skal komme med i en ny krig i de nærmeste årene, tror du faren er <u>stor</u>, tror du den er <u>nokså stor</u>, tror du den er <u>ganske liten</u>, eller tror du at det <u>overhodet ikke finnes noen fare</u>?

128

1 [ ] STOR
3 [ ] NOKSÅ STOR
5 [ ] GANSKE LITEN
7 [ ] OVERHODET INGEN FARE
8 [ ] VET IKKE/VIL IKKE SVARE

SPM. 35. La oss tenke oss to personer som arbeider ved to forskjellige bedrifter og som utfører nøyaktig samme jobb. Den ene bedriften går bedre enn den andre. Bør den som arbeider på den mest lønnsomme bedriften også ha høyere lønn ?

129

1 [ ] JA
2 [ ] NEI
3 [ ] ANDRE SVAR
8 [ ] VET IKKE/VIL IKKE SVARE

SPM. 36. Innvandrere har nå stemmerett ved kommunevalg etter 3 års botid i Norge. Mener du dette er <u>riktig tidspunkt</u>, <u>for sent</u>, <u>for tidlig</u>, eller <u>bør de ikke ha stemmerett i det hele tatt</u> ?

130

1 [ ] RIKTIG TIDSPUNKT
2 [ ] FOR SENT
3 [ ] FOR TIDLIG
4 [ ] BØR IKKE HA STEMMERETT
9 [ ] VET IKKE

*SPM. 37. Det er flere institusjoner i vårt samfunn som utfører viktige oppgaver. Vi vil gjerne vite hvordan du ser på den virksomhet som hver enkelt institusjon driver. Vi har laget en skala som går fra 1 til 10. Verdien 1 på skalaen betyr at du er svært misfornøyd med institusjonen, og verdien 10 betyr at du er svært fornøyd. Kan du for hver institusjon jeg leser opp plassere den på skalaen.

**VED BESØKSINTERVJU: VIS KORT 3**

SVÆRT
MISFORNØYD

VERKEN/
ELLER

SVÆRT
FORNØYD

VET IKKE/
VIL IKKE
SVARE

| 1 | 2 | 3 | 4 | 5 | 6 | 7 | 8 | 9 | 10 | 0 |

NOTER TALLET SOM IO NEVNER. SETT VERDIEN O HVIS IO SVARER VET IKKE ELLER IKKE VIL SVARE.

A) Stortinget ........................... [ | ] 131-132

B) Regjeringen .......................... [ | ] 133-134

C) Domstolene ........................... [ | ] 135-136

D) Avisene .............................. [ | ] 137-138

E) Banker og forsikringsselskap .......... [ | ] 139-140

F) Offentlig forvaltning i stat og kommune [ | ] 141-142

G) Skole- og utdanningssystemet .......... [ | ] 143-144

H) Norsk rikskringkasting (NRK) .......... [ | ] 145-146

I) Landsorganisasjonen (LO) ............. [ | ] 147-148

J) Arbeidsgiverorganisasjonen (NHO/NAF) .. [ | ] 149-150

SPM. 38. I de senere år er det lagt vekt på å skape likestilling mellom kvinner og menn. Vil du si at likestillingen bør føres videre, er den ført langt nok, er den ført for langt, eller har du ingen mening om denne saken?

```
     151
1  [    ]  BØR FØRES VIDERE
2  [    ]  FØRT LANGT NOK
3  [    ]  FØRT FOR LANGT
4  [    ]  INGEN MENING
8  [    ]  VET IKKE, VIL IKKE SVARE
```

SPM. 39. Er du i hovedsak for eller mot å gi personer som er samboende like rettigheter og plikter som gifte, eller har du ingen mening om denne saken?

```
     152
1  [    ]  I HOVEDSAK FOR
2  [    ]  I HOVEDSAK MOT
3  [    ]  INGEN MENING
8  [    ]  VET IKKE/VIL IKKE SVARE
```

SPM. 40. Partiene har arrangert en rekke møter for å diskutere oppstillingen av valglistene foran høstens Stortingsvalg. Har du deltatt i noen slike møter?

```
     153
1  [    ]  JA
2  [    ]  NEI
3  [    ]  ANDRE SVAR
8  [    ]  HUSKER IKKE/VIL IKKE SVARE
```

SPM. 41. Vi har så noen spørsmål om politiske aktiviteter som man kan delta i. Har du i løpet av de siste fire årene:

| | JA | NEI | VET IKKE/ HUSKER IKKE | |
|---|---|---|---|---|
| | 1 | 2 | 8 | |
| A) skrevet under opprop,aksjonsliste,underskriftskampanje - o.l. for å fremme en bestemt politisk sak? | [ ] | [ ] | [ ] | 154 |
| B) deltatt i demonstrasjon/aksjon e.l. for å fremme en bestemt politisk sak? | [ ] | [ ] | [ ] | 155 |
| C) skrevet i avisen for å fremme en bestemt politisk sak? | [ ] | [ ] | [ ] | 156 |
| D) tatt opp saken i parti, fagforening eller annen organisasjon? | [ ] | [ ] | [ ] | 157 |
| E) sendt skriftlig klage, fremmet annet forslag, o.l.? | [ ] | [ ] | [ ] | 158 |
| F) henvendt deg til en folkevalgt representant? | [ ] | [ ] | [ ] | 159 |

*SPM. 42A. Det er så mye snakk om motsetningen mellom <u>høyresiden</u> og <u>venstresiden</u> i politikken.
Her har vi en skala som går fra 1 på venstre side - dvs. de som står helt til venstre
politisk - og til 10 på høyre side, dvs. de som står helt til høyre politisk. Hvor
ville du plassere <u>deg selv</u> på denne skalaen?

```
┌──────────────────────────────────────────┐
│        VED BESØKSINTERVJU: VIS KORT 4      │
└──────────────────────────────────────────┘
```

```
                                              HELT    VET IKKE/
                                              TIL     KAN IKKE
  HELT TIL                    VERKEN/          HØYRE   SVARE
  VENSTRE                     ELLER
      │                        /\               │       │
      ▼                       /  \              ▼       ▼
    1       2      3      4    5    6     7      8      9      10      0
  ┌───┐  ┌───┐  ┌───┐  ┌───┐ ┌───┐ ┌───┐ ┌───┐ ┌───┐ ┌───┐  ┌───┐   ┌───┐
  └───┘  └───┘  └───┘  └───┘ └───┘ └───┘ └───┘ └───┘ └───┘  └───┘   └───┘  160-161
```

BARE HELE TALL GODTAS.  KRYSS AV FOR DET <u>SVARTALLET</u> IO OPPGIR

B)   Hvor vil du plassere de ulike <u>partiene</u> på en slik skala?

```
      ┌────────────────────────────────────────────────────┐
      │     VED BESØKSINTERVJU: VIS IGJEN KORT 4            │
      │     VED TELEFONINTERVJU: GJENTA SKALAEN OM NØDVENDIG│
      └────────────────────────────────────────────────────┘
```

La oss først ta Senterpartiet.

NEVN HVERT AV PARTIENE NEDENFOR OG <u>MERK AV SVARTALLET</u> I RUTEN TIL HØYRE. FLERE PARTIER
KAN HA SAMME PLASSERING. MERK AV VERDIEN 0 HVIS IO SVARER VET IKKE ELLER IKKE VIL SVARE.

<u>SVARTALL</u>

| | | |
|---|---|---|
| Senterpartiet (SP)........... | ☐ | 162-163 |
| Fremskrittspartiet (FRP)...... | ☐ | 164-165 |
| Venstre (V)................. | ☐ | 166-167 |
| Arbeiderpartiet (DNA)........ | ☐ | 168-169 |
| Høyre (H)................... | ☐ | 170-171 |
| Kristelig Folkeparti (KRF).... | ☐ | 172-173 |
| Sosialistisk Venstreparti (SV) | ☐ | 174-175 |

*SPM. 43A. Vi er nå interessert i vite hvordan du stiller deg til en del politiske saker. Deretter
vil vi gjerne vite hvordan du vurderer de forskjellige partienes standpunkter i de
samme sakene. Vi bruker fortsatt en skala fra 1 til 10.

Først gjelder det spørsmålet om nosk landbrukspolitikk.

> **VED BESØKSINTERVJU: VIS KORT 5**

Noen mener at norsk landbruk bør klare seg uten offentlig støtte og tollbeskyttelse mot
utenlandsk konkurranse. La oss anta at de som står for dette syn plasserer seg på verdien 1
på denne skalaen. Andre mener at vi bør opprettholde de støtteordninger som i dag finnes for
landbruket. La oss anta at de som har dette syn skal ha verdien 10 på skalaen. Det finnes
selvfølgelig også noen som befinner seg mellom disse to ytterpunktene.

Hvor plasserer du deg selv på denne skalaen, eller har du ikke tenkt så mye på dette spørsmålet?

NOTER TALLET 10 NEVNER. BARE HELE TALL GODTAS.

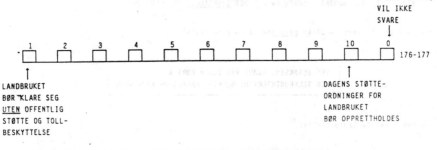

INGEN MENING/
VIL IKKE
SVARE

1  2  3  4  5  6  7  8  9  10  0      176-177

LANDBRUKET
BØR KLARE SEG
UTEN OFFENTLIG
STØTTE OG TOLL-
BESKYTTELSE

DAGENS STØTTE-
ORDNINGER FOR
LANDBRUKET
BØR OPPRETTHOLDES

B.) Hvor vil du plassere de ulike partienes standpunkt langs denne skalaen?

> **VED BESØKSINTERVJU: VIS IGJEN KORT 5**
> **TELEFONINTERVJU: GJENTA SKALAEN OM NØDVENDIG**

La oss først ta Senterpartiet.

NEVN HVERT AV PARTIENE NEDENFOR OG MERK AV SVARTALLET I RUTEN TIL HØYRE. FLERE PARTIER
KAN HA SAMME PLASSERING. MERK AV VERDIEN 0 HVIS 10 SVARER VET IKKE ELLER IKKE VIL SVARE.

SVARTALL

Senterpartiet (SP)............ [____] 178-179

Fremskrittspartiet (FRP)...... [____] 180-181

Venstre (V).................. [____] 182-183

Arbeiderpartiet (DNA)........ [____] 184-185

Høyre (H)................... [____] 186-187

Kristelig Folkeparti (KRF).... [____] 188-189

Sosialistisk Venstreparti (SV) [____] 190-191

*SPM. 44A. Neste sak gjelder <u>natur- og miljøvern</u>.

```
┌──────────────────────────────────────────┐
│   VED BESØKSINTERVJU: VIS KORT 6          │
└──────────────────────────────────────────┘
```

Verdi 1 uttrykker ønsket om at vi bør satse mye mer på miljøvern, selv om det medfører betydelig

lavere levestandard for alle, inkludert deg selv. Verdi 10 uttrykker at miljøvernet ikke bør

føres så langt at det går utover vår levestandard.

Hvor vil du plassere <u>deg selv</u> på skalaen, eller har du ikke tenkt
så mye på dette spørsmålet?

      NOTER TALLET IO NEVNER.  BARE HELE TALL GODTAS.

INGEN MENING/
VIL IKKE
SVARE

| 1 | 2 | 3 | 4 | 5 | 6 | 7 | 8 | 9 | 10 | 0 |

192-193

ØKT MILJØVERN
SELV OM DET MED-
FØRER BETYDELIG
LAVERE LEVESTANDARD
FOR ALLE -
INKLUDERT DEG SELV

MILJØVERNET BØR
IKKE FØRES SÅ
LANGT AT DET
GÅR UT OVER VÅR
LEVESTANDARD

B).  Hvor vil du plassere <u>partiene</u> på denne skalaen ?

```
┌──────────────────────────────────────────────────┐
│   VED BESØKSINTERVJU: VIS IGJEN KORT 6            │
│   VED TELEFONINTERVJU: GJENTA SKALAEN OM NØDVENDIG│
└──────────────────────────────────────────────────┘
```

La oss igjen først ta Senterpartiet.

NEVN HVERT AV PARTIENE NEDENFOR OG MERK AV SVARTALLET I RUTEN TIL HØYRE. FLERE PARTIER
KAN HA SAMME PLASSERING.  MERK AV VERDIEN O HVIS IO SVARER VET IKKE ELLER IKKE VIL SVARE

                          <u>SVARTALL</u>

Senterpartiet (SP)............ ☐ 194-195

Fremskrittspartiet (FRP)....... ☐ 196-197

Venstre (V)................... ☐ 198-199

Arbeiderpartiet (DNA)......... ☐ 200-201

Høyre (H)..................... ☐ 202-203

Kristelig Folkeparti (KRF)..... ☐ 204-205

Sosialistisk Venstreparti (SV) ☐ 206-207

*SPM. 45A. Så er det spørsmålet om <u>norsk innvandringspolitikk</u>.

```
┌─────────────────────────────────────────┐
│       VED BESØKSINTERVJU: VIS KORT 7      │
└─────────────────────────────────────────┘
```

Verdien 1 på skalaen gir uttrykk for standpunktet at vi bør gjøre det lettere for innvandrere
å få adgang til Norge, mens verdien 10 uttrykker den oppfatning at antallet innvandrere til
Norge bør begrenses enda sterkere enn i dag.

Hvor plasserer du <u>deg selv</u> på denne skalaen, eller har du ikke tenkt så mye på dette spørsmålet?

NOTER TALLET IO NEVNER. BARE HELE TALL GODTAS.

INGEN MENING/
VIL IKKE
SVARE

| 1 | 2 | 3 | 4 | 5 | 6 | 7 | 8 | 9 | 10 | 0 |
|---|---|---|---|---|---|---|---|---|----|---|

208-209

↑
VIL GJØRE
DET LETTERE FOR
INNVANDRERE Å FÅ
ADGANG TIL
NORGE

↑
ENDA STERKERE
BEGRENSNING AV
ANTALL INN-
VANDRERE TIL
NORGE

B).  Hvor vil du plassere de ulike <u>partiene</u> på skalaen?

```
┌────────────────────────────────────────────────────┐
│     VED BESØKSINTERVJU: VIS IGJEN KORT 7            │
│     VED TELEFONINTERVJU: GJENTA SKALAEN OM NØDVENDIG │
└────────────────────────────────────────────────────┘
```

La oss begynne med Senterpartiet.

NEVN HVERT AV PARTIENE NEDENFOR OG MERK AV SVARTALLET I RUTEN TIL HØYRE. FLERE
PARTIER KAN HA SAMME PLASSERING. MERK AV VERDIEN O HVIS IO SVARER VET IKKE ELLER IKKE VIL SVARE

SVARTALL

Senterpartiet (SP)..............  [___]  210-211

Fremskrittspartiet (FRP)........  [___]  212-213

Venstre (V)....................  [___]  214-215

Arbeiderpartiet (DNA)..........  [___]  216-217

Høyre (H)......................  [___]  218-219

Kristelig Folkeparti (KRF)......  [___]  220-221

Sosialistisk Venstreparti (SV)  [___]  222-223

*SPM. 48A. Tilslutt gjelder det kriminalpolitikken.

| VED BESØKSINTERVJU: VIS KORT 10 |

Verdi 1 står for det standpunkt at voldsforbrytelser bør straffes langt hardere enn
de blir nå, mens verdi 10 står for den oppfatning at straffene heller bør bli mildere.

Hvor vil du plassere deg selv på denne skalaen, eller har du ikke tenkt så mye på dette spørsmålet?

NOTER TALLET IO NEVNER.  BARE HELE TALL GODTAS.

```
                                                              INGEN MENING/
                                                                VIL IKKE
                                                                 SVARE
                                                                   ↓
     1     2     3     4     5     6    ·7     8     9    10      0
   ┌───┐ ┌───┐ ┌───┐ ┌───┐ ┌───┐ ┌───┐ ┌───┐ ┌───┐ ┌───┐ ┌───┐ ┌───┐  256-257
   └───┘ └───┘ └───┘ └───┘ └───┘ └───┘ └───┘ └───┘ └───┘ └───┘ └───┘
     ↑                                               ↑
   VOLDS-                                          STRAFFENE BØR
   FORBRYTELSER                                    BLI MILDERE
   BØR STRAFFES
   LANGT HARDERE
```

B.)  Hvor vil du plassere partienes standpunkter på skalaen?

| VED BESØKSINTERVJU: VIS IGJEN KORT 10 |
| VED TELEFONINTERVJU: GJENTA SKALAEN OM NØDVENDIG |

La oss igjen begynne med Senterpartiet.

NEVN HVERT AV PARTIENE NEDENFOR OG MERK AV SVARTALLET I RUTEN TIL HØYRE. FLERE PARTIER
KAN HA SAMME PLASSERING. MERK AV VERDIEN 0 HVIS IO SVARER VET IKKE ELLER IKKE VIL SVARE.

SVARTALL

Senterpartiet (SP)............. ┌───┐ 258-259

Fremskrittspartiet (FRP)....... ┌───┐ 260-261

Venstre (V)................... ┌───┐ 262-263

Arbeiderpartiet (DNA).......... ┌───┐ 264-265

Høyre (H)..................... ┌───┐ 266-267

Kristelig Folkeparti (KRF)..... ┌───┐ 268-269

Sosialistisk Venstreparti (SV).. ┌───┐ 270-271

Vi går nå over til noen andre spørsmål.

SPM. 49. Mener du at de som styrer sløser bort en stor del av de pengene vi betaler i skatt,
sløser de bort noe av dem, eller sløser de i virkeligheten bort svært lite av pengene?

```
        272
  1    ┌───┐  EN STOR DEL
  2    │   │  NOE
  3    │   │  SVÆRT LITE
  8    └───┘  VET IKKE/VIL IKKE SVARE
```

SPM. 50. Føler du det slik at de fleste norske politikere er dyktige folk som vanligvis vet hva
de foretar seg, eller tror du at mange av dem har lite kjennskap til de saker de er satt
til å behandle?

```
        273
  1    ┌───┐  DE FLESTE VET HVA DE FORETAR SEG
  2    │   │  MANGE HAR LITE KJENNSKAP TIL SAKENE
  8    └───┘  VET IKKE/VIL IKKE SVARE
```

SPM. 51. Mener du at de fleste av våre politikere er troverdige, at politikerne stort sett
er troverdige, eller at få norske politikere er troverdige?

```
        274
  1    ┌───┐  DE FLESTE TROVERDIGE
  2    │   │  STORT SETT TROVERDIGE
  3    │   │  FÅ TROVERDIGE POLITIKERE
  8    └───┘  VET IKKE/VIL IKKE SVARE
```

SPM. 52. Hvordan synes du demokratiet virker her i landet? Vil du si at du stort sett er...

```
        275
  1    ┌───┐  meget fornøyd?
  2    │   │  ganske fornøyd?
  3    │   │  ikke særlig fornøyd?
  4    │   │  overhodet ikke fornøyd?
  8    └───┘  VET IKKE
```

*SPM. 53. Jeg vil nå lese opp en del forslag som noen mener bør gjennomføres i Norge. For hvert
av disse forslagene kan du si om det er:

---
**VED BESØKSINTERVJU: VIS KORT 11**
---

Et godt forslag som det er meget viktig å få gjennomført,

et godt forslag som det er ganske viktig å få gjennomført,

et dårlig forslag som det er ganske viktig ikke blir gjennomført,

et dårlig forslag som det er meget viktig ikke blir gjennomført,

eller er du lite opptatt av dette spørsmålet?

LES OPP FORSLAGENE NEDENFOR I TUR OG ORDEN OG KRYSS AV FOR HVERT FORSLAG

| Hvis du nå bruker ett av svarene, hvordan ser du på: | GODT FORSLAG: MEGET VIKTIG AT DET BLIR GJENNOM- FØRT | GODT FORSLAG: GANSKE VIKTIG AT DET BLIR GJENNOM- FØRT | ER LITE OPPTATT AV SPØRS- MÅLET | DÅRLIG FORSLAG: GANSKE VIKTIG IKKE BLIR GJENNOM- FØRT | DÅRLIG FORSLAG: MEGET VIKTIG IKKE BLIR GJENNOM- FØRT | VET IKKE/ VIL IKKE SVARE | |
|---|---|---|---|---|---|---|---|
| | 1 | 2 | 3 | 4 | 5 | 8 | |
| A. Redusere den statlige kontrollen over privat næringsdrift ............. | ☐ | ☐ | ☐ | ☐ | ☐ | ☐ | 276 |
| B. Sosialisere store og viktige bedrifter ......... | ☐ | ☐ | ☐ | ☐ | ☐ | ☐ | 277 |
| C. Redusere forsvarsutgiftene | ☐ | ☐ | ☐ | ☐ | ☐ | ☐ | 278 |
| D. Forby alle former for pornografi ............... | ☐ | ☐ | ☐ | ☐ | ☐ | ☐ | 279 |
| E. Redusere skatten på høye inntekter ................. | ☐ | ☐ | ☐ | ☐ | ☐ | ☐ | 280 |
| F. Forby bruk av privatbil i indre byområder ........... | ☐ | ☐ | ☐ | ☐ | ☐ | ☐ | 281 |
| G. Markedskreftene, dvs. til-bud og etterspørsel, bør i større grad enn nå styre den økonomiske utvikling ... | ☐ | ☐ | ☐ | ☐ | ☐ | ☐ | 282 |

SPM. 54. Vi vil gjerne høre om du har deltatt i politiske diskusjoner eller samtaler foran
valget i år. Hvor ofte pratet du om valget i familien eller med venner og bekjente.
Vil du si...

283
1 ☐ daglig?
2 ☐ et par ganger i uken?
3 ☐ mer sjelden?
4 ☐ aldri?
8 ☐ HUSKER IKKE, VIL IKKE SI

SPM. 55. Vi vil gjerne vite hvordan du liker de ulike partiene. Vi har laget en skala som går fra 0 til 100, som vi kaller "sympatitermometer".

```
VED BESØKSINTERVJU: VIS KORT 12 MERKET TERMOMETER
```

Ved 50-grader-streken plasserer du partier som du verken liker eller misliker. Et parti som du liker, skal ha en plassering fra 50 til 100 grader. Jo bedre du liker partiet, desto høyere plassering. Hvis det derimot er et parti du ikke liker, skal det plasseres mellom 0 og 50 grader, og med 0 som uttrykk for minst sympati.

MERK AV VERDIEN 999 HVIS IO SVARER VET IKKE ELLER IKKE VIL SVARE

La oss begynne med:

| PARTI: | GRADER: |
|---|---|
| Kristelig Folkeparti...................... | ☐☐☐ 284-286 |
| Venstre................................... | ☐☐☐ 287-289 |
| Senterpartiet ............................ | ☐☐☐ 290-292 |
| Sosialistisk Venstreparti................. | ☐☐☐ 293-295 |
| Høyre..................................... | ☐☐☐ 296-298 |
| Arbeiderpartiet........................... | ☐☐☐ 299-301 |
| Fremskrittspartiet........................ | ☐☐☐ 302-304 |

SPM. 56. Om vi nå ser bort fra partitilknytningen, hvordan ser du på noen av våre politiske ledere? Også her bruker vi sympatitermometeret som går fra 0 til 100. Hvilken plassering vil du gi:

```
VED BESØKSINTERVJU: VIS IGJEN KORT 12
```

MERK AV VERDIEN 999 HVIS IO SVARER VET IKKE ELLER IKKE VIL SVARE

| LEDER: | GRADER: |
|---|---|
| Johan J. Jakobsen........................ | ☐☐☐ 305-307 |
| Gro Harlem Brundtland..................... | ☐☐☐ 308-310 |
| Jan P. Syse............................... | ☐☐☐ 311-313 |
| Arne Fjørtoft............................. | ☐☐☐ 314-316 |
| Carl I. Hagen............................. | ☐☐☐ 317-319 |
| Erik Solheim.............................. | ☐☐☐ 320-322 |
| Kjell Magne Bondevik...................... | ☐☐☐ 323-325 |

SPM. 57. Stemte du ved valget i høst?

```
         326
1     ☐   JA ─────────────→ 58
2     ☐   NEI ────────────→ 60
8     ☐   VIL IKKE SVARE ──→ 63
```

SPM 58. Mange sier det var svært lett å bestemme seg for det parti en skulle stemme på ved
dette valget, mens andre syntes det var svært vanskelig. Hvordan var det med deg,
syntes du det var...

327

| 1 | | svært lett? |
| 2 | | nokså lett? |
| 4 | | nokså vanskelig? |
| 5 | | svært vanskelig? |
| 8 | | VET IKKE/KAN IKKE SI |

SPM. 59. Når var det du bestemte deg for å stemme på det partiet du valgte - var det lenge før
valgkampen begynte, var det en gang under valgkampen, eller var det like før valgdagen?

328

| 1 | | LENGE FØR VALGKAMPEN BEGYNTE |
| 2 | | UNDER VALGKAMPEN |
| 3 | | LIKE FØR VALGDAGEN |
| 8 | | VET IKKE/KAN IKKE SI |

→ 61

SPM. 60. Hvorfor stemte du ikke ?

329-330

| 01 | | ER IKKE INTERESSERT I POLITIKK. |
| 02 | | HAR IKKE GREIE PÅ POLITIKK, MANGLER KUNNSKAP, INFORMASJON. |
| 03 | | HAR INGEN POLITISKE MENINGER. |
| 04 | | DET ER FOR MYE UENIGHET MELLOM PARTIENE, LIKER IKKE DET POLITISKE SPILLET. |
| 05 | | PARTIENE ER FOR ENIGE, SER INGEN FORSKJELL. |
| 06 | | HAR IKKE TILLIT TIL NOEN AV PARTIENE. |
| 07 | | ER IKKE STERKT NOK BUNDET TIL NOE PARTI, ER IKKE NOK OVERBEVIST. |
| 08 | | MIN STEMME GJØR INGENTING VERKEN FRA ELLER TIL. |
| 09 | | EVENTUELT ANDRE ÅRSAKER. |
| 10 | | VET IKKE/VIL IKKE SVARE |

→ 63

SPM. 61. Hvilket parti eller hvilken liste stemte du på?

331-332

| 00 | | RØD VALGALLIANSE (AKP(M-L)) |
| 01 | | NORGES KOMMUNISTISKE PARTI (NKP) |
| 02 | | SOSIALISTISK VENSTREPARTI (SV) |
| 03 | | DET NORSKE ARBEIDERPARTIET (DNA) |
| 04 | | VENSTRE (V) |
| 05 | | KRISTELIG FOLKEPARTI (KRF) |
| 06 | | SENTERPARTIET (SP) |
| 07 | | FYLKESLISTENE FOR MILJØ OG SOLIDARITET |
| 08 | | HØYRE (H) |
| 09 | | FREMSKRITTSPARTIET (FRP) |
| 10 | | ANDRE PARTIER/LISTER, SPESIFISER:_____ |
| 11 | | VIL IKKE SVARE ———————→ 63 |

SPM. 62. Hvis vi ser bort fra det parti du har stemt på nå i høst, hvilket parti liker du da best etter dette?

333-334

00 ☐ RØD VALGALLIANSE (AKP(M-L))

01 ☐ NORGES KOMMUNISTISKE PARTI (NKP)

02 ☐ SOSIALISTISK VENSTREPARTI (SV)

03 ☐ DET NORSKE ARBEIDERPARTIET (DNA)

04 ☐ VENSTRE (V)

05 ☐ KRISTELIG FOLKEPARTI (KRF)

06 ☐ SENTERPARTIET (SP)

07 ☐ FYLKESLISTENE FOR MILJØ OG SOLIDARITET

08 ☐ HØYRE (H)

09 ☐ FREMSKRITTSPARTIET (FRP)

10 ☐ ANDRE (HVIS IO INSISTERER) SPESIFISER:_____

11 ☐ VET IKKE, VIL IKKE SVARE


SPM. 63. Og så til forrige Stortingsvalg. Hvordan stemte du ved Stortingsvalget i 1985?

335-336

00 ☐ RØD VALGALLIANSE (AKP(M-L))

01 ☐ NORGES KOMMUNISTISKE PARTI (NKP)

02 ☐ SOSIALISTISK VENSTREPARTI (SV)

03 ☐ DET NORSKE ARBEIDERPARTIET (DNA)

04 ☐ VENSTRE (V)

06 ☐ SENTERPARTIET (SP)

07 ☐ DET LIBERALE FOLKEPARTIET (DLF)

08 ☐ HØYRE (H)

09 ☐ FREMSKRITTSPARTIET (FRP)

10 ☐ ANDRE PARTIER, SPESIFISER:_____

40 ☐ HADDE IKKE STEMMERETT

50 ☐ HADDE IKKE ANLEDNING TIL Å STEMME, F.EKS. BORTREIST

60 ☐ STEMTE IKKE (AV ANDRE GRUNNER)

11 ☐ VET IKKE/VIL IKKE SVARE

SPM. 64. Er det etter din mening noe parti eller noen partier som er for ytterliggående til å kunne sitte i en regjering ?

337

1 ☐ JA ─────────────────────→ 65
2 ☐ NEI
8 ☐ VET IKKE, VIL IKKE SVARE ──────→ 66


SPM. 65. Hvilket parti - eller hvilke partier - er dette ?

SETT KRYSS I DE AKTUELLE RUTENE.

338 ☐ RØD VALGALLIANSE (AKP(M-L))      344 ☐ SENTERPARTIET (SP)

339 ☐ NORGES KOMMUNISTISKE PARTI (NKP)  345 ☐ HØYRE (H)

340 ☐ SOSIALISTISK VENSTREPARTI (SV)    346 ☐ FREMSKRITTSPARTIET (FRP)

341 ☐ DET NORSKE ARBEIDERPARTIET (DNA)  347 ☐ ANDRE PARTIER/LISTER, SPESIFISER:

342 ☐ VENSTRE (V)                       _____

343 ☐ KRISTELIG FOLKEPARTI (KRF)        348 ☐ VET IKKE, VIL IKKE SVARE


SPM 66. Man snakker iblant om forskjellige samfunnsklasser. Folk flest sier at de hører til en av to klasser: Enten arbeiderklassen eller middelklassen. Tenker du noen gang på deg selv som hjemmehørende i en av disse klassene?

349

1 ☐ JA ────────→ 67
2 ☐ I TVIL
3 ☐ NEI ──────→ 68


SPM. 67. Hvilken klasse?

350

1 ☐ ARBEIDERKLASSEN
2 ☐ MIDDELKLASSEN ──────→ 69
8 ☐ VIL IKKE SVARE


SPM. 68. Hvis du måtte velge, ville du si at du nærmest hører hjemme i arbeiderklassen eller i middelklassen?

351

1 ☐ ARBEIDERKLASSEN
2 ☐ MIDDELKLASSEN
8 ☐ VET IKKE/VIL IKKE SVARE

SPM. 69. Er du medlem av noen faglig organisasjon eller organisasjon for arbeidsgivere eller annen yrkessammenslutning?

352

1 ☐ JA ──────────── 70
5 ☐ NEI ──────────── 73
8 ☐ VET IKKE, VIL IKKE SI ── 73


SPM. 70. Hvilken hovedsammenslutning tilhører organisasjonen?

353

1 ☐ LANDSORGANISASJONEN (LO/FAGBEVEGELSEN)
2 ☐ YRKESORGANISASJONENES SENTRALFORBUND (YS)
3 ☐ AKADEMIKERNES FELLESORGANISASJON (AF)
4 ☐ NORGES BONDELAG
5 ☐ NORSK BONDE- OG SMÅBRUKARLAG
6 ☐ NORGES FISKARLAG
7 ☐ NÆRINGSLIVETS HOVEDORGANISASJON (NORSK ARBEIDSGIVERFORENING) (NHO/NAF)
8 ☐ ANDRE, SPESIFISER:_____
9 ☐ VET IKKE/KAN IKKE SVARE


SPM. 71. Er du aktivt medlem av denne organisasjonen? Med aktivt medlem mener jeg at man går på møter minst et par ganger i året.

354

1 ☐ JA, AKTIV
2 ☐ NEI, IKKE AKTIV
8 ☐ VET IKKE, VIL IKKE SVARE


SPM. 72. Hvilket parti eller hvilke partier mener du best ivaretar de interesser din organisasjon står for?

SETT KRYSS I DE AKTUELLE RUTENE.

355 ☐ RØD VALGALLIANSE (AKP(M-L))       361 ☐ SENTERPARTIET (SP)

356 ☐ NORGES KOMMUNISTISKE PARTI (NKP)  362 ☐ HØYRE (H)

357 ☐ SOSIALISTISK VENSTREPARTI (SV)    363 ☐ FREMSKRITTSPARTIET (FRP)

358 ☐ DET NORSKE ARBEIDERPARTIET (DNA)  364 ☐ ANDRE PARTIER/LISTER

359 ☐ VENSTRE (V)                       365 ☐ ALLE PARTIER LIKE

360 ☐ KRISTELIG FOLKEPARTI (KRF)        366 ☐ INGEN PARTIER, POLITISK UAVHENGIG

                                        367 ☐ VET IKKE, VIL IKKE SVARE


SPM. 73. Mener du at en yrkesorganisasjon bør ta partipolitisk standpunkt, eller bør den stille seg nøytral i forhold til partiene?

368

1 ☐ BØR TA STANDPUNKT
2 ☐ BØR STILLE SEG NØYTRAL
3 ☐ ANDRE SVAR
4 ☐ VET IKKE/VIL IKKE SVARE

SPM. 74.  La oss tenke oss to personer A og B som diskuterer et aktuelt spørsmål. Vi har stilt opp to
          påstander som de to kommer med.

          ┌─────────────────────────────────────────┐
          │   VED BESØKSINTERVJU: VIS KORT 12 B       │
          └─────────────────────────────────────────┘

          A sier:
          Personer som kommer i vanskeligheter på grunn av sin livsførsel, bør ikke ha krav på økonomisk
          støtte fra det offentlige.

          B sier:
          Offentlige myndigheter har et spesielt ansvar for å hjelpe personer som ikke klarer seg selv,
          uansett årsak til deres problemer.

          Hvem av disse to er du mest enig med?

          369
      1   [    ]   MEST ENIG MED A
      2   [    ]   ENIG MED BÅDE A OG B/KAN IKKE BESTEMME SEG
      3   [    ]   MEST ENIG MED B
      8   [    ]   VET IKKE


SPM. 75.  Det er delte meninger om den støtte som enkelte grupper får fra det offentlige. Jeg skal nevne
          noen slike grupper. Kan du for hver enkelt av dem si om de etter din mening får for mye, for
          lite eller omtrent passe støtte, eller har du ingen mening om dette spørsmålet?

                                                            OMTRENT      INGEN
                                   FOR MYE     FOR LITE      PASSE       MENING
                                      1           2            3           8

      A.  Arbeidsledige ..........   [    ]      [    ]       [    ]      [    ]   370

      B.  Ungdom under utdanning ...  [    ]      [    ]       [    ]      [    ]   371

      C.  Enslige forsørgere .......  [    ]      [    ]       [    ]      [    ]   372

      D.  Eldre ..................   [    ]      [    ]       [    ]      [    ]   373

      E.  Flyktninger/asylsøkere ...  [    ]      [    ]       [    ]      [    ]   374

      F.  Funksjonshemmede .........  [    ]      [    ]       [    ]      [    ]   375


SPM. 76. Er du helt enig, nokså enig, nokså uenig eller helt uenig i følgende utsagn:
         Vi bør opprettholde den nåværende ordning med offentlige støttetiltak til utkantstrøkene.

         HELT       NOKSÅ      BÅDE-      NOKSÅ      HELT      VET IKKE/
         ENIG       ENIG       OG         UENIG      UENIG     VIL IKKE SVARE

          1          2          3          4          5          8
         [    ]     [    ]     [    ]     [    ]     [    ]     [    ]   376


SPM. 77. I forhold til de tjenester og ytelser, eventuelt pensjoner, du mottar, synes du de skatter
         og avgifter du betaler til stat og kommune er passe, at de er for store, eller er de tvert
         imot for små?

         377
      1  [    ]   PASSE
      2  [    ]   FOR STORE
      3  [    ]   FOR SMÅ
      8  [    ]   VET IKKE

                                          FOR KONTORET  [    ] ...... [    ]   378-467

BAKGRUNNSOPPLYSNINGER

INNLEDNING:  Så til slutt har vi noen spørsmål som skal gi bakgrunnsopplysninger for undersøkelsen.

SPM. 78.  Hva er din nåværende sivile status? Er du...

468

1 ☐ gift?
2 ☐ samboende?
3 ☐ ugift?
4 ☐ enke/enkemann?
5 ☐ separert/skilt?

SPM. 79.  Hvor mange barn under 16 år er det her i husstanden?

HVIS IO IKKE HAR BARN UNDER 16 ÅR, SKRIV NULL I BOKSEN UNDER.

469-470
☐ Antall barn

SPM. 80.  Har du for tiden noe inntektsgivende arbeid?

Som inntektsgivende arbeid regner vi også arbeid som familiemedlem uten fast avtalt lønn på gårdsbruk, i forretning og i familiebedrift ellers. Arbeid på en time eller mer pr. uke skal regnes med.

471
1 ☐ Ja ———→ 81
2 ☐ Nei ———→ 90

*SPM. 81.  Hvor mange timer pr. uke har du vanligvis inntektsgivende arbeid?  Regn også med betalte overtidstimer og ekstraarbeid hjemme.

HVIS IO HAR STERKT VARIERENDE ARBEIDSTID PR UKE, FØR OPP ET ANSLAG PÅ GJENNOMSNITTLIG ARBEIDSTID PR UKE.

472-474
☐ TIMER PR. UKE    10 TIMER ELLER MER ———→ 82
                   UNDER 10 TIMER ———————→ 90

*SPM. 82.  Hva er hovedyrket ditt?

HOVEDYRKE:_____

475-477    478
☐☐☐   ☐   YRKESKODE

*SPM. 83.  Kan du si hvilken av disse næringene du arbeider i?

```
           ┌─────────────────────────────────────┐
           │   VED BESØKSINTERVJU: VIS KORT 13    │
           └─────────────────────────────────────┘
```

       479
1      ☐     Jordbruk, skogbruk, hagebruk

2      ☐     Fiske, fangst

3      ☐     Håndverk, industri, bergverk, bygg og anlegg

4      ☐     Handel, bank, forsikring

5      ☐     Privat tjenesteyting.  F.eks. hotell,
             restaurant, frisør, rengjøring

6      ☐     Luft,- sjø- og landtransport, post,
             telegraf, telefon

7      ☐     Offentlig administrasjon i kommune,
             fylke eller stat

8      ☐     Undervisning, forskning

9      ☐     Offentlig tjenesteyting, politi, forsvar,
             helsevesen, kirker

0      ☐     Annen næring, spesifiser:_____


*SPM. 84.  Kan du så si hvilken av disse stillingsbetegnelsene som passer best til den
           stillingen du har ?

```
           ┌─────────────────────────────────────┐
           │   VED BESØKSINTERVJU: VIS KORT 14    │
           └─────────────────────────────────────┘
```

       480
1      ☐     I lære

2      ☐     Vanlig arbeider

3      ☐     Fagarbeider (faglært), formann

4      ☐     Underordnet funksjonær, butikk, lager,
             kontor, offentlige tjenester

5      ☐     Tekniker, ingeniør

6      ☐     Funksjonær av annen art ("fagfunksjonær"
             utenom tekniker, f.eks. lærer)

7      ☐     Overordnet stilling i offentlig eller privat virksomhet
             (også direktør eller disponent som ikke eier bedriften)

8      ☐     Eier av bedrift (inkl. jordbruk)

9      ☐     Person i fritt erverv (f.eks. advokat,
             tannlege, kunstner etc.)

0      ☐     Annen stilling, spesifiser:_____

SPM. 85.  I hvilken grad vil du si at du selv kan planlegge og regulere ditt arbeid, vil du si:

```
       481
1  [      ]   i høy grad?
2  [      ]   i noen grad?
3  [      ]   i liten grad?
4  [      ]   overhodet ikke?
5  [      ]   VET IKKE
```

SPM. 86.  Har du oppgaver som består i å lede andres arbeid?

```
       482
1  [      ]   JA
2  [      ]   NEI
```

SPM. 87.  Arbeider du i ditt hovedyrke som ansatt, som selvstendig med leid hjelp, som selvstendig
          uten leid hjelp, eller som familiemedlem  uten fast avtalt lønn ?

```
       483
1  [      ]   ANSATT ─────────────────────→ 88
2  [      ]   SELVSTENDIG MED LEID HJELP ──→ 89
3  [      ]   SELVSTENDIG UTEN LEID HJELP ┐
4  [      ]   FAMILIEMEDLEM              ┘→ 101
```

*SPM. 88.  Er virksomheten privat, offentlig eller tilknyttet en organisasjon, f.eks kooperasjonen?

```
       484
1  [      ]   PRIVAT
2  [      ]   OFFENTLIG
3  [      ]   TILKNYTTET EN ORGANISASJON, SPESIFISER:_____
4  [      ]   ANNET,
             SPESIFISER:_____
```

*SPM. 89.  Hvor mange sysselsatte er det på din arbeidsplass/bedrift?

```
       485
1  [      ]   UNDER 5 ANSATTE      ┐
2  [      ]   5-9 ANSATTE          │
3  [      ]   10-19  "             │
4  [      ]   20-49  "             ├──→ 101
5  [      ]   50-99  "             │
6  [      ]   100-499 ANSATTE      │
7  [      ]   500 ELLER FLERE ANSATTE │
8  [      ]   VET IKKE/KAN IKKE SI ┘
```

SPM. 90.  Hva er ditt viktigste gjøremål eller kilde til livsopphold ?

UFØR GRUPPERES SOM PENSJONIST, TRYGDET

```
       486
   1   ┌──┐    SKOLEELEV, STUDENT ────────→ 101
       └──┘
   2   ┌──┐    PENSJONIST, TRYGDET ───────→ 91
       └──┘
   3   ┌──┐    HUSARBEID HJEMME ───────────→ 101
       └──┘
   4   ┌──┐    ANNET, SPESIFISER:_____
       └──┘                                    ───────→ 101
```

SPM. 91.  Hadde du selv inntektsgivende arbeid inntil det tidspunkt du begynte å motta pensjon/trygd?

```
       487
   1   ┌──┐    JA ──────────→ 92
       └──┘
   2   ┌──┐    NEI ─────────→ 101
       └──┘
```

*SPM. 92.  Hva var ditt siste hovedyrke?

HOVEDYRKE:_____

```
       488-490       491
   ┌──┬──┬──┐      ┌──┐    YRKESKODE
   └──┴──┴──┘      └──┘
```

SPM. 93.  Hvor mange timer arbeidet du vanligvis pr. uke i dette yrket?

HVIS IO HADDE STERKT VARIERENDE ARBEIDSTID PR UKE, FØR OPP
ANSLAG FOR GJENNOMSNITTLIG ARBEIDSTID PR UKE:

```
       492-494
   ┌──┬──┬──┐    TIMER PR. UKE
   └──┴──┴──┘
```

*SPM. 94.  Kan du si hvilken av disse næringene du arbeidet i?

```
        ┌───────────────────────────────────────┐
        │  VED BESØKSINTERVJU: VIS KORT 13        │
        └───────────────────────────────────────┘
```

```
       495
   1   ┌──┐    Jordbruk, skogbruk, hagebruk
       └──┘
   2   ┌──┐    Fiske, fangst
       └──┘
   3   ┌──┐    Håndverk, industri, bergverk, bygg og anlegg
       └──┘
   4   ┌──┐    Handel, bank, forsikring
       └──┘
   5   ┌──┐    Privat tjenesteyting. F.eks. hotell,
       └──┘    restaurant, frisør, rengjøring
   6   ┌──┐    Luft-, sjø- og landtransport, post, telegraf, telefon
       └──┘
   7   ┌──┐    Offentlig administrasjon i kommune, fylke eller stat
       └──┘
   8   ┌──┐    Undervisning, forskning
       └──┘
   9   ┌──┐    Offentlig tjenesteyting, politi, forsvar, helsevesen, kirker
       └──┘
   0   ┌──┐    Annen næring, spesifiser:_____
       └──┘
```

*SPM. 95. Kan du si hvilken av disse stillingsbetegnelsene som passet til den stillingen du hadde ?

**VED BESØKSINTERVJU: VIS KORT 14**

496

1 ☐ I lære

2 ☐ Vanlig arbeider

3 ☐ Fagarbeider (faglært), formann

4 ☐ Underordnet funksjonær, butikk, lager, kontor, offentlige tjenester

5 ☐ Tekniker, ingeniør

6 ☐ Funksjonær av annen art, ("fagfunksjonær" utenom tekniker, f.eks. lærer)

7 ☐ Overordnet stilling i offentlig eller privat virksomhet (også direktør eller disponent som ikke eier bedriften)

8 ☐ Eier av bedrift (inkl. jordbruk)

9 ☐ Person i fritt erverv (f.eks. advokat, tannlege, kunstner etc.)

0 ☐ Annen stilling, spesifiser:_____


SPM. 96. I hvilken grad vil du si at du selv kunne planlegge og regulere ditt arbeid, vil du si...

497

1 ☐ i høy grad?
2 ☐ i noen grad?
3 ☐ i liten grad?
4 ☐ overhodet ikke?
5 ☐ VET IKKE


SPM. 97. Hadde du oppgaver som besto i å lede andres arbeid?

498

1 ☐ JA
2 ☐ NEI


SPM. 98. Arbeidet du i ditt hovedyrke som ansatt, som selvstendig uten leid hjelp eller som selvstendig med leid hjelp, eller som familemedlem uten fast avtalt lønn?

499

1 ☐ ANSATT ───────────────→ 99
2 ☐ SELVSTENDIG MED LEID HJELP ──────→ 100
3 ☐ SELVSTENDIG UTEN LEID HJELP ─────→ 101
4 ☐ FAMILIEMEDLEM UTEN FAST AVTALT LØNN ──→ 101


SPM. 99. Var virksomheten privat, offentlig, eller tilknyttet en organisasjon, f.eks. kooperasjonen?

500

1 ☐ PRIVAT
2 ☐ OFFENTLIG
3 ☐ TILKNYTTET EN ORGANISASJON, SPESIFISER:_____
4 ☐ ANNET, SPESIFISER:_____

*SPM. 100. Hvor mange sysselsatte var det i den bedriften/arbeidsplassen der du sist arbeidet?

```
    501
1   [   ]   UNDER 5 ANSATTE
2   [   ]   5-9 ANSATTE
3   [   ]   10-19  "
4   [   ]   20-49  "
5   [   ]   50-99  "
6   [   ]   100-499 ANSATTE
7   [   ]   500 ELLER FLERE ANSATTE
8   [   ]   VET IKKE/KAN IKKE SI
```

SPM. 101. SE SVARENE PÅ SPM. 78. STILL SPØRSMÅL 101 BARE DERSOM IO ER GIFT ELLER SAMBOENDE.
        DERSOM IO ER UGIFT GÅ TIL SPM. 108.
        DERSOM IO ER SKILT/SEPARTERT/ENKE/ENKEMANN GÅ TIL SPM. 108.

        Har din ektefelle/samboer for tiden noe inntektsgivende arbeid?

        Som inntektsgivende arbeid regner vi også arbeid som familiemedlem uten fast avtalt lønn
        på gårdsbruk, i forretning og i familiebedrift ellers ? Arbeid på en time eller mer pr. uke
        skal regnes med.

```
    502
1   [   ]   JA ———→ 103
2   [   ]   NEI ——→ 102
```

SPM. 102. Hva er din ektefelles/samboers viktigste gjøremål eller kilde til livsopphold?

        (UFØR GRUPPERES SOM PENSJONIST, TRYGDET)

```
    503
1   [   ]   SKOLEELEV, STUDENT ——→ 108
2   [   ]   PENSJONIST, TRYGDET ——→ 103
3   [   ]   HUSARBEID HJEMME ——→ 108
4   [   ]   ANNET, ——————————→ 108
            SPESIFISER:_____
```

*SPM. 103. Hva er/var din ektefelles/samboers hovedyrke?

        HOVEDYRKE: _____

```
    504-506      507
    [ ][ ][ ]    [   ]  YRKESKODE
```

SPM. 104. Kan du si hvilken av disse næringene han/hun arbeider/arbeidet i?

**VED BESØKSINTERVJU: VIS KORT 13**

508

1 ☐ Jordbruk, skogbruk, hagebruk

2 ☐ Fiske, fangst

3 ☐ Håndverk, industri, bergverk, bygg og anlegg

4 ☐ Handel, bank, forsikring

5 ☐ Privat tjenesteyting.  F.eks. hotell, restaurant, frisør, rengjøring

6 ☐ Luft-, sjø- og landtransport, post, telegraf, telefon

7 ☐ Offentlig administrasjon i kommune, fylke eller stat

8 ☐ Undervisning, forskning

9 ☐ Offentlig tjenesteyting, politi, forsvar, helsevesen, kirker

0 ☐ Annen næring, spesifiser:_____

SPM. 105.  Kan du si hvilken av disse stillingsbetegnelsene som passer/passet best til den stillingen han/hun har/hadde ?

**VED BESØKSINTERVJU: VIS KORT 14**

509

1 ☐ I lære

2 ☐ Vanlig arbeider

4 ☐ Underordnet funksjonær, butikk, lager, kontor, offentlige tjenester

5 ☐ Tekniker, ingeniør

6 ☐ Funksjonær av annen art, ("fagfunksjonær" utenom tekniker, f.eks. lærer)

7 ☐ Overordnet stilling i offentlig eller privat virksomhet (også direktør eller disponent som ikke eier bedriften)

8 ☐ Eier av bedrift (inkl. jordbruk)

9 ☐ Person i fritt erverv (f.eks. advokat, tannlege, kunstner etc.)

0 ☐ Annen stilling, spesifiser:_____

SPM. 106. Er/var virksomheten privat, offentlig eller tilknyttet en organisasjon, f.eks. kooperasjonen?

510

1 ☐ PRIVAT

2 ☐ OFFENTLIG

3 ☐ TILKNYTTET EN ORGANISASJON, SPESIFISER:_____

4 ☐ ANNET SPESIFISER:_____

SPM. 107. Har/hadde han/hun oppgaver som består/besto i å lede andres arbeid?

```
        511
1      ┌───┐   JA
2      │   │   NEI
8      └───┘   VET IKKE/KAN IKKE SI
```

*SPM. 108A. Kan du si hvilket yrke din hovedforsørger hadde da du vokste opp?

YRKE:_____

```
512-514      515
┌──┬──┬──┐   ┌───┐
│  │  │  │   │   │   YRKESKODE
└──┴──┴──┘   └───┘
```

B) Hvilken av disse yrkesgruppene tilhører/ tilhørte han/hun?

┌─────────────────────────────────────┐
│   VED BESØKSINTERVJU: VIS KORT 15    │
└─────────────────────────────────────┘

```
        516
1      ┌───┐   Arbeider
2      │   │   Lavere/underordnet funksjonær
3      │   │   Høyere funksjonær
4      │   │   Selvstendig uten leid hjelp
5      │   │   Selvstendig med leid hjelp
6      │   │   Gårdbruker, skogeier
7      │   │   Småbruker
8      │   │   Fisker
9      │   │   Annen yrkesgruppe, spesifiser:_____
0      └───┘   UBESVART/VIL IKKE SVARE
```

SPM. 109.
Hvilken målform liker du å bruke når du skriver, bokmål eller nynorsk ?

```
        517
1      ┌───┐   BOKMÅL/RIKSMÅL
2      │   │   NYNORSK/LANDSMÅL
8      └───┘   VET IKKE/VIL IKKE SI
```

SPM. 110. Hvor interessert er du i språkspørsmålet? Er du...

```
        518
1      ┌───┐   meget interessert?
2      │   │   nokså interessert?
3      │   │   lite interessert?
8      └───┘   VET IKKE/VIL IKKE SI
```

SPM. 111. Regner du deg som avholdsmann(-kvinne), eller smaker du alkohol fra tid til annen?

519

1 ☐ AVHOLDSMANN (-KVINNE) ─────→ 112

2 ☐ IKKE AVHOLD, MEN MÅTEHOLD ─────→ 113
    (BARE HVIS IO BRUKER UTTRYKKET SELV)

3 ☐ SMAKER ALKOHOL ─────→ 113

8 ☐ VET IKKE/VIL IKKE SVARE ─────→ 113


SPM. 112. Hvor sterkt er du interessert i avholdssaken, vil du si at du er...

520

1 ☐ meget interessert?
2 ☐ nokså interessert?
3 ☐ ikke særlig interessert?
8 ☐ VET IKKE


SPM. 113. Er du medlem av noen religiøse eller kristelige foreninger eller organisasjoner?

521

1 ☐ JA
5 ☐ NEI
8 ☐ VET IKKE/VIL IKKE SVARE


SPM. 114. Hvor mange ganger i løpet av den siste måneden har du:

ANTALL:

(A) vært til stede ved gudstjenester i kirken?..... ☐ 522-523

(B) vært til stede på andre religiøse møter?....... ☐ 524-525

(C) hørt på andakter og gudstjenester i radio og
    fjernsyn?................................... ☐ 526-527


SPM. 115. Hvilken allmennutdanning har du fullført?

KRYSS BARE AV FOR HØYESTE ALLMENNUTDANNING. YRKESFAGLIG VIDERE-
GÅENDE SKOLE TAS IKKE MED HER, MEN I SPM. 116.

528

1 ☐ 7-ÅRIG FOLKESKOLE ELLER KORTERE

2 ☐ 1-ÅRIG FRAMHALDS- ELLER FORTSETTELSESSKOLE

3 ☐ 2-ÅRIG FRAMHALDS- ELLER FORTSETTELSESSKOLE

4 ☐ 9-ÅRIG GRUNNSKOLE

5 ☐ FOLKEHØGSKOLE (UNGDOMS- ELLER FYLKESSKOLE), 1 ÅRS KURS

6 ☐ REAL- ELLER MIDDELSKOLE, GRUNNSKOLENS 10. ÅR

7 ☐ FOLKEHØGSKOLE, 2 ÅRS KURS

8 ☐ ARTIUM ELLER EKSAMEN VED ØKONOMISK GYMNAS

9 ☐ UOPPGITT ELLER INGEN ALLMENNUTDANNING

SPM. 116. Har du <u>fullført</u> annen utdanning hvor skolegangen eller studiene normalt varer
minst 5 måneder?

(LÆRE- ELLER PRAKSISTID TAS IKKE MED HER)

529
1 ☐ JA ────────────────────────────────→ 117
2 ☐ NEI, MEN ER I GANG MED SKOLE/STUDIER ──────→ 118
3 ☐ NEI, ER HELLER IKKE I GANG MED SKOLE/STUDIER ──→ 118


SPM. 117. Hvilken utdanning er dette?

(DERSOM FLERE, OPPGI BARE DEN UTDANNINGEN SOM IO SELV REGNER SOM DEN VIKTIGSTE.)

| Utdanningens art | Normal varighet | |
|---|---|---|
| (Oppgi kurstype, linje eller fagområde og evt. skolens navn) | For utdanning på heltid, oppgi måneder eller år | For utdanning på deltid, oppgi ca timetall |
| | | |
| | | |
| | | |

530-531
FOR BYRÅET: ☐☐ UTDANNINGSKODE


SPM. 118. Hvor mange år omtrent har du gått på skole/studert, medregnet obligatorisk utdanning?

ANTALL ÅR PÅ SKOLE/STUDIUM I ALT: ☐☐ 532-533


*SPM. 119. Hvor stor brutto inntekt hadde du (og din ektefelle/samboer) i alt i 1988 ? Med brutto
inntekt mener vi samlet inntekt <u>før</u> eventuelle fradragsposter og skatt.

┌─────────────────────────────────────────┐
│ **VED BESØKSINTERVJU: VIS KORT 16** │
│ **VED TELEFONINTERVJU: LES ALTERNATIVENE** │
└─────────────────────────────────────────┘

BE IO OM Å OPPGI DET ALTERNATIVET SOM PASSER BEST.
NB: FOR GIFTE/SAMBOENDE IO SKAL SUMMEN AV EKTEFELLENES INNTEKT OPPGIS.
(HVIS IO IKKE HAR EGEN INNTEKT, OPPGIS EKTEFELLENS/SAMBOERENS)

534
0 ☐ Ingen inntekt
1 ☐ Under kr 60 000
2 ☐ Kr. 60 000 - 99 000
3 ☐ " 100 000 - 149 000
4 ☐ " 150 000 - 199 000
5 ☐ " 200 000 - 299 000
6 ☐ " 300 000 - 399 000
7 ☐ " 400 000 og over
8 ☐ NEKTER Å OPPGI

9 ☐ VET IKKE, KAN IKKE SI (KRYSSES BARE AV DERSOM IO
IKKE ER I STAND TIL Å OPPGI ET NOENLUNDE RIMELIG
ALTERNATIV FOR INNTEKTENS STØRRELSE)

# UNDERSØKELSESOPPLEGG, FRAFALL OG BEGREPSBRUK

## 1. INNLEDNING

Intervjuundersøkelsen om stortingsvalget 1989 er et samarbeidsprosjekt mellom Statistisk sentralbyrå (SSB) og Institutt for samfunnsforskning (ISF) v/professor Henry Valen og forsker Bernt Aardal. ISF har utarbeidd spørreskjemaet, mens datainnsamling, dataregistrering og kontroll og feilretting av materialet er foretatt av SSBs intervjuorganisasjon.

Det norske valgforskningsprogrammet ved ISF ble satt i gang i forbindelse med stortingsvalget i 1957. Siden den gang er det foretatt undersøkelser i samband med alle stortingsvalg, unntatt valget i 1961.

Samarbeidet mellom SSB og ISF startet ved stortingsvalget i 1977. Ved stortingsvalgene i 1969 og 1973 hadde SSB egne intervjuundersøkelser.

Undersøkelsen om valget i 1989 inngår i valgforskningsprogrammet til ISF. Formålet for ISF er dels å videreføre analysen fra foregående valg, dels å rette søkelyset på aktuelle tendenser i norsk politikk.

## 2. OPPLEGG OG GJENNOM-FØRING

### 2.1. Utvalg

Utvalget til Valgundersøkelsen 1989 er trukket av SSB, og er et selvveiende personutvalg(alle personer i populasjonen har like stor sannsynlighet for å bli trukket ut til undersøkelsen) på 2 999 personer. For å oppnå kunnskap om holdningsendringer i velgermassen har vi trukket 1 366 personer født 1910 - 1967 fra utvalget (brutto) for Valgundersøkelsen 1985. Vi har supplert dette utvalget med et utvalg på 143 personer fra de 4 årskullene (født1968 - 1971) som har oppnådd stemmerett etter 1985-utvalget. Den resterende del av utvalget, personer født 1910-1967, er trukket fra SSBs utvalgsregister. Trekkingen er utført på en slik måte at det totale utvalget er selvveiende.

### 2.2. Datainnsamling

Datainnsamlingen er foretatt av SSBs intervjuorganisasjon. Stortingsvalget foregikk 10. og11. september. Besøksperioden ble satt til perioden 12. september - 30. september, med en ukes oppfølging, altså til 4. oktober. Dersom det var nødvendig kunne det foretas et 3. gjenbesøk. De fleste intervjuer ble foretatt ved personlig besøk, men telefonintervju ble benyttet i en del tilfeller.

# 3. FEILKILDER OG USIKKER-HET VED RESULTATENE

## 3.1. Utvalgsvarians

Den usikkerheten en får i resultatene fordi en bygger på opplysninger om bare en del av befolkningen som undersøkelsen omfatter, kalles utvalgsvarians. Standardavviket er et mål på denne usikkerheten. Størrelsen på standardavviket avhenger blant annet av tallet på observasjoner i utvalget og av fordelingen av det aktuelle kjennemerket i hele befolkningsgruppen som omfattes av undersøkelsen. Vi kan anslå standardavviket ved hjelp av observasjonene i utvalget. I tabell a har vi antydet størrelsen på standardavviket for observerte andeler (prosenttall) ved ulike utvalgsstørrelser.

For å illustrere usikkerheten kan vi bruke et intervall for å angi nivået på den sanne verdi av en beregnet størrelse (den verdien vi ville fått om vi hadde foretatt en totaltelling i stedet for en utvalgsundersøkelse). Slike intervaller kalles konfidensintervaller dersom de er konstruert på en spesiell måte. I denne sammenheng kan vi bruke følgende metode: La M være den beregnede størrelse og la S være et anslag for standardavviket til M. Konfidensintervallet blir da intervallet med grenser (M - 2 • S) og (M + 2 • S). Denne metoden vil med omtrent 95 prosent sannsynlighet gi et intervall som inneholder den sanne verdi.

Følgende eksempel illustrerer hvordan en kan bruke tabell a til å finne konfidensintervaller. Anslaget på standardavviket til et observert prosenttall på 70 er 3,2 når linjesummen(tallet på observasjoner) er 300. Konfidensintervallet for den sanne verdi får grensene 70 ± 2 • 3,2, dvs. det strekker seg fra 63,6 til 76,4 prosent.

## 3.2. Utvalgsskjevhet og frafall

Av de 2 999 personene som var trukket ut til å delta i undersøkelsen, tilhører 22 ikke-popu-

Tabell a. Størrelsen av standardavviket i prosent

| Tallet på observa-sjoner | Prosenttall | | | | | | | | | |
|---|---|---|---|---|---|---|---|---|---|---|
| | 5(95) | 10(90) | 15(85) | 20(80) | 25(75) | 30(70) | 35(65) | 40(60) | 45(55) | 50(50) |
| 25 .. | 5,3 | 7,4 | 8,8 | 9,8 | 10,6 | 11,2 | 11,7 | 12,0 | 12,2 | 12,3 |
| 50 .. | 3,8 | 5,2 | 6,2 | 6,9 | 7,5 | 7,9 | 8,3 | 8,5 | 8,6 | 8,7 |
| 75 .. | 3,1 | 4,2 | 5,1 | 5,7 | 6,1 | 6,5 | 6,8 | 6,9 | 7,0 | 7,1 |
| 100 .. | 2,7 | 3,7 | 4,4 | 4,9 | 5,3 | 5,6 | 5,8 | 6,0 | 6,1 | 6,1 |
| 150 .. | 2,2 | 3,0 | 3,6 | 4,0 | 4,3 | 4,6 | 4,8 | 4,9 | 5,0 | 5,0 |
| 200 .. | 1,9 | 2,6 | 3,1 | 3,5 | 3,8 | 4,0 | 4,1 | 4,2 | 4,3 | 4,3 |
| 250 .. | 1,7 | 2,3 | 2,8 | 3,1 | 3,4 | 3,6 | 3,7 | 3,8 | 3,9 | 3,9 |
| 300 | 1,5 | 2,1 | 2,5 | 2,8 | 3,1 | 3,2 | 3,4 | 3,5 | 3,5 | 3,5 |
| 400 .. | 1,3 | 1,8 | 2,2 | 2,5 | 2,7 | 2,8 | 2,9 | 3,0 | 3,1 | 3,1 |
| 600 .. | 1,1 | 1,5 | 1,8 | 2,0 | 2,2 | 2,3 | 2,4 | 2,5 | 2,5 | 2,5 |
| 800 .. | 0,9 | 1,3 | 1,6 | 1,7 | 1,9 | 2,0 | 2,1 | 2,1 | 2,2 | 2,2 |
| 1 000 .. | 0,8 | 1,2 | 1,4 | 1,6 | 1,7 | 1,8 | 1,9 | 1,9 | 1,9 | 1,9 |
| 1 500 .. | 0,7 | 1,0 | 1,1 | 1,3 | 1,4 | 1,5 | 1,5 | 1,6 | 1,6 | 1,6 |
| 2 000 .. | 0,6 | 0,8 | 1,0 | 1,1 | 1,2 | 1,3 | 1,3 | 1,3 | 1,4 | 1,4 |

lasjonen enten fordi de hadde flyttet til utlandet, bodde på institusjon eller var avgått ved døden. Resten, 2 977 personer, ble kontaktet for intervju. Av disse er 812 frafall, eller 27,3 prosent av alle oppsøkte.

Tabell b viser tallet på intervjupersoner og frafallet i ulike deler av utvalget, mens tabell c viser frafallet etter årsak.

Frafall kan føre til utvalgsskjevhet. Hvis omfanget av frafall i like grupper avviker vesentlig, vil dette føre til at nettoutvalget (personer det er oppnådd intervju med) ikke har de samme fordelinger som bruttoutvalget (personer som er oppsøkt for intervju).

Utsagn om skjevheter må i prinsippet knyttes til de enkelte kjennemerker. Dersom en har funnet at frafallet ikke har ført til skjevheter på et bestemt kjennemerke, kan likevel frafallet ha hatt virkning på andre kjennemerker. Omvendt innebærer skjevheter som skyldes frafall på et kjennemerke ikke nødvendigvis at andre kjennemerker har en skjev fordeling i forhold til bruttoutvalget. Tabell d gir mulighet for å belyse eventuelle skjevheter på grunn av frafall for kjennemerkene kjønn og alder. En sammenligner prosentfordelingen på et kjennemerke i bruttoutvalget og nettoutvalget (ev. frafallet). Dersom det er store avvik mellom de to fordelingene viser dette at det foreligger en utvalgsskjevhet for dette kjennemerket.

Fordelingen etter kjønn og alder i tabell d viser at et større frafall blant kvinner enn blant menn har ført til en skjevhet i fordelingen av nettoutvalget etter kjønn, menn er noe overrepresentert i nettoutvalget.

Tabell b. Bruttoutvalg, nettoutvalg og frafall

| | Bruttoutvalg | Nettoutvalg | Frafall | |
| | | | Antall | Prosent |
| --- | --- | --- | --- | --- |
| I alt .............................. | 2 977 | 2 165 | 812 | 27,3 |
| Panel ............................ | 1 325 | 969 | 383 | 28,3 |
| Av dette: | | | | |
| Panel med svar i 1985 .............. | 1 056 | 834 | 222 | 21,0 |
| Panel med frafall i 1985 ............ | 296 | 135 | 161 | 54,4 |
| Ikke panel ........................ | 1 625 | 1 196 | 429 | 26,4 |
| Av dette: | | | | |
| Ikke panel 18-24 år ................ | 360 | 261 | 99 | 27,5 |
| Ikke panel 25-79 år ................ | 1 265 | 935 | 330 | 26,1 |

Tabell c. Frafall etter årsak. Prosent

| | | Frafallsårsak | | | | |
|---|---|---|---|---|---|---|
| | I alt | Nekting | Sykdom | Bortreist, ikke truffet | Annen og uoppgitt årsak | Tallet på personer |
| Hele frafallet ................. | 100 | 54 | 9 | 16 | 21 | 812 |
| Frafall i panelet ............... | 100 | 59 | 8 | 13 | 21 | 383 |
| Av dette: | | | | | | |
|    Panel med svar i 1985 ......... | 100 | 55 | 8 | 14 | 23 | 222 |
|    Panel med frafall i 1985 ....... | 100 | 64 | 7 | 12 | 16 | 161 |
| Frafall i ikke panel ............. | 100 | 50 | 10 | 19 | 22 | 429 |
| Av dette: | | | | | | |
|    Ikke panel 18-24 år ........... | 100 | 29 | 2 | 31 | 37 | 99 |
|    Ikke panel 25-79 år ........... | 100 | 56 | 12 | 15 | 17 | 330 |

Tabell d. Bruttoutvalget, frafallet, nettoutvalget og hele befolkningen 18-79 år, etter kjønn og alder

| | Bruttoutvalg | | Frafall | | Nettoutvalg | | Befolkningen 18-79 år pr.1.1.1989 | |
|---|---|---|---|---|---|---|---|---|
| | Tallet på personer | Pro-sent | Tallet på personer | Pro-sent | Tallet på personer | Pro-sent | Tallet på personer | Pro-sent |
| I alt .......... | 2 977 | 100,0 | 812 | 100,0 | 2 165 | 100,0 | 3 073 949 | 100,0 |
| KJØNN OG ALDER | | | | | | | | |
| Menn .......... | 1 462 | 49,1 | 375 | 46,2 | 1 087 | 50,2 | 1 527 913 | 49,7 |
| 18-24 år ......... | 248 | 8,3 | 76 | 9,3 | 172 | 7,9 | 242 813 | 7,9 |
| 25-29 " ......... | 159 | 5,3 | 42 | 5,2 | 117 | 5,4 | 163 841 | 5,3 |
| 30-39 " ......... | 315 | 10,6 | 76 | 9,4 | 239 | 11,0 | 319 827 | 10,4 |
| 40-49 " ......... | 275 | 9,2 | 56 | 6,9 | 219 | 10,1 | 277 079 | 9,0 |
| 50-59 " ......... | 173 | 5,8 | 43 | 5,3 | 130 | 6,0 | 190 581 | 6,2 |
| 60-69 " ......... | 171 | 5,7 | 42 | 5,2 | 139 | 6,4 | 199 057 | 6,5 |
| 70-79 " ......... | 121 | 4,1 | 40 | 4,9 | 81 | 3,7 | 134 715 | 4,4 |
| | | | | | | | | |
| Kvinner ......... | 1 515 | 50,9 | 437 | 53,8 | 1 078 | 49,8 | 1 546 036 | 50,3 |
| 18-24 år ........ | 211 | 7,0 | 56 | 6,9 | 155 | 7,2 | 229 628 | 7,5 |
| 25-29 " ........ | 145 | 4,9 | 24 | 3,0 | 121 | 5,6 | 154 662 | 5,0 |
| 30-39 " ........ | 275 | 9,2 | 66 | 8,1 | 209 | 9,7 | 302 309 | 9,8 |
| 40-49 " ........ | 267 | 9,0 | 74 | 9,1 | 193 | 8,9 | 263 003 | 8,6 |
| 50-59 " ........ | 204 | 6,9 | 55 | 6,8 | 149 | 6,9 | 192 073 | 6,2 |
| 60-69 " ........ | 202 | 6,8 | 70 | 8,6 | 132 | 6,1 | 220 584 | 7,2 |
| 70-79 " ........ | 211 | 7,1 | 92 | 11,3 | 119 | 5,5 | 183 777 | 6,0 |

### 3.3. Sammenligning med valgresultatet

Den ordinære valgstatistikken utarbeidd på grunnlag av oppgaver fra valgstyrene viser valgdeltagelsen etter kjønn og fordelingen av stemmer etter parti. Tabell f gir valgdeltagelse etter kjønn i hele det uttrukne utvalget, blant personer som svarte og i hele befolkningen.

Tabellen viser at valgdeltagelsen var merkbart høyere blant dem som svarte enn blant hele utvalget. Frafallet var altså høyere blant dem som ikke stemte ved valget.

### 3.4. Innsamlings- og bearbeidingsfeil

Resultatene fra en undersøkelse vil alltid inneholde visse målings- og bearbeidingsfeil. Målingsfeil oppstår ved at intervjupersonen avgir feil svar (husker feil o.l.) eller ved at intervjueren krysser av i feil rubrikk i spørreskjemaet. Bearbeidingsfeil er feil koding av f.eks. yrke, feil i avledninger (omkodinger) eller feil som oppstår når opplysningene fra spørreskjemaet overføres til maskinlesbart medium.

Gjennom skjemarevisjon, maskinelle kontroller og ved vurdering av resultatene søker en å avsløre og rette opp slike feil. Det er imidlertid klart at ikke alle feil av denne typen oppdages.

Tabell f. Valgdeltagelse blant menn og kvinner i hele utvalget, blant personer som svarte og blant alle personer med stemmerett. Prosent

| | Valgdeltagelse. Prosent | | |
|---|---|---|---|
| | Hele utvalget | Personer som svarte | Alle personer med stemmerett |
| Begge kjønn . | 85 | 89 | 83 |
| Menn ....... | 84 | 88 | .. |
| Kvinner ..... | 85 | 89 | .. |

## 4. BEGREP OG KJENNE-MERKER

### 4.1. Definisjon av tettsted

For at en hussamling skal kunne registreres som et tettsted må det bo minst 200 personer der og avstanden mellom husene må normalt ikke overstige 50 meter. Enkelthus eller husklynger som naturlig hører med til tettstedet, tas med selv om avstanden overskrider 50 meter. (For fullstendig definisjon av tettsted, se Rapporter fra Statistisk sentralbyrå 83/13, Grunnkretser, tettsteder og menigheter.)

Avgjørelsen om en bolig ligger i tettbygd eller spredtbygd strøk er i denne undersøkelsen tatt av intervjueren.

### 4.2. Inntekt

Inntekt regnes som bruttoinntekt før eventuelle fradragsposter og skatt. For gifte/samboende regnes ektefellenes/samboernes samlede bruttoinntekt.

### 4.3. Utdanning

Opplysningene omfatter fullført utdanning av minst fem måneders normal varighet. Klassifiseringen er i samsvar med Standard for utdanningsgruppering (Statistisk sentralbyrås Håndbøker, nr. 28, 1973-utgaven). Det er benyttet følgende grupper:

Ungdomsskolenivå:
Utdanninger med samlet varighet på 9 år eller mindre.

Gymnasnivå I:
Utdanninger med samlet varighet på 10 år.

Gymnasnivå II:
Utdanninger med samlet varighet på 11-12 år.

Universitets- og høgskolenivå:
Utdanninger av en samlet varighet på minst 13 år.

## 4.4. Alder

Aldersgrupperingen bygger på oppgavegivernes alder ved utgangen av 1989. Aldersgruppen 18-19 år består eksempelvis av personer født 1970-1971.

## 4.5. Parti

I tabeller med fordelinger på parti er det brukt følgende forkortinger:

DLF = Det Liberale Folkepartiet
A   = Det norske Arbeiderparti

FrP = Fremskrittspartiet
H   = Høyre
KrF = Kristelig Folkeparti
NKP = Norges Kommunistiske Parti
RV  = Rød Valgallianse
SP  = Senterpartiet
SV  = Sosialistisk Venstreparti
V   = Venstre
FMS = Fylkeslistene for Miljø og Solidaritet

## 4.6. Stemmegivning

I tillegg til at intervjupersonene ble spurt om de stemte ved valget, ble denne opplysningen også innhentet fra valgstyrene. Opplysningene om stemmegivning ble også innhentet for personer i utvalget som det ikke var mulig å oppnå intervju med.

Tabell C.1. Overgangsmatrise: stemmegivning i 1985 og 1989 (omfatter bare aktive velgere som har stemt ved begge valg) (N=787)

| Parti 1985 | I alt | FMS | SV | A | V | KrF | SP | H | FrP | Andre |
|---|---|---|---|---|---|---|---|---|---|---|
| | | | | | Parti 1989 | | | | | |
| I alt ........ | 100,0 | 0,8 | 11,0 | 34,5 | 4,7 | 10,1 | 6,6 | 21,0 | 10,8 | 0,6 |
| NKP + RV ... | 0,6 | 0,3 | 0,4 | - | - | - | - | - | - | 0,2 |
| SV ......... | 7,8 | 0,3 | 5,2 | 1,2 | 0,3 | - | - | 0,2 | 0,3 | 0,3 |
| A .......... | 35,4 | - | 2,3 | 29,7 | 0,3 | 0,2 | 0,5 | 0,6 | 1,8 | - |
| V (+DLF) .... | 4,0 | - | 1,7 | 0,5 | 1,1 | 0,5 | 0,2 | 0,2 | - | - |
| KrF ........ | 10,5 | - | 0,2 | 0,5 | 0,5 | 8,1 | 0,2 | 0,8 | 0,5 | - |
| SP .......... | 8,1 | - | - | 0,3 | 1,1 | - | 5,5 | 0,9 | 0,3 | - |
| H .......... | 29,9 | 0,2 | 1,1 | 2,0 | 1,5 | 1,2 | 0,2 | 17,8 | 5,8 | 0,2 |
| FrP ........ | 3,4 | - | 0,2 | 0,3 | - | 0,2 | 0,2 | 0,6 | 2,0 | - |
| Andre ....... | 0,3 | - | 0,2 | - | - | - | - | - | 0,2 | - |

Tabell C.2. Partienes tilslutning i ulike landsdeler. Gjennomsnittlig prosentandel på kommunenivå. Uveide tall

| Parti | Valg | Riket | Oslo-fjorden | Indre Østlandet | Sør-Vestlandet | Trøndelag | Nord-Norge |
|---|---|---|---|---|---|---|---|
| SV | 1985 ............... | 4,7 | 4,0 | 4,7 | 3,0 | 5,2 | 8,1 |
| | 1987 ............... | 5,2 | 4,1 | 5,3 | 3,8 | 5,7 | 8,1 |
| | 1989 ............... | 9,2 | 9,0 | 9,8 | 6,5 | 10,5 | 12,8 |
| | Diff. 1985-1989 ....... | 4,5 | 5,0 | 5,1 | 3,5 | 5,3 | 4,6 |
| A | 1985 ............... | 43,0 | 42,2 | 52,4 | 32,7 | 45,5 | 52,1 |
| | 1987 ............... | 37,8 | 37,8 | 47,2 | 27,9 | 40,1 | 46,0 |
| | 1989 ............... | 35,4 | 35,3 | 44,2 | 27,8 | 37,8 | 40,1 |
| | Diff. 1985-1989 ....... | -7,5 | -6,9 | -8,2 | -4,9 | -7,7 | -11,9 |
| V | 1985 ............... | 3,6 | 2,6 | 2,3 | 5,0 | 4,6 | 2,4 |
| | 1987 ............... | 5,4 | 3,9 | 3,8 | 7,4 | 6,1 | 4,3 |
| | 1989 ............... | 3,3 | 2,2 | 2,1 | 4,8 | 4,2 | 2,3 |
| | Diff. 1985-1989 ....... | -0,3 | -0,4 | -0,2 | -0,2 | -0,4 | -0,1 |
| KrF | 1985 ............... | 10,6 | 7,4 | 5,9 | 17,2 | 7,6 | 7,3 |
| | 1987 ............... | 10,3 | 7,5 | 6,1 | 16,4 | 7,4 | 7,1 |
| | 1989 ............... | 10,9 | 7,5 | 6,2 | 17,5 | 8,0 | 7,5 |
| | Diff. 1985-1989 ....... | 0,3 | 0,1 | 0,3 | 0,3 | 0,4 | 0,2 |
| SP | 1985 ............... | 11,5 | 7,6 | 13,7 | 13,0 | 17,5 | 6,6 |
| | 1987 ............... | 13,0 | 8,3 | 16,1 | 13,8 | 20,8 | 8,2 |
| | 1989 ............... | 11,8 | 7,4 | 14,9 | 12,9 | 18,4 | 7,0 |
| | Diff. 1985-1989 ....... | 0,3 | -0,2 | 1,2 | -0,1 | 0,9 | 0,4 |
| H | 1985 ............... | 23,3 | 31,6 | 18,8 | 25,0 | 16,9 | 21,0 |
| | 1987 ............... | 18,5 | 24,3 | 14,0 | 19,6 | 13,4 | 18,3 |
| | 1989 ............... | 16,5 | 22,7 | 12,8 | 17,4 | 12,4 | 15,3 |
| | Diff. 1985-1989 ....... | -6,8 | -8,9 | -6,0 | -7,5 | -4,5 | -5,8 |
| FrP | 1985 ............... | 2,7 | 4,0 | 1,7 | 3,5 | 2,1 | 1,5 |
| | 1987 ............... | 7,9 | 12,7 | 6,5 | 8,5 | 5,5 | 5,5 |
| | 1989 ............... | 10,7 | 14,4 | 8,9 | 11,9 | 7,8 | 8,7 |
| | Diff. 1985-1989 ....... | 8,0 | 10,4 | 7,2 | 8,4 | 5,7 | 7,2 |
| N | | 448 | 73 | 78 | 158 | 49 | 90 |

Endring og kontinuitet

Tabell C.3. Multivariat logit-analyse av sosial struktur og partivalg. 1981. N = 1071

| Variabel | SV | A | V | KrF | SP | H | FrP |
|---|---|---|---|---|---|---|---|
| Kjønn .............. | 0,35 | 0,28* | 0,04 | -0,67* | -0,19 | -0,21 | 0,31 |
| Generasjon ......... | 1,11* | -0,74* | -0,95* | -0,17 | 0,06 | 0,17 | 0,90* |
| Utdanning .......... | -0,18 | 0,74* | -0,60* | 0,77* | -0,37 | -0,61* | 0,18 |
| Inntekt .............. | 0,21 | 0,13 | -0,35 | 0,11 | 0,82* | -0,53* | 0,57 |
| Lavere funksjonær .... | 0,42 | -0,92* | 0,07 | 0,47 | -0,06 | 1,01* | -0,14 |
| Høyere funksjonær .... | -0,19 | -1,37* | -0,09 | 0,56 | -1,18 | 1,69* | -0,41 |
| Selvstendig ......... | - | -1,87* | -1,14 | 0,45 | 0,73 | 1,97* | -1,18 |
| Bonde/fisker ......... | - | -1,05* | 0,99 | -0,42 | 1,61* | 0,67 | - |
| Sektor .............. | 0,32 | 0,27* | 1,21* | 0,27 | 0,05 | -0,58* | -1,06* |
| Målsak .............. | 0,19 | -0,38* | 0,22 | 0,97* | 1,34* | -0,84* | -0,39 |
| Avholdssak .......... | -1,78* | -0,44* | 0,46 | 1,64* | 0,12 | -0,41 | -0,46 |
| Religion .............. | -1,09 | -1,21* | -0,10 | 2,73* | -0,76 | -0,81* | 0,27 |

Note: Koeffisienter merket med * er signifikante på 5 prosentnivå.

Tabell C.4. Multivariat logit-analyse av sosial struktur og partivalg. 1985. N=1400

| Variabel | SV | A | V | KrF | SP | H | FrP |
|---|---|---|---|---|---|---|---|
| Kjønn .............. | -0,03 | -0,12 | -0,17 | -0,40 | 0,60* | 0,04 | 0,63* |
| Generasjon ......... | 0,70* | -0,53* | 1,15* | -0,60* | -0,07 | 0,16 | 1,17* |
| Utdanning .......... | -0,17 | 0,86* | -1,08* | -0,24 | -0,03 | -0,57* | 0,26 |
| Inntekt .............. | 0,10 | 0,38* | -0,04 | -0,55* | 0,64* | -0,58* | 0,44 |
| Lavere funksjonær ..... | 0,28 | -0,83* | 0,35 | 0,13 | 1,00* | 0,64* | 0,06 |
| Høyere funksjonær .... | -0,17 | -1,49* | -0,25 | 0,27 | 1,26* | 1,32* | 0,89* |
| Selvstendig ......... | -0,32 | -1,82* | 0,14 | 0,16 | 1,53* | 1,41* | 0,43 |
| Bonde/fisker ......... | -0,92 | -1,59* | -0,14 | -0,47 | 3,51* | -0,13 | - |
| Sektor .............. | 0,28 | 0,33* | 1,06* | -0,23 | -0,18 | -0,55* | -0,28 |
| Målsak .............. | -0,19 | -0,88* | 0,54 | 1,20* | 0,86* | -0,11 | -0,90 |
| Avholdssak .......... | -0,26 | -0,37* | -0,12 | 2,00* | 0,41 | -0,82* | - |
| Religion .............. | -0,57 | -1,12* | 0,12 | 2,36* | -0,92* | -0,98* | -0,10 |

Note: Koeffisienter merket med * er signifikante på 5 prosentnivå.

# Litteratur

**Bjørklund 1986**

Tor Bjørklund: "Kvinners og menns partipreferanse", *Tidsskrift for samfunnsforskning,* bd. 27: 417-443.

**Bjørklund 1990**

Tor Bjørklund: "Et radikalt potensial i de arbeidsledige? Arbeidsledighet og partivalg 1957-1989", *Søkelys på arbeidsmarkedet,* nr.1, s.28-33, Institutt for samfunnsforskning, Oslo.

**Byfuglien 1988**

J. Byfuglien: "Avfolkes distrikts-Norge?", *Samfunnsspeilet,* 2 (1): 12-17.

**Campbell et al. 1960**

Angus Campbell, Philip Converse, Warren Miller and Donald Stokes: *The American Voter,* John Wiley & Sons, New York.

**Campbell et al. 1966**

A. Campbell, P.E. Converse, W.E. Miller, D.E. Stokes: *Elections and the Political Order,* Wiley, New York, chap.1.

**Crewe & Denver 1985**

I. Crewe and D. Denver: *Electoral Change in Western Democracies: Patterns and Sources of Electoral Volatility,* Croom Helm, London.

**Dahlerup 1984**

Drude Dahlerup: "Kvinderne - en ny vælgergruppe?", i Elklit & Tonsgaard (red.): *Valg og vælgeradfærd. Studier i dansk politik,* Forlaget Politica, Århus.

**Foss et al. 1987**

O. Foss, K. Sørlie og I. Texmon: *All vekst i storbyer! Sentralisering av flytting og folketilvekst på 1980- tallet,* NIBR-rapport, Oslo.

**Goul Andersen 1984a**

Jørgen Goul Andersen: *Kvinder og politik,* Politica, Århus.

**Goul Andersen 1984b**

Jørgen Goul Andersen: "Klasseløse vælgere?", i J. Elklit og Ole Tonsgaard (red.): *Valg og vælgeradfærd. Studier i dansk politik,* Politica, Århus.

**Goul Andersen 1989**

Jørgen Goul Andersen: "Social klasse og parti", i J. Elklit og Ole Tonsgaard (red.): *To folketingsvalg. Vælgerholdninger og vælgeradfærd i 1987 og 1988,* Politica, Århus.

**Glans 1989**

Ingemar Glans: "Langtidsudviklingen i dansk vælgeradfærd", s. 52-83 i J. Elklit og Ole Tonsgaard (red.): *To folketingsvalg. Vælgerholdninger og vælgeradfærd i 1987 og 1988,* Politica, Århus.

**Granberg & Holmberg 1986**

Donald Granberg and Søren Holmberg: "Prior Behavior, Recalled Behavior, and the Prediction of Subsequent Voting Behavior in Sweden and the U.S.", *Human Relations,* Volume 39, Number 2, pp.135-148.

**Hansen 1897**

A.M. Hansen: *Norsk Folkepsykologi,* Jacob Dybwads forlag, Kristiania.

**Hernes & Martinussen 1980**

G. Hernes og W. Martinussen: *Demokrati og politiske ressurser,* NOU 1980: 7, Universitetsforlaget, Oslo.

**Hoel & Knutsen 1989**

Marit Hoel and Oddbjørn Knutsen: "Social Class, Gender and Sector Employment as Political Cleavages in Scandinavia", *Acta Sociologica,* No.2: 181-201.

**Holmberg & Gilljam 1987**

S. Holmberg & M. Gilljam: *Väljare och val i Sverige,* Bonniers, Stockholm.

**Knutsen 1985**

Oddbjørn Knutsen: *Politiske verdier, konpfliktlinjer og ideologi. Dem norske politiske kulturen i komparativt perspektiv,* Institutt for stats-vitenskap, Universitetet i Oslo.

**Knutsen 1986a**

Oddbjørn Knutsen: "Sosiale klasser og politiske verdier i Norge. "Middel-klassen" i den offentlige sektor som "den nye klasse"", *Tidsskrift for sam-funnsforskning,* bd.27, nr. 4: 263-287.

**Knutsen 1986b**

Oddbjørn Knutsen: "Offentlig ansatte: Mulige årsaker til partipolitisk sær-preg", *Norsk Statsvitenskapelig Tidsskrift,* nr. 4: 21-44.

**Kuhnle 1983**

Stein Kuhnle: *Velferdsstatens utvikling,* Universitetsforlaget, Bergen

**Lafferty & Knutsen 1982**

William M. Lafferty og Oddbjørn Knutsen: "Yrke som variabel - noen er-faringer med å bruke "Nordisk Yrkesklassifisering" som grunnlag for opp-bygging av yrkesvariabel - og et forslag til løsning", *Arbeidsnotat nr. 6 til prosjektet "Demokrati i Norge: Deltakelse og grunnverdier".*

**Lafferty & Knutsen 1984**

William M. Lafferty and Oddbjørn Knutsen: "Leftist and Rightist Ideology in the Social Democratic State", *British Journal of Political Science,* 14: 345-367.

**Lafferty 1988**

William M. Lafferty: "Offentlig-sektorklassen. I Støpeskjeen mellom private og kollektive verdier", i Hanne Bogen og Ove Langeland (red.): *Offentlig eller privat? Om privatisering og grensen for offentlig ansvar,* FAFO- rapport nr.078.

**Lipset & Rokkan 1967**

S.M. Lipset and S. Rokkan: "Introduction" in *Party Systems and Voter Alignments,* Free Press, New York.

**Listhaug & Aardal 1989**

Ola Listhaug and Bernt Aardal: "Welfare State issues in the Norwegian 1985 Election: Evidence from Aggregate and Survey Data", *Scandinavian Political Studies,* Vol.12, No. 1: 57-76.

**Listhaug et al. 1985**

Ola Listhaug, Arthur H. Miller and Henry Valen : "The Gender Gap in Norwegian Voting Behaviour", *Scandinavian Political Studies,* vol.8, No.3, 187:206.

**Miller 1986**

Arthur H. Miller: "Gender Politics in the United States", *Report #20,* Department of Political Science, The University of Iowa. Paper presented at the ECPR Joint Sessions of Workshops, Gøteborg, 1-6 April.

**Norris 1988**

Pippo Norris: The Gender Gap: "A Cross-National Trend?" in Carol M. Mueller (ed.): *The politics of the Gender Gap. The social Construction of Political Influence,* Sage Publications, Newburg Park, Beverly Hills, London, New Dehli.

**Oskarson 1990**

Maria Oskarson: "Klassröstning på reträtt", s. 216-245 i Mikael Gilljam och Sören Holmberg: *Rött Blått Grönt. En bok om 1988-års riksdagsval,* Bonniers, Stockholm.

**Pedersen 1983**

M. Pedersen: "Changing patterns of electoral volatility in European party systems, 1948-1977: Explorations in explanation", i H. Daalder and P. Mair (eds.): *Western Europe Party Systems,* Sage Publications, Beverly Hills.

---

**Rokkan & Valen 1964**

Stein Rokkan and Henry Valen: "Regional Contrasts in Norwegian Politics", in Allardt & Littunen (eds.): *Cleavages, Ideologies and Party Systems*, Westermarck Society, Helsinki.Trykt opp igjen i Allardt & Rokkan (eds.): *Mass Politics*, Free Press, New York, 1970.

**Rokkan 1967**

Stein Rokkan: "Geography, Religion, and Social Class: Crosscutting Cleavages in Norwegian Politics", in Lipset & Rokkan: *Party Systems and Voter Alignments*, Free Press, New York.

**Rokkan 1970**

Stein Rokkan (with Angus Campbell, Per Torsvik, and Henry Valen): *Citizens, Elections, Parties*, Universitetsforlaget, Oslo.

**Statistisk sentralbyrå**  *Standard for kommuneklassifisering*, Statistisk sentralbyrå, Oslo 1985.

**Valen & Katz 1964**

Henry Valen and Daniel Katz: *Political Parties in Norway*, Universitetsforlaget, Oslo.

**Valen & Rokkan 1974**

Henry Valen and Stein Rokkan: "Norway: Conflict Structure and Mass Politics in a European Periphery", in Richard Rose (ed.): *Electoral Behavior : A Comparative Handbook*, Free Press, New York.

**Valen 1981**

Henry Valen: *Valg og politikk - Et samfunn i endring*, NKS-forlaget, Oslo.

**Valen & Aardal 1983**

Henry Valen og Bernt O. Aardal: *Et valg i perspektiv. En studie av stor-tingsvalget 1981*, Samfunnsøkonomiske Studier, nr. 54, Statistisk sentral-byrå, Oslo.

**Valen 1990**

H. Valen: "Velgere, politisk avstand og koalisjoner", *Norsk Statsviten-skapelig Tidsskrift*, (6), 1: 17-32.

**Waldahl et al. 1974**

Ragnar Waldahl, Eivind Stø og Willy Martinussen: *Valgundersøkelsene i Norge 1965-1969-1973: utvalg, intervjuing, bortfall og representativitet*, Institutt for samfunnsforskning, Oslo.

**Waldahl & Aardal 1981**

Ragnar Waldahl og Bernt Olav Aardal: "Kan vi stole på erindringsdata ?", *Tidsskrift for Samfunnsforskning*, nr. 2-3, s. 261-274.

**Øidne 1957**

Gabriel Øidne: "Litt om motsetninga mellom Austlandet og Vestlandet", *Syn og Segn* bd. 63, nr. 3, s. 97-114. Opptrykt i samme tidsskrift 1975.

**Aardal & Valen 1989**

Bernt Aardal & Henry Valen: *Velgere, partier og politisk avstand*, Sosiale og økonomiske studier 69, Statistisk sentralbyrå, Oslo.

**Aardal 1990 A**

Bernt Aardal: "Green Politics: A Norwegian Experience", *Scandinavian Political Studies*, Vol.13, No. 2: 147-164.

**Aardal 1990 B**

Bernt Aardal: "The Norwegian Parliamentary Election of 1989", *Electoral Studies, 9:2, 151-158.*

# Utkommet i serien sosiale og økonomiske studier (SØS)
## Issued in the series Social and Economic Studies (SES)

*Utsolgt  Out of sale

Nr. 8* Produksjonsstruktur, import og syssel-
setting *Structure of Production,
Imports and Employment* 1959
Sidetall 129  Pris kr 5,50

- 9 Kryssløpsanalyse av produksjon og
innsats i norske næringer 1954
*Input-Output Analysis of Norwegian
Industries* 1960 Sidetall 614  Pris kr
10,00

- 10 Dødeligheten og dens årsaker i Norge
1856 - 1955 *Trend of Mortality and
Causes of Death in Norway* 1962
Sidetall 246  Pris kr 8,50

- 11 Kriminalitet og sosial bakgrunn *Crimes
and Social Background* 1962 Sidetall
194  Pris kr 7,00

- 12 Norges økonomi etter krigen *The
Norwegian Post-War Economy* 1965
Sidetall 437  Pris kr 15,00

- 13 Ekteskap, fødsler og vandringer i Norge
1856 - 1960 *Marriages, Births and
Migrations in Norway* 1965
Sidetall 221  Pris kr 9,00

- 14* Foreign Ownership in Norwegian
Enterprises *Utenlandske eierinteresser i
norske bedrifter* 1965 Sidetall 213
Pris kr 12,00

- 15 Progressiviteten i skattesystemet 1960
*Statistical Tax Incidence Investigation*
1966 Sidetall 95  Pris kr 7,00

- 16* Langtidslinjer i norsk økonomi
1955-1960 *Trends in Norwegian
Economy* 1966 Sidetall 150
Pris kr 8,00

- 17 Dødelighet blant spedbarn i Norge
1901-1963 *Infant Mortality in Norway*
1966 Sidetall 74  Pris kr 7,00

- 18* Storbyutvikling og arbeidsreiser En
undersøkelse av pendling, befolknings-
utvikling, næringsliv og urbanisering i
Oslo-området *Metropolitan Growth,
Commuting and Urbanization in the
Oslo Area* 1966 Sidetall 298
Pris kr 12,00

Nr. 19 Det norske kredittmarked siden 1900
*The Norwegian Credit Market since 1900*
Sidetall 395  Pris kr 11,00

- 20 Det norske skattesystemet 1967 *The
Norwegian System of Taxation* 1968
Sidetall 146  Pris kr 9,00

- 21 Estimating Production Functions and
Technical Change from Micro Data. An
Exploratory Study of Individual
Establishment Time-Series from
Norwegian Mining and Manufacturing
1959 - 1967 *Estimering av
produktfunksjoner og tekniske endringer
fra mikro data. Analyser på grunnlag av
tidsrekker for individuelle bedrifter fra
norsk bergverk og industri* 1971
Sidetall 226  Pris kr 9,00
ISBN 82-537-0014-8

- 22 Forsvarets virkninger på norsk økonomi
*The Impact of the Defence on the
Norwegian Economy* 1972 Sidetall 141
Pris kr 9,00  ISBN 82-537-0149-7

- 23 Prisutvikling og prisatferd i 1960-årene
En presentasjon og analyse av
nasjonalregnskapets prisdata 1961 -
1969 *The Development and Behaviour
of Prices in the 1960's Presentation and
Analysis of the Price-Data of the
Norwegian National Accounts* 1974
Sidetall 478  Pris kr 15,00
ISBN 82-537-0279-5

- 24* Det norske skattesystemet I Direkte
skatter 1974 *The Norwegian System of
Taxation I Direct Taxes* 1974
Sidetall 139  Pris kr 9,00
ISBN 82-537-0399-6

- 25* Friluftsliv, idrett og mosjon *Outdoor
Recreation, Sport and Exercise* 1975
Sidetall 114  Pris kr 8,00
ISBN 82-537-0469-0

- 26 Nasjonalregnskap, modeller og analyse
En artikkelsamling til Odd Aukrusts
60-årsdag *National Accounts, Models
and Analysis to Odd Aukrust in Honour
of his Sixtieth Birthday* 1975
Sidetall 320  Pris kr 13,00
ISBN 82-537-0530-1

Nr. 27 Den repræsentative undersøgelses-
methode *The Representative Method of
Statistical Surveys* 1976 Sidetall 64
Pris kr 8,00 ISBN 82-537-0538-7

- 28 Statistisk Sentralbyrå 100 år 1876-1976
*Central Bureau of Statistics 100 Years*
1976 Sidetall 128 Pris kr 9,00
ISBN 82-537-0557-3

- 29 Statistisk Sentralbyrås 100-årsjubileum
Prolog og taler ved festmøtet i
Universitetets aula 11. juni 1976
*Central Bureau of Statistics Prologue
and Addresses at the Centenary
Celebration, University Hall* 1976
Sidetall 32 Pris kr 7,00
ISBN 82-537-0637-5

- 30 Inntekts- og forbruksbeskatning fra et
fordelingssynspunkt - En modell for
empirisk analyse *Taxation of Income
and Consumption from a Distributional
Point of View - A Model for Empirical
Analysis* 1976 Sidetall 148
Pris kr 9,00 ISBN 82-537-0647-2

- 31* Det norske skattesystemet II Indirekte
skatter og offentlige trygdeordninger
1976 *The Norwegian System of Taxation
II Indirect Taxes and Social Security
Schemes* 1977 Sidetall 124
Pris kr 13,00 ISBN 82-537-0713-4

- 32 Inntekt og forbruk for funksjonshemma
*Income and Consumer Expenditure of
Disabled Persons* 1977 Sidetall 166
Pris kr 13,00 ISBN 82-537-0732-0

- 33 Prinsipper og metoder for Statistisk
Sentralbyrås utvalgsundersøkelser
*Sampling Methods Applied by the
Central Bureau of Statistics of Norway*
1977 Sidetall 105 Pris kr 11,00
ISBN 82-537-0771-1

- 35 Flyttemotivundersøkelsen 1972 *Survey
of Migration Motives* 1978 Sidetall 233
Pris kr 15,00 ISBN 82-537-0783-5

- 36 Konjunkturbølger fra utlandet i norsk
økonomi *International Cycles in
Norwegian Economy* 1979
Sidetall 141 Pris kr 13,00
ISBN 82-537-0910-2

Nr. 37 Norske lytter- og seervaner *Radio
Listening and Television Viewing in
Norway* 1979 Sidetall 216
Pris kr 13,00 ISBN 82-537-0931-5

- 38* Analyse av investeringsatferd
Problemer, metoder og resultater
*Analysing Investment Behaviour
Problems, Methods and Results*
1979 Sidetall 91 Pris kr 13,00
ISBN 82-537-0952-8

- 39 Kvinners yrkesdeltaking i Norge
*Female Labour Activity in Norway* 1979
Sidetall 162 Pris kr 13,00
ISBN 82-537-0961-7

- 40 Framskriving av befolkningens utdanning
til år 2000 *Projections of the Education
Characteristics of the Population to the
Year 2000* 1979 Sidetall 112
Pris kr 13,00 ISBN 82-537-0998-6

- 41 Nordmenns feriereiser *Holiday Trips by
Norwegians* 1979 Sidetall 222
Pris kr 13,00 ISBN 82-537-0999-4

- 42 Analyse av sammenhengen mellom
forbruk, inntekt og formue i
norske husholdninger *Analysing the
Relationship between Consumption,
Income and Wealth in Norwegian
Households* 1980 Sidetall 95
Pris kr 13,00 ISBN 82-537-1012-7

- 43 MODIS IV A Model for Economic
Analysis and National Planning
*MODIS IV Modell for økonomisk
analyse og nasjonal planlegging*
1980 Sidetall 189 Pris kr 13,00
ISBN 82-537-1014-3

- 44 Holdninger og atferd på arbeidsmarkedet
*Attitudes and Behaviour in the Labour
Market* 1980 Sidetall 223
Pris kr 15,00 ISBN 82-537-1186-7
ISSN 0085-4344

- 45 Nasjonalregnskapet i Norge System og
beregningsmetoder *National
Accounts of Norway System and
Methods of Estimation* 1980
Sidetall 313 Pris kr 18,00
ISBN 82-537-1191-3 ISSN 0085-4344

- 46 Inntektsfordeling og levekår *Income
Distribution and Level of Living* 1980
Sidetall 263 Pris kr 15,00
ISBN 82-537-1195-6 ISSN 0085-4344

Nr. 47   Fruktbarhetsutvikling og
         fruktbarhetsteorier Norge i et
         internasjonalt perspektiv *Trends and
         Theories in Fertility Norway in an
         International Context* 1981 Sidetall 120
         Pris kr 15,00 ISBN 82-537-1236-7
         ISSN 0085-4344

-   48   Framskriving av arbeidsstyrken 1979 -
         2000 *Labour Force Projections* 1981
         Sidetall 109 Pris kr 15,00
         ISBN 82-537-1556-0 ISSN 0085-4344

-   49   Fruktbarhet blant norske kvinner
         Resultater fra Fruktbarhets-
         undersøkelsen 1977 *Fertility among
         Norwegian Women Results from the
         Fertility Survey* 1981 Sidetall 349
         Pris kr 20,00 ISBN 82-537-1621-4
         ISSN 0085-4344

-   50   Flyttemønstre Norge 1971 - 1974
         *Patterns of Migration Norway 1971 -
         1974* 1982 Sidetall 238 Pris kr 20,00
         ISBN 82-537-1709-1 ISSN 0085-4344

-   51.  Utdanning og sosial bakgrunn
         *Education and Social Background*
         1982 Sidetall 210 Pris kr 15,00
         ISBN 82-537-1759-8 ISSN 0085-4344

-   52   Econometrics of Incomplete
         Cross-Section/Time-Series Data:
         Consumer Demand in Norwegian
         Households 1975 - 1977 *Økonometrisk
         analyse av ufullstendige tverr-
         snitts-/tidsseriedata:
         Konsumetterspørselen i norske
         husholdninger* 1982 Sidetall 307
         Pris kr 20,00 ISBN 82-537-1782-2
         ISSN 0085-4344

-   53   Analysis of Supply and Demand of
         Electricity in the Norwegian
         Economy *Analyse av tilbud og
         etterspørsel etter elektrisitet i
         norsk økonomi* 1983 Sidetall 334
         Pris kr 20,00 ISBN 82-537-1815-2
         ISSN 0085-4344

-   54   Et valg i perspektiv En studie av
         Stortingsvalget 1981 1983
         Sidetall 285 Pris kr 24,00
         ISBN 82-537-1932-9 ISSN 0085-4344

-   55   Endringer i kvinners arbeidsmarkeds-
         tilpasninger *Changes in Women's
         Employment Patterns* 1984 Sidetall 371
         Pris kr 24,00 ISBN 82-537-2039-4
         ISSN 0085-4344

Nr. 56   An Economic Model of Fertility, Sex
         and Contraception *En økonomisk modell
         for fruktbarhet, seksuell aktivitet og
         prevensjonsbruk* 1984 Sidetall 334
         Pris kr 24,00 ISBN 82-537-2094-7
         ISSN 0085-4344

-   57   Uformell omsorg for syke og eldre
         *Informal Care of Sick and Elderly* 1984
         Sidetall 265 Pris kr 24,00
         ISBN 82-537-2101-3 ISSN 0085-4344

-   58   Individual Labour Supply in Norway
         *Individenes tilbud av arbeidskraft* 1984
         Sidetall 177 Pris kr 24,00 ISBN
         82-537-2114-5 ISSN 0085-4344

-   59   Økonomi, befolkningsspørsmål og
         statistikk Utvalgte arbeider av
         Petter Jakob Bjerve *Economy, Population
         Issues and Statistics Selected works by
         Petter Jakob Bjerve* 1985 Sidetall 431
         Pris kr 50,00 ISBN 82-537-2236-2
         ISSN 0085-4344

-   60   Framskriving av befolkningens utdanning
         Revidert modell *Projections of the
         Educational Characteristics of the
         Population A Revised Model* 1985
         Sidetall 95 Pris kr 25,00
         ISBN 82-537-2296-6 ISSN 0085-4344

-   61   Vannkvalitet og helse Analyse av en
         mulig sammenheng mellom aluminium i
         drikkevann og aldersdemens *Water
         Quality and Health Study of a Possible
         Relation between Aluminium in Drinking
         Water and Dementia.* 1986 Sidetall 77
         Pris kr 30,00 ISBN 82-537-2370-9
         ISSN 0085-4344

-   62   Dødelighet blant yrkesaktive Sosiale
         ulikheter i 1970-årene *Mortality by
         Occupation Social Differences in the
         1970s.* 1986 Sidetall 54
         Pris kr 40,00 ISBN 82-537-2398-9
         ISSN 0085-4344

-   63   Levekår blant utenlandske statsborgere
         1983 *Living Conditions among Foreign
         Citizens.* 1987 Sidetall 299
         Pris kr 55,00 ISBN 82-537-2432-2
         ISSN 0085-4344

-   64   Tidsbruk og aktivitet i nærmiljø
         *Neighbourhood Activity and the
         Use of Time* 1987 Sidetall 91
         Pris kr 45,00 ISBN 82-537-2534-5
         ISSN 0801-3845

Nr. 65    Natural Resource Accounting and
          Analysis The Norwegian Experience
          1978 - 1986  *Naturressursregnskap og
          analyser Norske erfaringer 1978 - 1986*
          1987  Sidetall 71  Pris kr 40,00
          ISBN 82-537-2560-4  ISSN 0801-3845

-   66    Støy og helse  Analyse av
          støyopplevelser i Norge  *Noise and
          Health Study on Noise Annoyance in
          Norway*  1988  Sidetall 71
          Pris kr 45,00  ISBN 82-537-2574-4
          ISSN 0801-3845

-   67    Modeling Demand for Natural Gas  A
          Review of Various Approaches
          *Etterspørsel etter naturgass  En oversikt
          over ulike modellopplegg*  1988
          Sidetall 81  Pris kr 40
          ISBN 82-537-2665-1  ISSN 0801-3845

-   68    Miljøstatistikk 1988  Naturressurser og
          miljø  *Environmental Statistics Natural
          Resources and the Environment*  1988
          Sidetall 291  Pris kr 70,00
          ISBN 82-537-2664-3  ISSN 0801-3845

-   69    Velgere, partier og politisk avstand 1989
          Sidetall 329  Pris kr 125,00
          ISBN 82-537-2762-3  ISSN 0801-3845

Nr. 70    Sosialt utsyn 1989  *Social Survey* 1989
          Sidetall 230  Pris kr 125,00 ISBN
          82-537-2776-3  ISSN 0801-3845

-   71    Normalisering av deltidsarbeidet  En
          analyse av endring i kvinners
          yrkesaktivitet og arbeidstid i 80-årene
          *Normalization of Part-Time Work  A
          Study of Women's Employment and
          Working Time Patterns in the 1980s*
          1989  Sidetall 127  Pris kr 75,00
          ISBN 82-537-2779-8  ISSN 0801-3845

-   72    Individ, arbeid og inntekt  En
          fordelingsanalyse  *Individuals,
          Jobs and Earnings  A study of
          Distribution*  1989  Sidetall 198
          Pris kr 85  ISBN 82-537-2850-6
          ISSN 0801-3845

-   73    Vitskapsfilosofi og økonomisk teori
          *Philosophy of Science and Economic
          Theory*  1990  Sidetall 315  Pris kr 115
          ISBN 82-537-2857-3  ISSN 0801-3845